Espiral/Fundamentos

GONZALO DIAZ MIGOYO

GUIA DE TIRANO BANDERAS

Colección Epiral, dirigida por Julián Ríos

©   Gonzalo Díaz Migoyo 1984

©   Editorial Fundamentos 1985
      Caracas 15. 28010 Madrid. España
      Tfno. 4 19 96 19

ISBN: 84-245-0414-3
Depósito Legal: M-3.015-1985

Printed in Spain. Impreso en los Talleres Gráficos de
GRAFISA. Gráficas Internacionales, S.A.
c/ Emilia nº 58 - 28029 Madrid. España

Cubierta: *Valle-Inclán* por Alberto Gironella
Diseño gráfico: CristinaVizcaino

EL AUTOR: Gonzalo Díaz-Migoyo (Oviedo 1941) desde hace dieciocho años reside en los Estados Unidos,
donde en la actualidad enseña como profesor de Literatura Española en la Universidad de Texas, en Austin.

En esta misma colección (nº 44) puede leerse otro
estudio suyo sobre El Buscón de Quevedo titulado *Estructura de la novela*, y en diversas revistas españolas y
americanas sus colaboraciones sobre narrativa desde el
Siglo de Oro hasta el presente. En la actualidad prepara un nuevo libro sobre los orígenes de la novela en
el XVII español.

LA OBRA: Una y trina, esta *Guía* señala tres recorridos de lectura de la novela española más original y fecunda del siglo XX, *TIRANO BANDERAS* (1926), de Ramón del Valle-Inclán.

Esta triple lectura desentraña respectivamente:

a) una autobiografía valleinclaniana umbilicalmente dependiente de esta novela

b) su doble trama simultánea y los resortes de su narración teatralizada, así como el carácter genésico de estos dos aspectos para las posteriores "novelas del dictador" americanas.

c) el trasmundo histórico, predominantemente mexicano, que bajo el prisma de la ficción novelesca se transforma en una América y un problema americano esenciales, tan significativamente vigentes hoy como hace más de medio siglo.

Aunque utilizables independientemente, estas tres guías de abordaje son también los tres pasos de un único intento de leer la novela dialécticamente, atento siempre a la ausencia que, en cada caso, da significancia a la presencia del dato biográfico, textual o referencial.

A S. A. J.,

sin cuya amable ausencia este libro no hubiera sido posible.

AGRADECIMIENTOS

Es ésta la declaración más directamente personal de un libro de esta índole, pero, inevitablemente, por muy explícita que quiera ser, nunca deja de tener cierto carácter de escritura en cifra para terceros, disminuyendo así el reconocimiento público que la anima. Espero que los interpelados, por lo menos, sepan descifrar la clave.

Quedo agradecido a Julio Ortega por la paciencia y el interés con que escuchó durante cerca de dos años mi temática conversación sobre «El tirano», y por las agudas observaciones que él intercalaba de trecho en trecho, todas alentadoras y en muchas ocasiones más decisivas de lo que él imaginaba; a Juan López-Morillas y a Aníbal González Pérez, por su lectura de distintas partes de este libro y sus útiles comentarios; al University Research Institute de la Universidad de Texas en Austin, por la ayuda económica para la mecanografía del manuscrito, y a Cher Leszczewicz, por su eficaz manera de llevarla a cabo; a Julián Ríos le quedo agradecido de un modo muy especial: como originador de la idea de esta Guía, como animador constante a lo largo de su escritura y como indispensable lector y relector cuyas orientaciones siempre han sido acertadas.

Todos ellos me han ayudado y con ellos comparto las bondades que pueda tener este libro. Sus defectos son sólo míos.

INTRODUCCION

Este libro es en realidad tres libros en uno, correspondientes a las tres partes en que está dividido: «La novela de una vida», «Palabras sin cuerpo» y «Una América mexicana». Todas tres pretenden servir de guías al lector de *Tirano Banderas,* aunque por distintas sendas: la que sigue la vida y la obra de su autor, don Ramón María del Valle-Inclán; la del examen de ciertos aspectos del relato, y la que explora el trasfondo histórico a que refiere la ficción novelesca. El escritor, la escritura y la realidad, tres objetos de una misma experiencia, la lectura de *Tirano Banderas.*

En los tres casos la labor de guía intenta ser, ante todo, completa, esto es, intenta dar cuenta de toda la vida, toda la novela y todo su trasfondo, sin privilegiar unos u otros momentos, pasajes o hechos. Pero, por lo mismo, se ha preferido limitar la guía a unos pocos aspectos de esos tres objetos, en vez de señalar heterogéneamente una multitud de ellos. Existe, además, una tesis común a todas tres, aunque aparezca bajo formas distintas, que es, como si dijéramos, el prejuicio orientador de estas tres lecturas, y es que ésta, la lectura, es siempre una actividad dialécticamente contradictoria: lo que se lee en cualquier momento no es más que la contingente y fugaz manera de congelar ese dinamismo dialéctico infinito. De ahí que en los tres casos siguientes se preste especial atención al valor contradictorio de los «datos» que ofrece la vida, el texto y el mundo referencial de la ficción. Se trata, pues, de guías que señalan preferentemente la significante ausencia que dinamiza siempre cualquier presencia, sea ésta de un hecho biográfico, textual o referencial: la ausencia que inestabiliza y da su virtualidad o significancia a la presencia.

11

«La novela de una vida» propone una biografía literaria de Valle-Inclán en función de *Tirano Banderas* y podía casi haberse titulado «La vida de una novela». Este propósito no pretende reflejar una situación de hecho en la vida de Valle-Inclán; es decir, no pretende que efectivamente toda la vida del escritor haya estado supeditada a la escritura de *Tirano Banderas.* Lo que precedió cronológicamente a esta novela no fue en realidad preparación de ella; como tampoco lo que la sucedió fue su simple consecuencia. Se trata de una ficción interpretativa que, sin embargo, intenta atenerse a hechos conocidos de la vida de Valle-Inclán: ni los cambia ni los deforma o reajusta, sino que los ilumina desde este declarado punto de vista.

Quizás sea esta unidad de visión la que hace que la trayectoria literaria de Valle-Inclán adquiera una coherencia que el resto de sus biografías no consigue, o pretende, dar. Se acostumbra, en efecto, a hablar de, por lo menos dos Valle-Inclanes: el inicial, modernista y estetizante, y el último, esperpéntico y crítico. Entre ellos no se afirma más continuidad que la que provee el hombre mismo, es decir, una identidad, como si dijéramos, de Registro Civil, pues aun en los casos en que se señala la abundancia de rasgos comunes a ambas épocas, no es tanto para reducir la dualidad como para asombrarse de ella: las semejanzas la hacen aún más inexplicable y excepcional.

«La novela de una vida» intenta «resolver» esta cuestión al revés de lo acostumbrado, esto es, no imponiendo una solución, o interrupción, en la trayectoria de Valle-Inclán, sino aceptando su continuidad contradictoria según un modelo dialéctico y mediante unos instrumentos que son el hombre y la máscara, el escritor y su obra.

Esta primera parte se puede leer independientemente de las dos siguientes, e incluso se puede limitar la lectura a ella para adentrarse en la novela. Sería entonces una guía del camino exterior y anterior que conduce a *Tirano Banderas.* También puede considerarse, sin embargo, como introducción o preparación para la segunda parte, «Palabras sin cuerpo», guía por el interior de la novela.

Consiste ésta en un doble recorrido a lo largo del texto de la novela seguido de unas recapitulaciones que señalan los rasgos decisivos del subgénero narrativo que con ella se inaugura, la moderna «novela del dictador».

Esta parte, la más técnica de esta *Guía*, intenta evitar el mayor número posible de tecnicismos. La creencia que avala este intento es la de que la metodología y los instrumentos de interpretación literaria han de ser invisibles para ser utilizables. De lo contrario, dan lugar a una sustitución peligrosa de la contradictoria experiencia de lectura por la unívoca pseudoexperiencia analítica.

No se trata de una elección entre lenguaje o metalenguaje, sino de una elección de metalenguajes: uno, cuanto más técnico, más opaco y autorreflexivo y, por tanto, más expresivo de su propia coherencia que de la del lenguaje al que se aplica; otro, cuanto menos técnico, menos exclusivo de contradicciones y, por ende, más transparente o poroso ante el lenguaje comentado. Hacia este segundo he querido inclinarme.

Sin duda, los especialistas de los estudios literarios reconocerán el bagaje teórico que se ha intentado invisibilizar, pero en el que se apoyan estas lecturas. Me es muy grato confesar aquí, agradecidamente, los nombres de algunas personas cuyas ideas me han servido de entrenamiento. En la medida en que tengo conciencia clara de ello son principalmente, pero en proporción varia, Kenneth Burke, Emile Benveniste y Mijail Bajtín, así como los trabajos de Félix Martínez-Bonati, Michael McCanles y Ann Banfield. Más generalmente, también las ideas de la trinidad postestructuralista, Derrida-Foucault-Lacan.

Se advertirá, sin embargo, que cito frecuentemente a José Ortega y Gasset en la Parte II, particularmente en sus afirmaciones sobre la naturaleza del objeto estético. No es ésta la apoyatura teórica de esta parte. No creo que Ortega y Gasset hubiera hecho la aplicación y sacado las conclusiones que de sus ideas se llevan aquí a cabo. Su función es, por un lado, de ambientación intelectual coetánea con la escritura de *Tirano Banderas*; por otro, de analogía explicativa clara, amena y, por su inactualidad, inocua.

El primer recorrido de esta parte, «Qué pasa y qué no-pasa» en la novela, está dedicado a su trama. Es éste el aspecto individual que ha sido objeto de mayor número de estudios y comentarios hasta la fecha, es decir, es un aspecto de *Tirano Banderas* de atención obligada. Se debe ello no sólo a que la organización del relato es, a primera vista, confusa y desacostumbrada, sino sobre todo a que a ella se debe una parte fundamental del sentido de la novela. La doble orientación simultánea de la acción —«lo que pasa», dinámicamente, y «lo que no-pasa», estáticamente— obliga a una lectura estereoscópica del relato en la que es fácil perder el punto justo de enfoque a menos de atender con cierta minuciosidad a uno y otro esquema. «Lo que pasa» es, en efecto, lo mismo que «lo que no-pasa», y es en esa contradicción donde se encuentra gran parte de la riqueza significante de la novela. Este capítulo traza los dos circuitos de un cabo a otro de la novela sin dejar de señalar sus efectos para el tiempo, o tiempos, del relato y para el desenlace, o desenlaces.

El segundo recorrido, «Quién habla y quién no-habla», atiende a otro aspecto de la novela igualmente original e importante, el denominable, «grosso modo», como punto de vista narrativo y, más precisamente, como valor enunciativo y valor enunciado del lenguaje del texto.

El criterio que preside y dirige este examen es el de la falta de hablante real en todos los casos: ni lo es el narrador, que, para lograrlo, adopta la actitud de un ausente dramaturgo poniendo todo en boca de unos actores y un decorado y espectáculo escénicos que se dicen a sí mismos; ni lo son los personajes, que, como actores, no hablan en su propio nombre, sino que representan a otros personajes —ellos mismos. Los distintos grados de enajenación enunciativa, es decir, de desaparición de un hablante natural, según las distintas situaciones de enunciación, se examinan con la ayuda de un instrumento tradicional: la distinción entre estilos directo, indirecto puro e indirecto libre.

El examen se complementa y se confirma con una última sección, dedicada al lenguaje de la novela, tan inmediatamente llamativo. Se trata, en efecto, de un lenguaje artificial, ficticio, un simulacro de lenguaje más que un lenguaje natural o incluso posible, incapaz de ser hablado por nadie, pero no por ello menos narrativamente expresivo.

Los tres capítulos de esta segunda parte pueden también

ser leídos independientemente de las otras dos. A su vez, pueden considerarse como preparación para la tercera parte, «Una América mexicana», tercer y último recorrido de la novela no ya hacia ella ni dentro de ella, sino a partir de ella.

Se trata esta vez de un archivo ordenado de hechos, personajes y costumbres a los que hace alusión la ficción novelesca. Ni están todos los que son, ni son todos los que están, lo mismo que ocurre en los demás estudios dedicados a este aspecto de la novela. Pero aquí son más numerosos que en aquéllos, en gran parte desconocidos hasta ahora y, además, están sistematizados por el simple procedimiento de incluir todos y cada uno de los nombres propios mencionados en el texto. Ordenados alfabéticamente como están, constituyen un diccionario onomástico de *Tirano Banderas* en el que la consulta de cualquiera de ellos abre perspectivas insospechadas a la lectura de la novela; permite una lectura más rica en connotaciones: los nombres propios, en vez de ser etiquetas neutras, adquieren valor de relatos enteros que entrelazan sus historias significativamente.

De una lectura completa de estas fichas informativas se desprenden varias conclusiones acerca de las fuentes utilizadas por Valle-Inclán, la época y el lugar que le sirvieron de cantera para su ficción, así como acerca de su método de trabajo y de las razones que tuvo para adoptarlo. En su mayoría estas conclusiones no están más que insinuadas y se deja al arbitrio del lector el confirmarlas o desecharlas.

Finalmente, para aquellos a quienes les interese conocer interpretaciones alternativas a las aquí sugeridas, o el tratamiento de aspectos de la novela aquí no mencionados, se cierra el volumen con una lista de monografías dedicadas a *Tirano Banderas*. Los comentarios que acompañan a algunas de ellas son los que pretenden justificar el título de esta sección como «Guía bibliográfica de *Tirano Banderas*».

Austin, Texas
Enero de 1981-Diciembre de 1982

PRIMERA PARTE

LA NOVELA DE UNA VIDA

«The road of excess leads to the palace of wisdom.»

(William Blake.)

CAPITULO I

COMO SE GESTA UNA AUTOBIOGRAFIA

En los últimos días de 1926 se publica *Tirano Banderas. Novela de Tierra Caliente*. En Madrid el clima de expectación era grande. Hacía poco que Valle-Inclán se había incorporado a la vida de la capital tras un retiro de diez años en su nativa Galicia. Iba a ser la primera novela del escritor al cabo de una larga temporada de dedicación exclusiva al teatro, en el que había iniciado un nuevo estilo. El título mismo de la obra era de candente actualidad, pues desde hacía tres años España vivía bajo la dictadura de Miguel Primo de Rivera. Tal como solía, Valle-Inclán había publicado poco antes de esa fecha fragmentos de la novela y, contrariamente a su costumbre, había leído partes de ella a sus contertulios y amigos. Todo ello era más que suficiente para que se disparara la imaginación de cada cual en torno a ese permanente catalizador de fantasías que era Valle-Inclán.

El texto completo de la novela rebasó las más atrevidas conjeturas. Su publicación adquirió inmediatamente carácter de acontecimiento. Un contemporáneo, Francisco Madrid, lo recuerda así:

> Apareció *Tirano Banderas*. Las gentes en cuanto lo vieron en los escaparates de las librerías agotaron la primera y la segunda edición. Fue uno de los más grandes éxitos literarios que ha habido en España en lo que va de siglo. A las cuarenta y ocho horas en cualquier tertulia literaria o teatral se había olvidado la política, los toros o la actualidad. Lo primero que se preguntaba era: «¿Ha leído usted *Tirano Banderas*?» Casi todas las primeras

19

actrices españolas, tan reacias a la lectura, agarraron el volumen de la edición original y, sin comprender gran parte del lenguaje valle-inclanesco, doblaron las páginas del magnífico libro. Cayeron sobre don Ramón todos los homenajes populares y prestigiosos. La crítica, los comentadores de la actualidad, los entrevistadores, etc., exaltaron la obra. Volvióse a insistir sobre la conveniencia de que don Ramón ingresara en la Academia cuanto antes y se trató de realizar un homenaje nacional... (1).

Las reseñas se sucedieron, en efecto, con gran abundancia y un mismo tono elogioso, a cargo de críticos como Gabriel Miró y Ricardo Baeza en *El Heraldo de Madrid*; E. Gómez Baquero, «Andrenio», y E. Díez-Canedo en *El Sol*; P. Sáinz Rodríguez en *El Liberal*; R. Blanco Fombona en *La Gaceta Literaria*; M. Luis Guzmán en *El Universal*, de México; A. Espina en la *Revista de Occidente*; Xavier Bóveda en *Síntesis* (México); en *La Información* (Chile), *Caras y Caretas* (Buenos Aires), etc. (2).

Otro de ellos, César Barja, pasa revista al año siguiente en el *Bulletin of Spanish Studies* a «Algunas novelas españolas recientes» y sintetiza así la impresión dominante:

> Viejo entre los viejos y joven entre los jóvenes, la figura de Valle-Inclán no tiene apenas equivalente en el cuadro de la literatura española contemporánea ... La vejez prematura es una de las cosas que más se destacan en la obra de la tan traída y llevada generación, y es una característica que pesa sobre ella como una losa de plomo, con pesadez monótona ... Valle-Inclán nos dejó también esta impresión; mas he aquí lo curioso y extraordinario: esa impresión nos la dejó Valle-Inclán al principio de su carrera literaria, a raíz de sus famosas *Sonatas* ... Desde entonces —años 1902-1904—, sin embargo, Valle-Inclán ha venido envejeciendo en años; la obra de Valle-Inclán, por el contrario, ha venido rejuveneciéndose, y completamente rejuvenecida se nos presenta hoy (3).

Esta es también la tecla que tocan los numerosos entrevistadores que asedian a Valle-Inclán. Este colmaría con creces lo que de él se esperaba al afirmar rotundamente:

—Lo que he escrito antes de *Tirano Banderas* es musiquilla de violín...

—No, por favor, no diga usted eso... *Las Sonatas*...

—Y *Aguila de blasón...*

—... y *Cara de plata...*

Interrumpió don Ramón:

—Les digo a ustedes que «musiquilla» y mala musiquilla de violín. *Tirano Banderas* es la primera obra que escribo. Mi labor empieza ahora (4).

Tiene sesenta años cumplidos; más de cuarenta libros en su haber, entre cuentos, novelas, relatos, obras de teatro y colecciones de poemas; así como la reputación más sólida de España como estilista, modelo de artistas de la pluma.

Le quedan diez años de vida. Ya ha tenido dos operaciones serias a causa de un cáncer de vejiga que —no le permite más que una actitud vital de interinidad —que él se cuida, eso sí, de mantener totalmente privada. Así y todo, acaba de embarcarse en un proyecto literario agotador, el más ambicioso de su vida: *El ruedo ibérico,* una serie de nueve novelas, un tríptico de trípticos, sobre la realidad española, la de entonces y la de siempre, apoyada en el pivote de la vida del país entre 1868 y 1878: una decena de años en los que se produjo la Gloriosa Revolución de 1868; cayó el trono de Isabel II; se creó y desapareció la I República española; volvió a reinar la dinastía borbónica con Alfonso XII; se encendió la segunda guerra civil carlista y la rebelión cubana... Una decena de años que son también los del comienzo de la vida de Valle-Inclán.

1. *La vida escrita, el texto vivido*

No deja de ser significativo que Valle-Inclán haya acabado su vida exclusivamente dedicado a la novelización de una época que es aproximadamente la misma del principio de su existencia. En esta «biografía» de los inicios de la España que le había tocado vivir pudiera verse sin demasiado bizantinismo un intento de explicación de sus propias circunstancias originales, a modo de «autobiografía» inconfesada. Ello hace pensar en otra «autobiografía» escrita en sus primeros años, la de las *Sonatas* o *Memorias del marqués de Bradomín*. Todo separa y distingue a ambos textos, pero lo hace de un modo tan perfectamente antitético, tan ajustadamente contradictorio, que acaban por parecerse como un par de imágenes especulares: iguales, pero invertidas punto por punto.

Piénsese en la actitud escritora de Valle-Inclán en estas dos series. En las *Memorias* se mantiene ajeno a la realidad circundante para crear otra realidad abiertamente libresca y en todo distinta a la suya propia; en *El ruedo ibérico*, el escritor atiende a la realidad española más ahincadamente histórica y concreta. En las *Memorias*, una pseudoautobiografía, el escritor se confunde con el yo narrativo del protagonista, el marqués de Bradomín; mientras que en *El ruedo ibérico* se mantiene a una distancia teológica de sus criaturas y de los acontecimientos referidos. Más aún, en las *Memorias* el protagonista hace gala de un carácter ficticio, teatral, desprovisto de la menor insinuación de humanidad cotidiana; en *El ruedo ibérico*, en cambio, la inhumanidad es más bien la del invisible narrador: los hombres y mujeres que desfilan por sus páginas son fantoches ridículos, pero sólo en la medida en que lo es la humanidad en sus momentos menos excelsos o cuando se la ve con la menos caritativa de las miradas.

Identificación y proximidad del escritor respecto del personaje de las *Memorias*, frente al alejamiento y la enajenación radical respecto de la humanidad de *El ruedo ibérico*; fantasía y artificialidad bradominescas, ante la historicidad y la concreción de la España isabelina; carácter elegíaco de los primeros textos, en contraste con la sátira despiadada de los últimos: estos rasgos antitéticos hacen pensar en la sólida homogeneidad que caracteriza a lo contradictorio: diferencias, sí, pero no como insolidaridad de elementos, sino como continuidad entre los polos de un mismo proceso orgánico: unidad de aquello a lo que su propio dinamismo hace describir la curva que acaba en su contrario; aquello que define su ser en cada momento por su propio no-ser inmediato.

Estas oposiciones polares entre el primer y último Valle-Inclán son tópicas. Se han convertido en el más repetido y comentado de los lugares comunes característicos de la vida y la obra del escritor. Uno de sus más señalados expositores es, sin duda, Pedro Salinas, quien le presenta como «hijo pródigo del 98» al señalar:

> aquél que acabó por donde sus hermanos de grupo habían empezado, … el que pasaba, y con razón, por caudillo del bando opuesto, de los modernistas, resguardados de lo español y sus tragedias por las vidrieras de su arte preciosista, resulta que se siente un día herido por el famoso dolor de España. De la herida lo que brota es el esperpento; y sus tipos son héroes grotescos de la angustia por España (5).

Por lo general, se ha explicado muy insatisfactoriamente este «volteface» de Valle-Inclán. Se habla de una toma de conciencia social tardía del escritor, precipitada por el cariz inapelablemente urgente de los acontecimientos públicos, por la irresistible fuerza de la crisis social y política española y europea a partir de la primera guerra mundial. Pero con este tipo de explicación en realidad se agrava la escisión inexplicable entre uno y otro Valle-Inclán, obligando a elegir entre ambos, el modernista de sus comienzos o el esperpéntico del final de su vida (6).

No deja de haber, sin embargo, quien se ha esforzado por señalar la continuidad entre uno y otro. Se aduce entonces, por ejemplo, el carácter contestatario común tanto al primero como al segundo avatar de Valle-Inclán. En ambos se trata, en efecto, de un rechazo de la sociedad ambiente: ignorándola en un caso, combatiéndola en otro (7). Pero esta comunidad de actitudes sigue sin aclarar el cambio y sus razones: ¿por qué la antipatía le hace reaccionar en un principio ignorando los problemas que plantea su mundo y luego se manifiesta de modo distinto, enfrentándole a ellos críticamente?

La respuesta creo que está en otro tópico muy trillado respecto de Valle-Inclán, cuya frecuentísima mención no ha servido, sin embargo, para hacer algo de luz en la cuestión de la contradictoria organicidad de su desarrollo. Me refiero al carácter teatralizado de su vida y su persona; al hecho de haberse inventado una máscara tras la que acabó por desaparecer o en la que acabó por convertirse.

23

Guillermo de Torre, que es quien más de cerca ha lidiado con esta cuestión, titula incluso su trabajo «Valle-Inclán o el rostro y la máscara».

«Al cabo de un cuarto de siglo», escribe en 1961,

> su rostro verídico asoma tras la máscara pintoresca que lo encubría. ¿Será excesivo decir que para entender cabalmente a Valle-Inclán hay que leerlo al revés, quebrando la cronología y atando extremos? En sus albores muestra un rostro jánico y desconcertante, pues su modernismo inicial no es tal cosa sino arcaísmo; y fiel a su asincronía innata, sólo se acerca a la modernidad al cabo de una evolución tardía. ¿Qué otra explicación tiene su radical cambio estético, ya sobrepasada la madurez, el tránsito del alfeñicamiento de las *Sonatas* —con el intermedio de las *Comedias bárbaras*— al viril acento de *El ruedo ibérico*? (8).

Pasemos sin demasiado comentario por el arbitrario presupuesto de que acabar en la modernidad (pero no en el modernismo, sin duda) al cabo de la vida, o empezar por el arcaísmo en sus comienzos, sea signo de asincronía innata. La afirmación no refleja más que la discutible idea de que los jóvenes han de mostrar un interés por su entorno que, por lo visto, desaparece en los viejos. Sincronía ésta sin gran fundamento que tanto la experiencia como la reflexión demuestran ser fácilmente reversible. Más importante es el hecho de que el recurso a la asincronía, lo mismo que a la sincronía, no acaba de explicar nada. Lo describe quizás, pero no explica la razón del cambio.

Con esta introducción, Guillermo de Torre anuncia la «clave vital-estética» de Valle-Inclán:

> Don Ramón acabó pagando un tributo oneroso a su leyenda, fue devorado por el personaje en que encarnó desde su juventud ... este último puso en riesgo de anulación al primero ... parece indudable que, a la postre, el escritor Valle-Inclán hubo de sentirse víctima del personaje Valle-Inclán ... Y en sus últimos años, este último se hipertrofió, haciéndole vivir sus «gestos» más que escribiéndolos, llevando el esperpento desde el tablado a su atmósfera cotidiana (9).

Se extraña Torre de que «Valle-Inclán fracasara o desistiera

tan pronto de cierto intento que hizo como actor», allá
a sus treinta y tres años, y sólo se lo explica al cabo porque

> Valle-Inclán no podía metamorfosearse en otro personaje
> que el propio. Su vida —imaginaria, fantaseada hasta la
> superchería— era su teatro, y al revés (10).

De estas observaciones preparatorias, que tan ajustadamente se ciñen a los términos del problema, era dable esperar
una solución cabal del mismo. Pero ya el título insinuaba
otra cosa: en definitiva lo que se trata de hacer es quitarle
la máscara a Valle-Inclán para descubrir su verdadero
rostro:

> aunque parezcan indisolublemente unidos la máscara y el
> rostro de Valle-Inclán, intentemos disociarlos y restable-
> cer las verdaderas líneas del segundo (11).

Desilusión grande, porque esta disociación no se limita a la
máscara y el rostro, sino que afecta a los dos Valle-Inclanes recíprocamente exclusivos. Hay que elegir entre ellos:

> cuando Valle-Inclán alcanza su plenitud, cuando se en-
> cuentra verdaderamente a sí mismo (a partir de *La pipa
> de kif*, de *Divinas palabras* y de los primeros esperpen-
> tos), encuentra a la vez no sólo la fórmula de un estilo,
> sino su elemento básico, una lengua (12).

El Valle-Inclán anterior no es por lo visto tal Valle-Inclán
verdadero. Sigue faltando la explicación del cambio, pues.
En su lugar hay una descripción de entidades irreconciliables.

La ruta que lleva a la comprensión unitaria de la vida
de Valle-Inclán es precisamente la contraria, la que Guillermo de Torre estuvo a punto de tomar, pero abandonó
en sus inicios. Es la ruta que toma al pie de la letra una
afirmación que también es de este comentarista:

> Al igual que su traza física, Valle-Inclán compuso, re-
> compuso su autobiografía, a partir de aquella —tan
> reproducida— que publicó en *Alma Española*, 1903 —en
> una serie donde aparecen también las de Azorín, Maeztu
> y otros—. En su breve texto, deliberadamente, no había
> una sola línea verídica (13).

Es la ruta que acepta las consecuencias y la posibilidad de que el rostro de Valle-Inclán no fuera otra cosa que su máscara.

Recuérdense las palabras, teñidas de impaciencia, de uno de sus más íntimos amigos, conocedores y estudiosos, Domingo García Sabell:

> Cuando al escuchar un relato fantástico de Valle-Inclán la gente, escéptica, se sonreía, yo pensaba que nadie había caído en la cuenta de lo que los dichos valle-inclanescos *significaban*. Precisamente por ser inventados es por lo que tenían inapreciable valor. Por mostrarnos, como a través de un espejo, el mundo quimérico al que don Ramón servía porque en él podía realizar sus remotos, hipotéticos afanes. *La anécdota era auténtica precisamente por ser fantástica.* En ella no interesaba lo que había ocurrido, sino lo que no había ocurrido (14).

García Sabell, que quiere con sus precisiones evitar «la despersonalización de la criatura a la que se trata de honrar» (con motivo del centenario de su nacimiento en 1966), se limita aquí a las anécdotas. Pero no hay razón para no aplicar lo que dice a esas otras anécdotas más trabajadas, más extensas, más ambiciosas y significativas también, que son sus obras, sus textos.

La búsqueda de la clave de la persona —en sus dos sentidos de sujeto y de máscara— ha de tener en cuenta estas palabras de Mijail Bajtín —aunque igualmente pudieran haber sido de varios otros pensadores afines, G. H. Mead, E. Levinas o M. Buber—: «La personalización no es en absoluto subjetiva. El límite aquí no es el *yo*, sino ese *yo* en interrelación con otras personas, es decir, *yo y el otro, yo y tú*» (15).

Ese *otro*, ese *tú* de Valle-Inclán, es creación suya, su propio personaje. Una vez abrazado a él, fueran cuales fueran las causas que le llevaron a tomar esta determinación, fueran cuales fueran los propósitos que con ello perseguía, este tándem tenía un desarrollo lógico inescapable: desnudamente dialéctico, tenía que acabar en esa inversión en la que el final refleja, invertido, el principio.

Adviértase ante todo que así como hay contradicción entre una y otra actitudes, la de su juventud y la de su vejez, la hay igualmente en el interior de cada una de ellas: cada una por separado es ya de por sí una contrariedad: la identificación y proximidad del escritor con su personaje en las *Memorias* se compadece mal, en efecto, con la distancia que separa sus circunstancias vitales respectivas, fantásticas y brillantes las unas y reales y desastradas las otras. Lo mismo ocurre en *El ruedo ibérico* con el alejamiento y enajenación del autor respecto de un mundo histórico que es precisamente el de los principios de su propia vida.

Es forzoso, pues, enfrentarse a la contradicción de las actitudes de Valle-Inclán en los dos extremos de su vida profesional sin perder de vista que se trata de una contradicción entre lo que ya son dos contrariedades, una contradicción de contrarios. La primera contrariedad se convierte en la segunda no por negación, que eso sería deshacerla, sino por inversión de sus términos, con lo cual sigue siendo tan contrariedad como antes. ¿Cómo ocurre esto?

En cierto momento de su vida Valle-Inclán crea un personaje sin posible correspondencia con la realidad en que él vive, un ser de ficción cuya única realidad posible es la de su textualización en las obras del escritor. Simultáneamente, decide vivir ese personaje. Esto, que empieza siendo una realidad puramente imaginaria, un deseo que choca con la realidad concreta de la existencia de Valle-Inclán, va perdiendo carácter imaginario poco a poco y adquiriendo carta de naturaleza concreta: la que le presta la realidad diaria del escritor-actor al representar ese papel. A su vez, el hombre Valle-Inclán va perdiendo realidad. Se reduce así paulatinamente la distancia entre uno y otro términos de la antítesis inicial. Llega un momento en que uno y otro se confunden. Momento de crisis, sin duda: ya no existe el personaje, que es todo persona; ya no existe la persona, que es toda personaje. Aunque se trata de entidades mutuamente excluyentes —o por eso mismo—, sufren un destino común, son inseparables. No es posible decir quién muere, si el actor o el personaje. De las cenizas de este ave Fénix vuelve a surgir la misma polaridad de realidad e imaginación a modo de vectores divergentes ahora en vez de convergentes. El personaje Valle-Inclán vuelve a enfrentarse poco a poco a una realidad cada vez más concreta, aquella misma que había desechado al principio. Hasta el día en que sus obras refieren explícitamente a una realidad concreta, antes silenciada, desde la distancia de la realidad imaginaria naturalizada en el escritor, que es ahora la que se mantiene silenciada e implícita.

La figura espacial que representa más adecuadamente este proceso es, quizás, la de un ocho tumbado ∞, la misma que los matemáticos emplean para significar el infinito. Puestos a imaginar concreciones espaciales, sin embargo, habría que pensar en una figura tridimensional en la que no llegara a producirse el cruce de las líneas del ocho como verdadero contacto sino únicamente como ilusión visual. Es decir, en la que se tratara de dos líneas paralelas cuyas curvas, ascendentes y descendentes, se enfrentaran especularmente, trocadas. Sería necesario este paralelismo o falta de cruce material para atenerse al hecho de que nunca deja de haber una distancia constante entre la realidad concreta inicialmente implícita que va surgiendo y expresándose —la del escritor traspasada al texto— y la realidad imaginaria inicialmente expresa que va invisibilizándose —la del personaje, traspasada al escritor.

Otra visualización, mitad espacial mitad conceptual, sería la del conocido cuadrilátero semántico. En este caso podríamos llamarlo

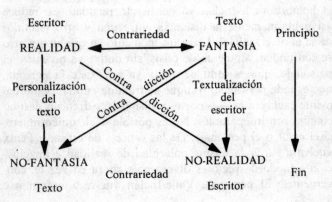

MATRIZ SEMANTICA DE VALLE-INCLAN

En ella el desplazamiento temporal de principio a fin, de la contrariedad inicial a la contrariedad final, se produce diagonalmente mediante una contradicción, siempre doble, que invierte la inicial dando lugar a la final. Se determinan así dos triángulos cuyos vértices respectivos son el texto y el escritor finales, caracterizados por sendas deixis que llamo «personalización del texto» y «textualización del escritor». Estos dos conceptos unen los términos vida y escritura, escritor y texto, «bio» y «grafía», en el conocido «biografía». Mas en este caso se trata de una biografía, ya se ve, muy especial: la vida vivida como escritura de la vida; el texto escrito como vividura del texto.

Claro es que este proyecto no se produce desde los primeros días de vida de Valle-Inclán. Ni siquiera desde sus primeros textos. Su orígenes quedan guadianescamente ocultos a la vista, incluso a la de Valle-Inclán. Tiene, sin embargo, un momento en que aflora y se deja ver. Respecto de los primeros momentos no cabe más que «imponer» una biografía tradicional a Valle-Inclán. A partir de los segundos, en cambio, convendría hablar de «autobiografía».

2. Preparativos biográficos

En los «amenes del reinado isabelino», como él los llamaría, a menos de dos años de la caída de Isabel II y de la Gloriosa Revolución de septiembre de 1868, el 28 de octubre de 1866, nace el futuro escritor. El lugar, un pequeño pueblo marinero de Galicia, Vilanova de Arosa, en la Tierra de Salnés, provincia de Pontevedra.

Será el segundo de tres varones, Carlos, Ramón y Francisco, y una mujer, María, además de una hermanastra, Ramona, del primer matrimonio del padre. Este, Ramón del Valle Bermúdez de Castro, era entonces piloto de guardacostas y director de un pequeño periódico local en Villagarcía. Será luego secretario del Gobierno Civil y gobernador interino en Pontevedra.

De la madre, Dolores de la Peña Montenegro, es de quien procedía la más alta alcurnia familiar. Pero tanto una como otra familia eran antiguas a ambos lados de la ría de Arosa. Habían tenido alta posición social en fecha no muy remota, pero por éstas andan un tanto decaídas. Los lemas y escudos más o menos fantasiosos y altisonantes no faltaban en ninguna de las dos ramas, sin embargo. De los Peña: «Mi sangre se derramó por la caza que cazó»; de los Montenegro: «Nos no venimos de reyes, que reyes vienen de nos»; de los Valle: «El que más vale no vale tanto como vale Valle.»

Pertenecían a esa casta de hidalgos arosanos que A. R. Castelao llamó «la flor de la locura gallega». Entre los antepasados se cuenta, sigue diciendo, «aquel Montenegro hermoso que tenía una poder mágico en la mirada. Y dicen que cuando Montenegro salía del pazo, su madre mandaba tocar las campanas para que se guardaran las doncellas» (16). Asimismo se contaba entre ellos un Francisco del Valle Inclán, del siglo XVIII, hombre de muchas letras y poca paciencia que en una de sus frecuentes polémicas escribiría: «Escribo contra Petavio, Sarmiento y Marden ... contra italianos, franceses e ingleses; contra todos los hombres, todos los siglos y todo el mundo» (17). De él, sin duda, había tomado el padre, que también tenía veleidades literarias, el nombre de pluma Valle-Inclán, añadiéndole un guión que no tenía, y así, como Ramón del Valle-Inclán, figuró en sus tarjetas de visita y hasta en su esquela de defunción. El hijo no inventa, pues, el eufónico nombre, sino que sigue la tradición. Por el momento, sin embargo, se llama, tal como le han bautizado, Ramón José Simón del Valle de la Peña.

Su infancia transcurre en esta villa marítima, pescadora y labradora, de Arosa. Salvo en la escuela y en casa, el idioma del niño es el gallego. A los once años, en 1877, la familia se muda a Pontevedra y asiste el chico a su Instituto. Termina el bachillerato en el Instituto de Santiago de Compostela en 1885 y en la Universidad compostelana comienza a estudiar al año siguiente la carrera de Derecho, más por seguir la voluntad del padre que por inclinación propia.

Durante los años de carrera estudia poco y con desgana, pero por lo visto sin esfuerzo. Su hermano mayor, Carlos, que también está estudiando en Compostela, le había precedido en la colaboración en la revista local *Café con gotas,* y él es quien le debe de haber introducido a ella. Allí se publican unos versos suyos y un cuento, «Babel», en noviembre de 1886; que se sepa, sus primeras publicaciones. La siguiente publicación tiene un curioso origen, que el mismo Valle-Inclán relata así:

> Entonces leían con delectación *Los Lunes de El Imparcial* todos los estudiantes, y varios compañeros míos se pasmaban del mérito de sus colaboradores. "Son maravillosos, ¿eh?" Y yo, con un soberbio desdén de joven iconoclasta, votaba en contra: "Esas tonterías las hace cualquiera. Mis artículos valdrían mucho más." Y para demostrarlo escribí un cuento: *A media noche* (18).

Se publica en *La Ilustración Ibérica,* de Barcelona, en enero de 1899. El entrevistador que había recogido esas confesiones de Valle-Inclán siguió en aquella ocasión con el comentario:

> —Y le conquistó el demonio de la literatura...

> —¡No! ¡Que había de conquistarme! ¡Si yo despreciaba la literatura con todo el vigor de mi espíritu!... Y la abogacía (18).

Efectivamente, la muerte del padre el 14 de enero de 1890 parece liberar al chico de la obligación de acabar la carrera de Derecho y la abandona con unas pocas asignaturas pendientes.

Vuelve a Pontevedra y reanuda sus visitas de los años del bachillerato a la biblioteca de Jesús Muruais. Biblioteca rica en ediciones gallegas, y en gallego, los clásicos y románticos españoles, la novela naturalista, los últimos movimientos franceses y la poesía italiana; además de las más importantes revistas de arte y literatura europeas. Un verdadero tesoro en la pequeña villa de Pontevedra.

Ahora, además de las lecturas, participa en la tertulia literaria. Una tertulia marcadamente galleguista porque es la época de la Renaixensa Galega. La postura de Valle-Inclán en estos asuntos es decididamente centralista respecto al lenguaje, aunque simpatizante en materia de celtismo regional. En 1932 diría el escritor:

> En la lengua regional no hay que luchar con veinte naciones, basta luchar, simplemente, con cuatro provincias. Ser genio en el dialecto es demasiado fácil. Yo me negué a ser genio en mi dialecto y quise competir con cien millones de hombres, y lo que es más, con cinco siglos de heroísmo de lengua castellana (19).

La capital nacional era, pues, su destino obligado.

Había conocido a Echegaray, que veraneaba cerca, y, quizás con la promesa de ayuda de éste, marcha a Madrid a finales de 1891. Lleva bajo el brazo sus escasas publicaciones y empieza a barajarlas según un procedimiento que habría de convertirse en característico suyo: publica de nuevo «A media noche», más otro cuento y seis artículos, entre ellos cuatro «Cartas galicianas», de las que dos son reelaboraciones de un escrito de su padre, «El castillo de Lobeira» y de algunas de las *Escenas Gallegas* de su hermano Carlos, que se publicarán como libro a nombre de éste en 1894. Cuentos y artículos serán luego objeto de publicaciones posteriores, con igual o distinto título, y casi siempre con variaciones.

Estaba en su apogeo en España la política caciquil de elecciones amañadas con turno automático de partidos, el liberal y el conservador, dirigidos, respectivamente, por Sagasta y Cánovas, y consecuencia del llamado «Pacto del Pardo» a la muerte de Alfonso XII y comienzo de la regencia de su viuda María Cristina, encinta del futuro Alfonso XIII. Valle-Inclán no colabora en los periódicos afectos a uno ni a otro partido, sino en el de Castelar, *El Globo*. Pero se trata de un Castelar ya muy alejado del republicanismo anterior a 1868 e incluso del efímero presidente de la I República. Es el Castelar del «Posibilismo», nuevo partido desgajado del republicano, que condona y hasta actúa como mentor espiritual del partido de turno.

Son cinco meses de estancia en Madrid, al cabo de los cuales vuelve a Pontevedra, donde, «como final a unos amores desgraciados» (20) —quizás dirigidos a la esposa de Echegaray, a la que admiró mucho—, se embarca, en marzo de 1892, para México. Tenía allí unos parientes dispuestos a ayudarle. Aunque no sabía qué rumbo tomar profesionalmente, por si acaso, lleva en la maleta sus publicaciones y manuscritos.

Todo lo relacionado con este viaje y estancia en México va a ser luego objeto de una estupenda transformación. Sobre las peripecias ya veremos lo que inventa en su «Autobiografía» de 1903. El motivo del mismo, dijo él, es que México era el único país que se escribía con X. Del año escaso que pasa en América lo menos que dijo es que se había alistado en el Ejército mexicano, donde había llegado al grado de coronel general de los Ejércitos de Tierra Caliente, y que se había dedicado a perseguir a indios y a forajidos.

La realidad comprobada es que después de unos días en Veracruz, puerto de llegada, viaja a la ciudad de México y comienza inmediatamente a colaborar en dos periódicos de la capital: *El Correo Español,* órgano de la colonia española, y *El Imparcial.* Tiene a los pocos días un lance con el director de *El Tiempo* a causa de una carta firmada por un tal «Oscar» en la que se criticaba duramente a los gachupines. Valle-Inclán se considera personalmente ofendido por esta publicación y desafía al director, pero todo se arregla amistosamente al poco. También ello dará lugar a invenciones en las que él sólo habría dado de bastonazos a la redacción en pleno del diario. El incidente le vale cierta notoriedad en la capital mexicana. Nos queda de entonces un retrato publicado en *El Universal* con la indicación «Duelo pendiente», por el que se puede comprobar que no llevaba todavía barba, sólo retorcidos mostachos, y que tenía un aspecto perfectamente anodino.

Vive de la colaboración en esos dos periódicos con ensayos, cuentos y crónicas. En total, 39 artículos. Una buena tercera parte son los ya publicados en España. También cerca de una tercera parte, no exactamente la misma, serán publicados de nuevo a su vuelta a España bajo diversas guisas. En varios casos serán base de composiciones posteriores, señaladamente «Bajo los trópicos (recuerdos de México), I. En el mar», desarrollado luego en el cuento «La niña Chole», base, a su vez, de la *Sonata de estío.* Publica también un poema de su padre, «Elegía a Andrés Muruais», muerto en 1883, con ligerísimas variantes y un nuevo título, «A una mujer ausente por la muerte». Y no se recata en afirmar en una de sus crónicas comentando la prensa española, que conoce personalmente al líder del socialismo español, Pablo Iglesias, a quien describe con los términos usados para un campesino gallego, Pedro Tor, personaje de una de sus «Escenas Galicianas» publicadas en España el año anterior (21).

Durante estos meses mexicanos ha trabajado en un número de cuentos que piensa publicar en España, pues por entonces escribe al amigo de su padre, Manuel Murguía, viudo de Rosalía de Castro, pidiéndole un prólogo para ese futuro libro. Con él casi terminado vuelve a España, tras una escala de pocas semanas en Cuba, en la primavera de 1893.

Valle-Inclán ya tenía decidido el camino literario. Así lo confesará con ocasión de su segunda visita a México, en 1921: fue en este país, dice, «donde encontré mi propia libertad de vocación. Debo, pues, a México, indirectamente, mi carrera literaria ... Aquí empecé a seguir mi propio camino, es decir, el literario» (22).

Se instala en Pontevedra en casa de su familia. Además de haber adoptado ya definitivamente el nombre literario de Valle-Inclán, que él redondea en un sonoro endecasílabo «Don Ramón María del Valle-Inclán», viene muy cambiado de aspecto. Se ha dejado crecer la barba —sus famosas barbas, sin duda las más cantadas en la literatura española, después de las del Cid Campeador—. Quienes le recuerdan imberbe saben que tiene una barbilla retraída, casi inexistente, que le da un aspecto pusilánime muy desventajoso. (Extremo que se puede comprobar fácilmente en varios retratos, en el aparecido en *Café con gotas* o en aquel otro de *El Universal* ya mencionado.) «Resuelto a ser literato», dice su biógrafo A. Fernández Almagro, «Valle tiene que hacerse una cabeza ... [la] cuida como una obra más y hace bandera ante las gentes que van y vienen por la Alameda de Pontevedra de su negra guedeja y luenga barba» (23). Se atavía con un amplio sombrero y con inverosímiles cuellos y corbatas.

Vuelve a asistir a la tertulia de Jesús Muruais durante cerca de año y medio y ultima aquella colección de cuen-

34

tos que traía de México, *Femeninas. Seis historias amorosas,* que le publicará un editor local en 1895. La bendición en esta primera salida se la da, como él deseaba, el prólogo de su padrino literario, Manuel Murguía. Aprecia éste en el joven su galleguismo —celtismo, más bien— soñador y vaporoso, sugestivo más que preciso; reconoce el libro como «moderno, propio de la hora actual y de las pasiones que exaltan al joven en sus primeros pasos»; y asegura al autor un porvenir lleno de éxitos:

> El presente libro no es tan sólo un dichoso comienzo y una segura promesa, sino el fruto de una inspiración dueña ya de las condiciones necesarias para alcanzar de golpe un primer puesto en la literatura del país (24).

Otro conocido gallego y galleguista, Víctor Said Armesto, todavía joven, le dará el espaldarazo crítico local con un elogioso, inteligente y pormenorizado estudio titulado «Un libro modernista», publicado en 1897, en donde señala benévolamente cómo Valle-Inclán había asimilado

> a maravilla los procedimientos psicológicos de Paul Bourget, el recalentamiento de sensaciones psicológicas de Barbey d'Aurevilly, la composición y forma exquisitas de Daudet, el empaste vigoroso y conciso de Guy de Maupassant y muchos de los delicados exotismos de Pierre Loti (25).

Esta cuestión de las «influencias» —plagios, dirán algunos— iba a sonar todavía mucho más y no siempre con esta amistosa complacencia.

Una capital de provincia no era teatro adecuado para lo que Valle-Inclán se proponía. Para ello era necesario Madrid, y allí vuelve en abril de 1895, semanas después de la publicación de *Femeninas.*

Tenía asegurado un empleo burocrático gracias a su condiscípulo A. González Besada, pero, decidido como estaba a hacerse escritor, renuncia a él. Ello le obliga a vivir de la pensión que le pasa su familia, 75 pesetas mensuales —unas 7.500 actuales—, lo cual no le asegura sino la supervivencia más tenue. Para dormir tiene un pobre alojamiento, pero descubre lo que va a ser de ahora en adelante su verdadera casa y escenario social, el café. En ellos, pues son varios al mismo tiempo, ha de pasar cerca de la mitad del día, desde primera hora de la tarde hasta altas horas de la madrugada.

Se niega a seguir escribiendo para los periódicos porque, como le dice a su amigo Manuel Bueno, periodista, que le aconseja salir así de apuros económicos, «la prosa periodística avillana el estilo».

Consigue que la revista *Blanco y Negro* dedique en junio de 1895 un suelto bibliográfico a su *Femeninas,* en el que la pluma amiga habla de «primorosa colección de cuentos, todos elegantes y de exquisita factura, que acusan en su autor, influido por los novelistas franceses, un literato de grandes prestigios »(26). El empeño por sacar al público este librito puede calibrarse fácilmente por los términos de una carta a Leopoldo Alas, «Clarín», suma autoridad crítica de la época, que éste no contesta y que dice cosas como las siguientes:

> Harto se me alcanza lo poco que mi libro vale, y aun para estimar ese poco, han de tenerse en cuenta la inexperiencia y la mocedad. Con el mayor gusto, envío hoy a usted un ejemplar, al cual he cuidado de cortar las hojas; no porque sea a usted más fácil el leerlo —que no le supongo ni tanto vagar ni tanta paciencia—, sino el hojearlo ...
>
> Mi libro podrá ser algo así como una *esperanza*; que no es una *realidad,* lo sé yo mejor que nadie. ¡Cómo no he de saberlo, si tengo —y guardo para mostrar a mis amigos— un ejemplar de *Femeninas* donde no hay página sin tachón! —Es un libro, que antes de salir a la luz me hastiaba ya ...
>
> Pero por Dios no me juzgue usted definitivamente, por esas *seis historias amorosas.*
>
> Mi única aspiración, es que mi nombre le suene a usted a algo, cuando le envíe algún otro libro —suponiendo que no cuelgue la pluma, convencido al cabo, de que no me llama Dios por el camino de las letras (27).

No cesa Valle-Inclán de publicar fragmentos de lo que va escribiendo, que luego reescribrá y republicará numerosas veces. Así es como sale en *La Vida Literaria* una «Impresión» de México titulada «Tierra Caliente» y «La reina de Dalicam», escenificación y desarrollo de su anterior cuento «Octavia Santino» de *Femeninas*.

En 1897 publica su segundo libro, *Epitalamio (Historia de amores)*. Esta publicación afianza su figura de estilista iconoclasta gracias sobre todo a la detonante reacción pública de «Clarín», que, esta vez sí, le dedica un *Palique* en *Madrid Cómico*. Lo más suave que se le ocurre decir al crítico ovetense es que «A Valle-Inclán se le ha venido a la boca el mal sabor de una orgía... de algún literato cínico de París, de hace dos lustros». Y sigue en esta vena:

> Yo no diré que los debían llevar a ustedes [Valle-Inclán y Alejandro Sawa] presos por decir esas cosas, pero sí que, por lo menos, merecen que los anden buscando (28).

Había comenzado el artículo con la pregunta forzosa:

> ¿Quién es Valle-Inclán? Un modernista, gente nueva, un afrancesado franco y valiente, que no se esconde para hablar de los flancos de Venus. Según mis noticias, Valle-Inclán, aunque nuevo, es listo y ha leído. Me lo ha dicho persona de tanta autoridad ... como Armando Palacio (28).

Esto da lugar a una inteligente respuesta de Valle-Inclán en donde se deshace en agradecimientos y dice estar ya «arrepentido» de haber escrito esta historia amorosa. Gracias a lo cual le dedica «Clarín» otro *Palique* en la primera página de *El Heraldo de Madrid* del 9 de octubre de 1897, en forma de carta abierta al novel escritor. Comienza: «Estimado señor y compañero: Mucho me alegro que usted haya entendido mi *Palique* de *Madrid Cómico* y no lo haya tomado por donde parece que quema», para seguir con consejos y pronunciamientos contra los majaderos y los espíritus falsos, «sean misoneístas o modernistas», porque «el que tiene algo bueno dentro, como creo que lo tiene usted, lo deja ver a través de cualquier uniforme» (29).

Valle-Inclán agradece como se debe esta nueva muestra de interés por parte del más importante crítico de la época y, sin duda, se regocija íntimamente de su habilidad diplomática:

La publicación de su carta de usted en *El Heraldo* ha sido un trágala para ciertos caballeros que se regodean asegurando que no me dejaba usted hueso sano en el *Palique* de *Madrid Cómico*. Esta pobre gente no quiere convencerse de que un poco de justicia administrada por usted puede ser más agradable que el bombo anónimo de los periódicos o los elogios de Burell (30).

Pero a todo esto el libro no se vende. Recuerda Azorín que «este libro ... el propio Valle lo llevó por todas las librerías y en ninguna le quisieron un solo ejemplar. Cuando volvió al café donde nos reuníamos lo tiró por la ventana...» (31). Piensa entonces en dedicarse al teatro como actor. Su amigo Jacinto Benavente le ofrece un papel que, le asegura, «le cuadra admirablemente». M. Fernández Almagro afirma que no es que Valle-Inclán se hubiera encontrado con el papel hecho, sino que Benavente lo hizo a su medida al saber de la decisión de Valle-Inclán de debutar en las tablas. Como se verá, tal debió de haber sido el caso.

El 7 de noviembre de 1898 se estrena *La comida de las fieras* en el Teatro de la Comedia. Valle-Inclán hace el papel de Teófilo Everit, joven artista decadente y estrafalario.

Quitando el que Valle-Inclán no tenía, a diferencia del personaje, un céntimo, se puede decir que no se trata de una actuación, sino de una repetición en las tablas del Valle-Inclán que existe fuera de ellas. Y quizás incluso hubiera que desechar esa salvedad, porque Valle-Inclán se portaba en su vida diaria como si tuviera todos los tesoros del mundo.

Presentan a Everit las observaciones de los demás personajes antes de su propia aparición en escena: «¡Valiente chiflado!», dice uno; «Un original... de España», comenta otro; «Un joven decadente», aclara un tercero; «Un don Espíritu, como yo le llamo, que está ... pero que de remate!», concluye otro. Sale entonces Teófilo Everit: Valle-Inclán en su propia máscara. Causa sensación su atuendo y su aspecto aun antes de abrir la boca. Frac impecable, chaleco de fantasía escandalosamente llamativo, chistera, barbas, quevedos, delgadez, estiramiento...

Everit quiere comprar unas miniaturas que están en almoneda y sobre todo, dice, un retrato

> de autor desconocido; así dice el catálogo, y por eso me agrada. ¡Oh! ¡Qué retrato! Una dama italiana del Renacimiento, una patricia tristemente altiva, con la altivez desolada de las cumbres solitarias; sugestiva como la *Gioconda* de Leonardo o la *Nelli* de Reynolds; con los ojos glaucos, felinos y las manos... ¡Oh! ¡las manos!... dignas de un soneto de Rosetti... manos liliales... made to be kissed and to bless (32).

Comenta uno de los presentes: «¡Por menos encierran!»

Benavente logra en su caracterización incluso ciertos detalles premonitorios del futuro Valle-Inclán, como el de que se dedique a hacer representaciones con un teatro Guignol. Valle-Inclán ha publicado ya su obrita escénica aguiñolada «La reina de Dalicam» y el teatro de polichinelas está en boga a fines de siglo, sin duda, pero no deja de sorprender el acierto de Benavente al no olvidar este rasgo en quien con sus esperpentos había de dejar tan fuerte marca en el teatro español.

Se lleva a cabo esta representación guiñolesca y comenta un personaje espectador: «¿Ustedes conocen a ese poeta del Guignol? Es un buen tipo, un verdadero degenerado; entra de lleno en la clasificación de Max Nordau.» Degeneración, sin duda, como la que ya había decretado la autoridad bienpensante de Clarín respecto del autor de *Epitalamio*.

Para que no quede latente ninguna de las veleidades del personaje, Everit/Valle-Inclán, Benavente hace decir a éste:

> Sarah Bernhardt me contó en una ocasión que trabajando ella en un teatro de no sé qué república americana, durante el primer entreacto entró el presidente a saludarla; en el segundo entreacto vuelve a entrar, y era otro presidente: durante el acto había habido una revolución. ¡Cosas de América!
>
> Tomillares: —Contadas por los franceses.
>
> Teles: —Y aumentadas por Teófilo (33).

La obra no alcanzó más que tres representaciones, aun cuando en lo que se refiere a Teófilo Everit fue un pequeño éxito. Pero Valle-Inclán no había quedado satisfecho con su actuación. El día de la segunda representación hubo que levantar el telón con retraso porque éste, descontento con su trabajo, había renunciado unilateralmente a él y estaba tranquilamente en el café en vez de entre bastidores. Tuvo que ir a buscarle Benavente y pedirle como favor personal que actuara de nuevo.

Salvo una aparición en otra obra de teatro semanas después —ésta un fracaso incondicional—, Valle-Inclán abandona completamente la carrera de actor. Bien es verdad que la pérdida de un brazo, meses más tarde, había de imposibilitarle para ello.

En julio de 1899, a consecuencia de una discusión de café sobre el protocolo del duelo en la que recibe de su amigo Manuel Bueno un bastonazo en la muñeca, le han tenido que amputar el brazo izquierdo cerca del hombro. Las anécdotas que rodean la pérdida del brazo proliferan a docenas.

La descripción que se ha convertido en tópico obligado del Valle-Inclán de esta época es la de su más conocido biógrafo, Ramón Gómez de la Serna:

> Era la mejor máscara a pie que cruzaba la calle de Alcalá, y yo recuerdo haberle visto pasar tieso, orgulloso, pero ocultándose de cuando en cuando detrás de las carteleras de los teatros, que eran como burladeros contra las cornadas de aquel público que le llamaba "el poeta melenudo" (34).

1899. Valle-Inclán publica *Cenizas. Escenas de la vida íntima,* costumbrismo aristocrático teatral que luego se convertirá en *El yermo de las almas* de 1908. Estrena la obra sin éxito un grupo de amigos llamado «Teatro artístico» como función benéfica para comprarle un brazo artificial al autor.

Valle-Inclán está viviendo la difícil vida del bohemio literario. Penuria, naturalmente; apariencia y conducta estrafalarias; interminables tertulias cafeteriles al calor del café con leche; arbitrios peregrinos para ganarse la vida, como esa redacción de anuncios comerciales hechos al alimón en el café:

> En toda fiesta onomástica
> Yo os digo: ¡Comed, bebed!
> ¡Atracaos! ¡Absorbed
> La dosis de harina plástica! ;

traducciones de Alejandro Dumas, de Eça de Queiroz; adaptación novelesca de una zarzuela de éxito de Arniches, *La cara de Dios*, que aparecerá en 1900 en un mamotreto de 688 páginas. El contrato estipulaba 50 pesetas (5.000 de hoy) el cuadernillo, lo cual explica que se hinchara así el perro.

Es también el momento en que se inician amistades y enemistades tanto más decisivas cuanto que definitorias: Rubén Darío, entre las primeras. Echegaray, Pérez Galdós, gran parte de los consagrados, entre las segundas.

En un momento y un texto crucial de su carrera —crucial, ya se verá, en todos los sentidos—, los años 1915-1916, en que escribe y publica su *Lámpara maravillosa. Ejercicios espirituales,* dirá Valle-Inclán:

> Cuando yo era mozo, la gloria literaria y la gloria aventurera me tentaron por igual ... Pero los sueños de aventura, esmaltados con los colores del blasón, huyeron como los pájaros del nido. Sólo alguna vez, por el influjo de la Noche, por el influjo de la Primavera, por el influjo de la Luna, volvían a posarse y a cantar en los jardines del alma, sobre un ramaje de lambrequines ... Luego dejé de oírlos para siempre. Al cumplir los treinta años, hubieron de cercenarme un brazo, y no sé si remontaron el vuelo o se quedaron mudos (35).

Hay cierta disparidad entre la edad señalada y el triste acontecimiento de la mutilación. Los treinta años de Valle-Inclán cumplían en octubre de 1896. La pérdida de su brazo izquierdo ocurrió en julio de 1899, casi a sus treinta y tres años. Tengamos a bien el pudor del escritor al no querer fechar explícitamente el inicio de su carrera a sus treinta y tres años, la edad de Cristo. Basta, sin duda, con esa recatada insinuación de la mutilación como renacimiento. A nadie se le oculta el paralelo, demasiado visible para tolerar un burdo subrayado.

Ateniéndose a esa fecha fuerte, miliar, de 1899, se «elimina» de la literatura de Valle-Inclán todo lo escrito hasta entonces: varias docenas de artículos y ensayos, dos libros de cuentos y una obra de teatro. De ninguno de ellos quiso acordarse Valle-Inclán. Bien diciéndolo expresamente —por ejemplo, respecto de su primer libro, *Femeninas*: «un libro de cuyo nombre no quiero acordarme»—, bien demostrándolo con los hechos: continua republicación, y a veces reelaboración, de esos escritos en años posteriores bajo distintos títulos y ensamblajes, como si sólo en estas ulteriores circunstancias y versiones hubieran de adquirir su fuerza definitoria, su valor significante.

No puede tampoco haber sido ajena a la elección de esa fecha como frontera su experiencia teatral como actor. Hubo de suponer ésta una toma de conciencia, una crisis o enjuiciamiento de sí mismo. Cuando menos le tuvo que hacer reconocer que su conducta, apariencia y situación cotidianas constituían un papel reconocible; tanto, que un tercero podía llevarlas a las tablas sin cambio apreciable.

La situación esa simultáneamente molesta y reveladora. Representar bajo las candilejas lo que ya era fuera de ellas, quitaba valor a la propia vida, la trivializaba. Había además cierta injusticia en el hecho de que la corroboración de su personaje vital, de sí mismo, viniera de mano ajena. No es difícil percibir lo que de usurpación y de molesta subordinación a otro había en la situación, puesto que él era, al fin y al cabo, el verdadero autor de ese personaje —aunque autor impensado.

Seguir haciendo el papel fuera de las tablas era inevitable, mas ahora sería forzosamente con plena conciencia de ello. Lo que sí era evitable era el recordatorio degradador de la actuación institucionalizada, por un lado, y la desautorización con que hasta entonces había existido ese papel, por otro. Valía más hacerlo voluntariamente y a cuerpo limpio, adelantándose así a autorizar y a orientar lo que de todos modos no podía dejar de ser.

Para ser autor del propio personaje era necesario mantener un doble plano de actividad, una escisión que, sin embargo, mantuviera la identidad del sujeto: la misma que ya existe en el yo-tú constitutivo del individuo. Pero ahora transformada: el tú convertido en creación propia de un personaje literario. El yo de la vida y el tú de la escritura, teatralmente relacionados: la obra como otro dialógicamente definidor de sí mismo, pero/y uno mismo como creador de esa obra. Algo muy cercano a la autogénesis.

Valle-Inclán empieza entonces a escribir su vida. Aquí acaba, pues, su biografía posible y empieza, necesariamente, su autobiografía.

NOTAS

(1)   Francisco Madrid, *La vida altiva de Valle-Inclán* (Buenos Aires: Poseidón, 1943), p. 113.

(2)   Véase la sección bibliográfica para la información completa.

(3)   César Barja, «Algunas novelas españolas recientes», *Bulletin of Spanish Studies* (Liverpool), vol. V, núm. 17 (January 1928), páginas 67-68.

(4)   Francisco Madrid, *Obra citada*, p. 113.

(5)   Pedro Salinas, «Significación del esperpento o Valle-Inclán, hijo pródigo del 98», en *Literatura Española Siglo XX* (Madrid: Alianza Editorial, 1980), p. 111.

(6)   Es opinión generalizada y sus exponentes son muchos, pero basta con el más influyente de todos, Melchor Fernández Almagro, en su clásica *Vida y literatura de Valle-Inclán*, nueva edición ampliada (Madrid: Taurus, 1966), y con Guillermo Díaz-Plaja, *Las estéticas de Valle-Inclán* (Madrid: Gredos, 1965), como muestras señaladas.

(7)   Ultimamente ha venido aumentando esta tendencia y también existen varios trabajos en este sentido. Baste también con los representativos de Antonio Risco, *La estética de Valle-Inclán en los esperpentos y en «El ruedo ibérico»* (Madrid: Gredos, 1966) y *El demiurgo y su mundo: Hacia un nuevo enfoque de la obra de Valle-Inclán* (Madrid: Gredos, 1977).

(8)   Guillermo de Torre, «Valle-Inclán o el rostro y la máscara», en *La difícil universalidad española* (Madrid: Gredos, 1965), página 114.

(9)   *Ibídem*, p .116.

(10)   *Ibídem*, pág. 118.

(11)   *Ibídem*, pp. 120-121.

(12)   *Ibídem*, p. 131.

(13)   *Ibídem*, p. 119.

(14)   Domingo García Sabell, «Valle-Inclán y las anécdotas», *Revista de Occidente*, núm. 44-45 (noviembre-diciembre, 1966), página 319.

(15)   Tzvetan Todorov, *Mikhail Bakhtine. Le Principe Dialogique* (París: Seuil, 1981), p. 34.

(16)   Citado en Valentín Paz-Andrade, *La anunciación de Valle-Inclán* (Buenos Aires: Losada, 1967), p. 31.

(17)   Melchor Fernández Almagro, *Obra citada*, p. 5.

(18)   José López Pinillos, *Cómo se conquista la notoriedad*, parcialmente reproducido en José Esteban, *Valle-Inclán visto por...* (Madrid: Gráficas Espejo, 1973), p. 322.

(19)   Francisco Madrid, *Obra citada*, p. 101.

(20)   Así dirá él diez años después en su «Autobiografía», que ya se verá.

(21)   Todas estas publicaciones de Valle-Inclán anteriores a 1895, fecha de su primer libro, ocupan cerca de 150 páginas. Han sido reproducidas conjuntamente no en sus *Obras completas*, publicación que dirigieron sus herederos, sino en 1952 y al cuidado de un valle-inclanista norteamericano, William Fichter, *Publicaciones periodísticas de Don Ramón del Valle-Inclán anteriores a 1895*. Edición, introducción y notas de William Fichter (México: El Colegio de México, 1952).

(22)   Entrevista con Roberto Barrios publicada en *El Universal* (México, D.F.) y reproducida en *Repertorio Americano* (San José, Costa Rica), 28 de noviembre de 1921, p. 173.

(23)   Melchor Fernández Almagro, *Obra citada*, pp. 32-33.

(24)   Citado en Valentín Paz-Andrade, *Obra citada*, p. 82.

(25)   *Ibídem*, p. 153.

(26)   Fernández Almagro, *Obra citada*, pp. 31-32.

(27)   Reproducida en Dionisio Gamallo Fierros, «Aportaciones al estudio de Valle-Inclán», *Revista de Occidente*, número citado, página 348.

(28)   *Ibídem*, pp. 352-353.

(29)   *Ibídem*, p. 356.

(30)   *Ibídem*, p. 360.

(31)   Citado en F. Madrid, *Obra citada*, p. 307.

(32)   *Ibídem*, p. 133.

(33)   *Ibídem*, p. 137.

(34)   Ramón Gómez de la Serna, *Don Ramón María del Valle-Inclán* (Madrid: Espasa-Calpe, 1944), p. 26.

(35)   Ramón del Valle-Inclán, *La lámpara maravillosa. Ejercicios Espirituales*, en *Obras completas* (Madrid: Plenitud, 2.ª edición, 1952), tomo II, p. 559.

COMO SE VIVE UNA AUTOBIOGRAFIA

1. La máscara y el hombre

El proyecto comienza bajo apariencias de crisis. Hacia 1900 Valle-Inclán está pensando en abandonar la carrera literaria ya esbozada. Dice interesarse en fantásticos negocios. Uno de ellos, cierta prospección minera en el sur de España, le hace emprender un misterioso viaje a La Mancha, del cual vuelve al cabo de pocos días con un pie atravesado de un balazo. La versión oficial, quizás incluso la verdadera, es que se le disparó la pistola que llevaba en el bolsillo. Durante los tres meses de reposo forzado de su convalecencia empieza a preparar *Sonata de otoño*, primera entrega de las *Memorias del marqués de Bradomín*.

Un vecino suyo, el doctor Verdes Montenegro, le ayuda a salir del bache espiritual recomendando la publicación de los fragmentos de esta obra a su amigo Ortega Munilla, director de *El Imparcial*. Allí, en su sección cultural de *Los Lunes de El Imparcial*, máximo escaparate literario del momento, van saliendo fragmentos de la *Sonata de otoño* en septiembre de 1901. Una breve introducción de Valle-Inclán anuncia: «Estas páginas son un fragmento de las Memorias amables que, ya muy viejo, empezó a escribir el marqués de Bradomín. Un don Juan admirable. ¡El más admirable tal vez! Era feo, católico y sentimental» (1). Acabada la obra, se la lee a sus compañeros Francisco Villaespesa y Antonio Machado. El entusiasmo de éstos les hace buscar inmediatamente un editor. Dan con el actor

Ricardo Calvo, que se decide a financiar la aventura. El libro sale en marzo de 1902.

El éxito es rápido y, aunque limitado, de cierta importancia. Uno de los críticos cuya opinión había despreciado Valle-Inclán antes —eso sí, en carta privada a otro crítico bastante más feroz, Clarín—, Julio Burell, publica a los pocos días en *El Imparcial* una elogiosa reseña bajo el título «Escritores jóvenes»:

> Hoy vemos —dice— que en un grupo ya bien determinado y bien conocido de jóvenes escritores pueden señalarse, a pesar —y no en virtud— de caprichosos y pasajeros dictados —me refiero al de los modernistas—, condición y realidades literarias muy consoladoras para este momento de desmayo y decadencia ... Valle-Inclán labra, alienta y refina en *Sonata de otoño*, como el antiguo artífice repujara trípticos y custodias y cálices maravillosos (2).

Es la primera mención de importancia en la prensa madrileña y, en esa medida, nacional. Esto le da alientos para continuar con el ciclo de las *Sonatas* y, en orden inverso al de las estaciones, publica al año siguiente la *Sonata de estío*. De ella se ocupa al poco el jovencísimo hijo del director de *El Imparcial*, José Ortega y Gasset, en una larga y elogiosa reseña. Es la única de las de entonces que sobrevive hoy. No sólo por la nombradía que su autor había de alcanzar, sino también por su penetrante inteligencia de lo que era y lo que había de ser, de lo que se estaba gestando en Valle-Inclán. Acaba con estas reflexiones, muchas veces citadas:

> ¡Cuánto me regocijaré el día que abra un libro de nuevo del señor Valle-Inclán sin tropezar con "princesas rubias que hilan en ruecas de cristal", ni ladrones gloriosos, ni inútiles incestos! Cuando haya concluido la lectura de ese libro probable, y dando placentero sobre él unas palmaditas, exclamaré: "He aquí que don Ramón del Valle-Inclán se deja de bernardinas y nos cuenta cosas *humanas*, harto humanas en su estilo de escritor bien nacido" (3).

Es curioso, sin embargo, el vaivén de los elogios de Ortega y Gasset acerca de la inactualidad del autor de las

Sonatas, su despego del sentimentalismo, la chatura y la tristeza democráticas del momento, por un lado, y la vitalidad apasionada y exuberante de su obra, por otro. Este vaivén da la pauta de la ambigüedad que anima el concepto de «deshumanización del arte», que Ortega y Gasset va a explayar pocos años más tarde como típico del arte del momento.

Lo que no podía prever Ortega y Gasset es que esa futura deshumanización se fundamentara precisamente en esta misma deshumanización inicial de la que ahora se queja. Nunca tratará Valle-Inclán de asuntos más humanos, como quería Ortega, que al final de su vida. Y nunca, sin embargo, estará más deshumanizado su arte. La deshumanización bradominesca está, en cambio, tan humanamente tratada que da lugar a que Ortega y Gasset hable de identificación entre autor y personaje.

En ese entreluz de contrarios está el Valle-Inclán autor de sí mismo, jugando al escondite con su propia sombra.

Por el momento, Valle-Inclán no está listo para abandonar sus «princesas rubias». Había de escribir en esa vena todavía dos *Sonatas* más, hasta completar el ciclo anunciado: *Sonata de primavera* (1904) y *Sonata de invierno* (1905). Al mismo tiempo, y siempre mediante ese método suyo de republicación, modificación y expansión, publica sus anteriores colecciones de cuentos bajo diversos títulos; así como otra obra importante y ahora definitiva: *Flor de santidad. Historia milenaria* (1904), reescritura, claro está, de un cuento anterior, «Adega», de 1899. El método es también, sin duda, un modo de recontextualizar aquellos antiguos textos en las nuevas circunstancias que determinan sus *Sonatas* y su actual proyecto autobiográfico.

Dos hechos destacan en este segundo comienzo de Valle-Inclán, que dan a las *Memorias* toda la significancia iniciática que tienen: la publicación de su asombrosa «Autobiografía» en 1903 y la de una «Breve noticia de mi estética», fechada también ese mismo año. Ambos textos, combinados, son la expresión más iluminadora de la trayectoria de Valle-Inclán: de lo que quería ser y de lo que ya empezaba a ser.

Breve noticia acerca de mi estética cuando escribí este libro.

... Yo confieso mi amor de otro tiempo por esta literatura: la amé tanto como aborrecí esa otra, timorata y prudente, de algunos antiguos jóvenes que nunca supieron ayuntar dos palabras por primera vez, y de quienes su ruta fue siempre la eterna ruta, trillada por todos los carneros de Panurgo ... No haya de entenderse por esto que proclamo yo la desaparición y muerte de las letras clásicas, y la hoguera para los libros inmortales, no ... Estudio siempre en ellos y procuro imitarlos, pero hasta ahora jamás se me ocurrió tenerlos por inviolables e infalibles.

Yo he preferido luchar para hacerme un estilo personal, a buscarlo hecho imitando a los escritores del siglo XVII ... De esta manera hice mi profesión de fe modernista: buscarme en mí mismo y no en los otros. Porque esa escuela literaria tan combatida no es otra cosa ... Si en literatura existe algo que pueda recibir el nombre de modernismo, es, ciertamente, un vivo anhelo de personalidad, y por eso mismo sin duda advertimos en los escritores jóvenes más empeño por expresar sensaciones que ideas. Las ideas jamás han sido patrimonio exclusivo de un hombre, y las sensaciones sí ... Esta analogía y equivalencia de las sensaciones es lo que constituye el "modernismo" en literatura (4).

Esta referencia a sus escritos anteriores a las *Sonatas* sirve de confesión a Valle-Inclán de su carácter de intentos de personalización: «buscarme en mí mismo y no en los otros». Julio Casares, en 1916, sería el primero en señalar, en *Crítica profana*, la aparente contradicción de esta afirmación con el hecho de que los escritos sean totalmente librescos y hasta muy cercanos a veces al plagio. Pero no es eso óbice a la personalización que persigue Valle-Inclán. Esta, tal como él la entiende, se cifra en la utilización de las sensaciones y no de las ideas. Seguir, imitar incluso a ciertos autores, vale ante todo como índice de la elección de un tipo de realidad, la de un mundo imaginativo en vez de la de los hechos tal como quedan despersonalizados en las ideas, o en las novelas naturalistas.

La realidad de las ideas, despersonalizada por su carácter de realidad compartible, y por tanto mostrenca, no sólo le parece menos atractiva que la de las sensaciones, sino, sin duda, hasta menos real que la que en las sensaciones toma un cuerpo radicalmente individualizado, subjetivizado.

Mientras que las ideas o los conceptos representan los posibles objetos del deseo o de la imaginación, las sensaciones eran para Valle-Inclán la actividad deseante o imaginativa misma. No es extraño que, planteada la disyuntiva de este modo, la personalización se incline decididamente del lado de las sensaciones. En ellas encuentra él lo irreductiblemente personal, sin mezcla posible de los demás; algo que no pueden captar las ideas, que es ajeno a ellas, pues éstas «jamás han sido patrimonio exclusivo de un hombre, y las sensaciones, sí».

Claro es que esta realidad imaginante, subjetiva, contrasta con la objetiva e impersonal. Valle-Inclán no está loco y ni lo ignora ni hace que lo ignora. Sabe que la realidad subjetiva no se realiza, no se impone objetivamente a los demás, se comunica —y de rechazo, se impone a uno mismo—, más que por obra de la imaginación y en las obras de la imaginación. Y en éstas, además, únicamente en la medida en que no aparezcan sólo como imaginaciones que confirmen negativamente la hegemonía de las ideas, de lo no-imaginario. En la medida, pues, en que las obras de la imaginación sean un reflejo «objetivo» de la realidad personal de la imaginación.

Eso es lo que había perseguido Valle-Inclán desde sus comienzos literarios, pero sin saber cómo llevarlo a cabo. Estas primeras obras eran tanteos fallidos, o al menos insatisfactorios, en cuanto a la consecución de su objetivo, pero quizás por ello mismo muy claros en cuanto a la definición de éste. Concretar, realizar u objetivar los productos de su imaginación requería prestarles su propia vida real. ¿Cómo? Aquí es donde el teatro y su experiencia como actor vinieron en su ayuda. Al revés precisamente de lo que hubiera parecido lógico: no pretendiendo que fueran imitaciones de su vida interior, sino haciendo que su vida interior las imitara. Con ello no se confirmaba o realizaba la realidad de sus personajes, sino que se objetivaba esa parte de sí mismo que él consideraba la única personal, la de su imaginación.

Explorado el campo, descubiertos los medios, clara la meta, gracias a esos ensayos iniciales, a partir de ahora Valle-Inclán va a imponer objetivamente su realidad subjetiva o personal haciendo que su vida sea una aparente imitación de la de un personaje. Su vida será una continuación o extensión de la vida escrita —biografía— de su criatura. Será, pues, una vida que se pliega a lo escrito, una autobiografía vivida.

La prueba de la objetividad de su visión personal resulta entonces doble: la que ofrece su propia conducta real —imitada de la de sus personajes— y la de la realidad textual de éstos —producto de su imaginación. Evita así no sólo el carácter simplemente imaginario o irreal de sus personajes, sino la irrealidad de una vida personal que se atuviera a las pautas de una realidad objetiva ajena que, al fin y al cabo, no es sino una entelequia comunitaria: la ficción con que la vida de cada cual se refleja en los ojos de los demás: objeto ideal, verdaderamente irreal, que haría de la vida una biografía según criterios ajenos, pues que el punto de vista que la determinara sería el de un tercero.

Más que la realidad como autobiografía, Valle-Inclán pretende, pues, la autobiografía como realidad: la imposición de lo subjetivo a la comunidad sin perder por ello su carácter personal y privado. Su «Autobiografía» es, pues, una pseudoautobiografía, única fórmula eficaz y verdaderamente personal:

> Este que veis aquí, de rostro español y quevedesco, de negra guedeja y lengua barba, soy yo: don Ramón del Valle-Inclán.

> Estuvo el comienzo de mi vida lleno de riesgos y azares. Fui hermano converso en un monasterio de cartujos y soldado en tierras de la Nueva España. Una vida como la de aquellos segundones hidalgos que se enganchaban en los tercios de Italia por buscar lances de amor, de espada y de fortuna. Como los capitanes de entonces, tengo una divisa, y esa divisa es, como yo, orgullosa y resignada: "Desdeñar a los demás y no amarse a sí mismo."

> Hoy, marchitas ya las juveniles flores y moribundos todos los entusiasmos, divierto penas y desengaños comentando las *Memorias amables*, que empezó a escribir en la inmi-

gración mi noble tío el marqués de Bradomín. ¡Aquel viejo cínico, descreído y galante como un cardenal del Renacimiento! Yo, que, en buena hora lo diga, jamás sentí el amor de la familia, lloro muchas veces de admiración y de ternura, sobre el manuscrito de las *Memorias*.

Todos los años, el día de Difuntos, mando decir misas por el alma de aquel gran señor, que era feo, católico y sentimental. Cabalmente yo también lo soy, y esta semejanza todavía le hace más caro a mi corazón.

Apenas cumplí la edad que se llama juventud, como final a unos amores desgraciados, me embarqué para México en "La Dalila", una fragata que al siguiente viaje naufragó en las costas de Yucatán. Por aquel entonces era yo algo poeta, con ninguna experiencia y harta novelería en la cabeza. Creía de buena fe en muchas cosas que ahora pongo en duda, y, libre de escepticismos, dábame buena prisa a gozar de la existencia. Aunque no lo confesase, y acaso sin saberlo, era feliz; soñaba realizar altas empresas, como un aventurero de otros tiempos, y despreciaba las glorias literarias.

A bordo de "La Dalila" —lo recuerdo con orgullo— asesiné a sir Roberto Yones. Fue una venganza digna de Benvenuto Cellini. Os diré cómo fue, aun cuando sois incapaces de comprender su belleza; pero mejor será que no os lo diga: seríais capaces de horrorizaros. Básteos saber que a bordo de "La Dalila" solamente el capellán sospechó de mí. Yo lo adiviné a tiempo, y, confesándome con él pocas horas después de cometido el crimen, le impuse silencio antes de que sus sospechas se convirtiesen en certeza, y obtuve, además, la absolución de mi crimen y la tranquilidad de mi conciencia.

Aquel mismo día la fragata dio fondo en aguas de Veracruz y desembarqué en aquella playa abrasada, donde desembarcaron antes que pueblo alguno de la vieja Europa los aventureros españoles. La ciudad que fundaron, y a la que dieron abolengo de valentía, despejábase en el mar quieto y de plomo, como si mirase fascinada la ruta que trajeron los hombres blancos. Confieso que en aquel momento sentí levantarse en mi alma de hidalgo y de cristiano el rumor augusto de la Historia. Uno de mis antepasados, Gonzalo de Sandoval, había fundado en aquellas tierras el reino de Nueva Galicia. Yo, siguiendo los impulsos de una vida errante, iba a perderme, como él, en la vastedad del viejo imperio azteca, imperio de historia desconocida, sepultada para siempre con las momias de sus reyes, entre restos ciclópeos que hablan de civilizaciones, de cultos, de razas que fueron y sólo tienen par en ese misterioso cuanto remoto Oriente.

Después abrid, Santillana,
un paréntesis aquí,
y poned en él de mí
cuanto en él os diere gana (5).

Valle-Inclán, ya se ve, no cae en el error de llamarse
a sí mismo marqués de Bradomín. Este es su tío. Se mantiene en todo momento un elemento diferenciador entre
ellos que permita la relación entre dos entidades distintas
y no simplemente repetidas. De ahí lo más curioso y lo
más significativo de esta autobiografía: que sea en su primera parte un comentario a la autobiografía de otro. La
simultaneidad de la alteridad y la identidad queda así
afirmada.

El punto cronológico, si no es lógico, de contacto en
este proyecto de dialogía son los últimos años del «tío»,
coincidentes con los primeros del «sobrino», la década
de 1868-1878. Serán también, desde otra perspectiva, con
dialogía inversa, el punto focal de las últimas obras de
Valle-Inclán en *El ruedo ibérico* —donde aparece el viejo
marqués.

2. El cruce de la X

Este espejeo, esta especulación, este espejismo, tienen
un punto medio de inflexión definitorio de dos mitades
autobiográficas, que corresponde, aproximadamente, a los
años 1914 a 1916, años, ya se ha dicho, de *La lámpara
maravillosa*, obra que, aunque publicada en 1916, ya está
en curso en 1914.

Valle-Inclán consideraba este texto fundamental entre
los suyos. Es «el libro que recomienda a sus hijos como
el único en que él tenía fe plena», asegura su biógrafo
Ramón Gómez de la Serna (6). Es también el libro que
sirve de introito a su *Opera Omnia,* comenzada a publicar
en 1913, pero en la que reservó el volumen I a *La lámpara maravillosa,* todavía no escrita, pero ya proyectada.
Es rigurosamente verdad, pues, que el libro que corresponde al punto medio de su producción es también el principio voluntario de la misma.

54

La ruta que lleva de las *Sonatas* a *La lámpara maravillosa* está jalonada por dos series de novelas, una colección de poemas y varias obras teatrales. Las novelas son la trilogía de *La guerra carlista: Los cruzados de la causa* (1908), *El resplandor de la hoguera* (1909) y *Gerifaltes de antaño* (1909), por un lado, y casi simultáneamente la trilogía de las *Comedias bárbaras: Aguila de blasón* (1907) y *Romance de lobos* (1908). La tercera, *Cara de plata*, se publicaría en 1923.

Giran estas últimas alrededor de Galicia y de don Manuel de Montenegro, supuesto tío carnal de Bradomín. Lo que la ficción literario-biográfica pierde en concreción y proximidad temporal lo empieza a ganar en actualidad geográfica y, sobre todo, en humanidad del personaje. La teatralidad bradominesca se vierte y agota casi totalmente en la forma dialogada de estas narraciones, quedando el personaje definido por pasiones y circunstancias de una inmediatez humana salvaje y detonante: de ahí el nombre de *Comedias bárbaras*. Don Manuel de Montenegro es

> uno de esos hidalgos mujeriegos y despóticos, hospitalarios y violentos, que se conservan como retratos antiguos en las villas silenciosas y muertas, las villas que evocan con sus nombres feudales un herrumbroso son de armaduras; el caballero llega con la escopeta al hombro, entre galgos y perdigueros que corretean, llenando el silencio de la tarde con la zalagarda de sus ladridos y el cascabeleo de sus collares (7).

Es el antecesor de Bradomín —de Valle-Inclán también, pues— lejano en el tiempo y por ello mismo concreto, brutalmente vivo en su humanidad.

El último volumen de la serie, *Cara de plata*, trata de su hijo, que lleva este apodo, voluntario en la segunda guerra carlista, contemporáneo ya de Bradomín y de los primeros años del escritor, en una cadena sin interrupción, pero de cambiante colorido. Por esta misma circunstancia, la guerra carlista, es por lo que esta serie de *Comedias bárbaras* ensambla con la trilogía de *La guerra carlista*, que se escribe y publica al tiempo.

Ambas series tienen el mismo perfil épico, pero en esta

segunda trilogía hay una mayor carga histórica que en la primera, a la que acompaña una decidida polarización espiritual: lucha del campo y de la ciudad, la razón y la fe, la tradición y el progreso. La Historia, sí, pero en términos de fuerzas elementales y milenarias. Valle-Inclán se vuelca a favor del voluntariado tradicionalista, campesino y romántico, creyente y aventurero. Es el comienzo de una nueva presencia impersonal en su obra, la de las masas, que va a permitir la complementaria personalización del punto de vista del escritor, tanto más definible e identificable cuanto más ausente de su obra. El protagonista novelesco es ahora esa masa que, sin embargo, todavía se define por los mismos ideales personales de Valle-Inclán como autor.

La presentación es episódica en estas novelas, desmenuzando la narración en aspectos parciales de la vasta materia. Fragmentación y polarización de la materia van de par con la mayor atención de Valle-Inclán por el diálogo y por la forma teatral, en la que el autor es capaz de conformar teologalmente a sus criaturas.

En efecto, en esta primera fase o mitad de su autobiografía, el relato novelesco va dando paso al teatro, lo mismo que en la segunda mitad será el teatro el que dé paso a la novela. Ello tiene su lógica: a medida que el autor va llenándose de su propio personaje, va haciéndose más necesaria una separación entre los personajes y el autor. Y la fórmula teatral, la misma que fundamenta todo el proyecto, sigue siendo la que brinda la solución. Por eso insiste gradualmente en ella: teatro del *Yermo de las almas* y de la nueva dramaturgia que apunta en *La cabeza del dragón* (1909) y en *Cuento de abril,* ambas de 1909.

Valle-Inclán, además, se ha casado en 1907 con una actriz, Josefina Blanco, y vive la vida teatral en viajes a provincias con la compañía en que trabaja su mujer, la misma que representa a veces sus obras. Ha cambiado de aspecto y de costumbres: vida de familia —aunque el café siga siendo imprescindible— y cabeza rapada al cero. A las llamativas antiparras de antes suceden unas gafas corrientes. A los detonantes atuendos, una vestimenta ciudadana cuidadosamente distinguida. Eso sí, la barba sigue creciendo, «fluvial», y empieza a blanquear. Su tertulia madrileña es ahora preferentemente de artistas plásticos, en el *Nuevo Café de Levante*. En ella pontifica ante pintores, escultores, grabadores, estudiantes de Arquitectura. Todos jóvenes. Los amigos de la bohemia de hace unos años hacen apariciones esporádicas. El escritor es ya una figura y una celebridad. Ya es el heredero del marqués de Bradomín, digno sucesor del título. Por entonces es cuando Rubén Darío le manda desde París el conocido «Soneto autumnal al marqués de Bradomín» (8).

En 1910 acompaña, como director artístico, a la compañía de su mujer en una gira por América del Sur: Argentina, Uruguay, Chile, Bolivia, Paraguay. En la Argentina se celebra el centenario de la Independencia y coincide en Buenos Aires con la nutrida representación oficial española, lo cual da lugar a algunas ásperas competiciones por la atención pública entre Valle-Inclán y ellos. Da un ciclo de conferencias: «El arte de escribir», «Los excitantes», «Modernismo» y «La España antigua». El público es escaso y va disminuyendo. Lo acaparan otras figuras, entre ellas V. Blasco Ibáñez. Sus actuaciones no tienen eco en la prensa. El echa la culpa a la inquina que despierta su carlismo. A falta de lucha con las armas en la mano, se había presentado como candidato a diputado tradicionalista por Monforte de Lemus en las elecciones generales de 1910. No salió electo, pero redobló sus actividades entre la minoría tradicionalista con oscuras conspiraciones a medio camino entre la realidad y la ficción, la vida y la literatura.

El 24 de junio de 1910, el Círculo Tradicionalista de Buenos Aires celebra un banquete en honor del escritor. Comienza a hablar ante los sesenta concurrentes:

> Afirmo, señoras y señores, mi abolengo y filiación tradicionalista ... nació en circunstancias adversas para la causa carlista ... Mis primeras producciones literarias fueron alabadas por la prensa en general, porque no eran carlistas; pero tan pronto como empecé a escribir en la carlista todos mis lectores anteriores dejaron de serlo. No me importa ... (9).

Así y todo, Valle-Inclán acabó siendo injuriado por sus convives: su carlismo idiosincrático no era el carlismo trasnochado de aquellos emigrados, como tampoco era el carlismo oficial del partido. Lo cual no le impide, a su vuelta a España, sentarse a la mesa de honor en el banquete con que fue obsequiado en el frontón Jai-Alai, el 8 de enero de 1911, la minoría parlamentaria de carlistas e integristas.

En realidad su contribución al carlismo había sido, y seguirá siendo, únicamente la que deparaba su literatura: «El carlismo tiene para mí el encanto solemne de las grandes catedrales...», había manifestado. Pero esto no quiere decir que fuera un carlismo de pacotilla, menos serio que el oficial. Quiere decir que era un carlismo personalizado, hecho a la medida por Valle-Inclán mismo. Quizás un carlismo más serio que el otro.

Su teatro refuerza este eslabón de su autobiografía. A su vuelta de América declara en una entrevista a *El Debate,* periódico carlista, anunciando su próxima obra, *Voces de gesta*: «Será un libro de leyendas, de tradiciones, a la manera de *Cuento de abril,* pero más fuerte, más importante. Recogerá la voz de todo un pueblo. Sólo son grandes los libros que recogen voces amplias, plebeyas» (10).

El estreno es un éxito. La gente repite la frase del infante don Carlos refiriendo el elogio de su padre Alfonso XIII, que asistió al estreno en el teatro de la Princesa el 26 de mayo de 1912: «Me ha dicho que de *Voces de gesta* no se puede perder ni una escena.» Días antes, la infanta Isabel había dicho también a la actriz María Guerrero, de modo que pudieran oírla todos los presentes: «He venido a ver esto porque el Rey me ha dicho que es precioso...» (11).

La edición de la obra por la Imprenta Alemana se convierte en una ocasión casi única en la historia editorial española, como confección de un objeto artístico en el que no se descuida ningún aspecto de la presentación material. Colaboran en ello gran número de los artistas de la tertulia del *Nuevo Levante*: «Richardus Baroja, Angelus Vivanco, Raphael Penagos, Joseph Moja, Anselmus Michaelis, Aurelius Arteta, Julius Romero Ornaverunt», indica el texto. Rubén Darío por tercera vez ofrece una composición suya a Valle-Inclán. Es la que encabeza la obra a modo de epígrafe y acaba con este «Envío»:

> Señor, que en Galicia tuviste cuna,
> mis dos manos estas flores te dan
> amadas de Apolo y de la Luna,
> cuya sacra influencia siempre nos una.
> Don Ramón María del Valle-Inclán.

La segunda vez había sido para festejar la publicación en 1907 de la primera colección de versos de Valle-Inclán, *Aromas de leyenda,* en donde Darío logra fijar algunas de las imágenes de Valle-Inclán que luego se harán tópicas:

> Este gran don Ramón, de las barbas de chivo,
> cuya sonrisa es la flor de su figura,
> parece un viejo dios, altanero y esquivo,
> que se animase en la frialdad de su escultura.
>
> El cobre de sus ojos por instantes fulgura
> ya da una rama roja tras un ramo de olivo.
> Tengo la sensación de que siento y que vivo
> a su lado una vida más intensa y más dura.
>
> Este gran don Ramón del Valle-Inclán me inquieta
> y a través del zodiaco de mis versos actuales
> se me esfuma en radiosas visiones de poeta
> o se me rompe en un frasco de cristales.
> Yo le he visto arrancarse del pecho la saeta
> que le lanzan los siete pecados capitales.

Aromas de leyenda: Versos en loor de un santo ermitaño, primera de las tres únicas colecciones poemáticas de Valle-Inclán, subraya el sesgo que toma su autobiografía hacia Galicia, su paisaje y sus hombres. Sesgo complementario al de las *Comedias bárbaras,* que lleva al escritor a una recreación-descubrimiento de sus orígenes geográficos y raciales. La inclinación se manifiesta materialmente en su abandono de Madrid.

Había roto con la compañía teatral donde trabajaba su mujer, la de Guerrero-Mendoza, y ello le dejaba sin un sueldo muy saneado. Exteriormente es esta quiebra económica la que le hace instalarse en Cambados a finales de 1912. A partir de 1907 se había declarado también la enfermedad que había de matarle, un cáncer de vejiga que le obliga a pasar en la cama gran parte del día. Desde entonces escribirá y recibirá a las visitas recostado en la cama, imagen que se convierte en emblemática del escritor y por la que han de recordarle sus hijos.

A poco de estar en Galicia, muere su por entonces único hijo varón a consecuencia de un accidente, y ello le hace abandonar Cambados para instalarse en Puebla del Caramiñal. Allí arrienda el pazo llamado de «La Merced», e intenta vivir la vida del hidalgo campesino, labrador y ganadero.

Su tambaleante economía se apuntala con el contrato que acaba de firmar con la Sociedad Española de Librería para publicar sus *Obras completas*. Comienza la publicación con los tomos III y IV, reservando el número I para una obra todavía no escrita, pero fácilmente se advierte cuán significativamente imaginada y anticipada, *La lámpara maravillosa*. A ella se dedica entonces y en ella se revela el carácter de encrucijada de estos años en experiencias como la siguiente:

> Recuerdo un caso de mi vida ... Yo volvía de un ferial con mi criado y antes de montar para ponerme en camino había fumado bajo unas sombras gratas mi pipa de cáñamo índico ... Para atajar llevábamos los caballos por un desfiladero de ovejas. Mirando hacia abajo se descubrían tierras labradas con una geometría ingenua ... Atajábamos la Tierra de Salnés donde otro tiempo estuvo la casa de mis abuelos y donde yo crecí desde zagal a mozo endrino. Sin embargo, aquellos parajes monteses no los había traspuesto jamás ... Yo los reconocía de pronto con una sacudida ... Aquel aprendizaje de las veredas diluido por mis pasos de tantos años se me revelaba en una cifra ... sagrada como un número pitagórico. Fui feliz bajo el éxtasis de la suma, y al mismo tiempo me entró un gran temblor comprendiendo que tenía el alma desligada ... La Tierra de Salnés estaba toda en mi conciencia por la gracia de la visión gozosa y teologal. Quedé cautivo, sellados los ojos por el sello de aquel valle hondísimo, quieto y verde, con llovizna y sol, que resumía en una comprensión cíclica todo mi conocimiento cronológico de la Tierra de Salnés.

O en esta otra, de la que cito sólo la conclusión:

> Toda la vida pasada era como el verso lejano que revive su evocación musical al encontrar otro verso que le guarda consonancia y sin perder el primer significado entra a completar un significado más profundo. ¡Aun en el juego bizantino de las rimas se cumplen las leyes del Universo! Con los ojos vueltos al pasado yo lograba romper el enigma del Tiempo. Encarnados en imágenes veía yuxtaponerse los instantes, desgranarse los hechos de mi vida y volver uno por uno. Percibía cada momento en sí mismo como actual, sin olvidar la suma. Vivía intensamente la hora anterior, y a la par conocía la venidera, estaba ya morando dentro de su círculo ... ¡Desde aquel día cuántos años se pasaron mirando atrás con el afán y el miedo de volver a ver mi sombra inmóvil sobre el camino andado! ¡Cuántos años hasta hoy, en que el alma sabe desprenderse de la carne, y contemplar las imágenes lejanas, eternas en la luz de una estrella!

Experiencias que le llevan a exclamar programáticamente:

> Alma mía, que gimes por asomarte fuera de la cárcel oscura, enlaza en un acorde tus emociones, perpetúalas en un círculo y tendrás la clave de los enigmas. Descubre la norma de amor o de quietud que te haga centro, y tocarás con las alas el Infinito. Pon en tus horas un enlace místico y en la que llega vierte todo el contenido de la hora anterior ... Para romper tu cárcel de barro, colócate fuera de los sentidos, y haz por comprender el misterio de las horas, por persuadirte que no fluyes y que siempre perdura el mismo momento. Que sean tus emociones como los círculos abiertos por la piedra en el cristal del agua ... Hagamos de toda nuestra vida a modo de una estrofa, donde el ritmo interior despierta las sensaciones indefinibles aniquilando el significado ideológico de las palabras ... (12).

El tenor de lo citado pudiera hacer pensar que con esta obra y en este año Valle-Inclán completa un recorrido al cabo del cual no le queda sino la contemplación sin palabras. No hay tal. Se trata, como he dicho, de un cruce o punto central a partir del cual queda otro medio círculo por trazar. En él se encuentran los vectores convergentes de vida y escritura que se habían venido extendiendo desde el pasado y que, a partir de ahora, divergentes, apuntan al porvenir. Tienen que hacerlo porque desde las *Memorias* de hace una docena de años a este momento central, Valle-Inclán ha ido abriendo una doble estela, verso y anverso de un mismo fenómeno que tiene su propia dinámica: ausencia inicial de la persona concreta, la expresable en las ideas, que se va convirtiendo en presencia del personaje, el yo de las sensaciones; y al mismo tiempo, presencia inicial del entorno imaginario que se va adelgazando hacia una realidad histórica.

Estamos ahora en el momento en que en vez de reproducir la polarización inicial invertida hay una personalización total de la circunstancia exterior: la realidad es toda personalidad y la persona, a su vez, se pierde completamente en la realidad exterior, formando un todo místico, inefable.

Este cruce de la X tiene, en efecto, un poder misterioso de transmutación alquímica, una invencible inefabilidad que hace de *La lámpara maravillosa* la obra menos racional —racionalizable, incluso— de todas las de Valle-Inclán. Pero es que cuando el hombre se hace texto y el texto se hace hombre, la falta de distancia entre uno y otro, la anulación, por un instante, de la diferencia entre realidad exterior e interior, equivale a la anulación del signo, esto es, de la posibilidad de la expresión coherente —o de la expresión, a secas.

En rigor, desde el texto de *La lámpara maravillosa* no nos habla nadie ni se nos habla de nada: no *quiere-decir* nada. Por eso, sin duda, es por lo que Juan Ramón Jiménes diría de ella que es una lámpara que «no tiene aceite, sólo humo». Es verdad, claro, pero por eso es por lo que tiene un valor justamente contrario al que le atribuye el poeta —que, sin duda, no diría lo mismo de la experiencia mística religiosa.

Se trata, en parte, de una simple cuestión de fronteras textuales. *La lámpara maravillosa* como texto autónomo, como texto independientemente significativo, es verdad que no tiene sentido. Pero como frase o sintagma de un texto más amplio, recibe sentido de lo que la precede y la sigue. Se trata de una conjunción desprovista de sentido propio y, sin embargo, esencial para el sentido de la frase más amplia en la que encaja y a la que articula: ese otro texto, la autobiografía de Valle-Inclán, que es el que ahora estoy glosando.

3. *El hombre y la máscara*

1916. A sus cincuenta años, Valle-Inclán, ensimismado, más que enajenado, en su propio personaje, considera llegado el momento de confirmar su nueva identidad. Pide al Ministerio de Gracia y Justicia el reconocimiento de sus títulos nobiliarios de «marqués del Valle, vizconde de Viexín y señor del Caramiñal». Pruebas: sus escritos, su vida de hidalgo campesino gallego, su figura pública. ¿Qué más pruebas hacían falta? El Ministerio deniega la solicitud por falta de ellas el 14 de octubre de 1915. La maquinaria estatal, sin duda, atiende a otro tipo de realidad que Valle-Inclán. Sus realidades no coincidirán nunca, pero no por despecho o venganza por parte del escritor. No creo que sea cierto o tenga sentido el exabrupto que Ramón Gómez de la Serna atribuye a Valle-Inclán como indicativo del viraje de esta época: «¡No os lo merecíais! ¡Ya me he cansado! ¡Ahora, arte de feria, barraca y aleluya!» (13). No, el viraje se venía gestando desde mucho antes y tenía la ineluctabilidad de la lógica interna de un proceso. A partir de ahora el sucesor del marqués de Bradomín devolverá a España la misma visión que ella le aplica a él: se miran lo mismo que el espectador y el actor se enfrentan desde planos irreductiblemente ajenos y, sin embargo, mutuamente dependientes: son un espectáculo recíproco.

Ha estallado la impensable primera guerra mundial, la Gran Guerra. Valle-Inclán toma partido por los aliados en una España oficialmente neutra, aunque oficiosa y prácticamente germanófila. Se ve acompañado por todos los intelectuales y escritores de su tiempo —con la excepción de Pío Baroja y Jacinto Benavente— en la firma de una declaración a favor de los aliados, «Palabras de algunos españoles», en julio de 1915. Sus correligionarios tradicionalistas le atacan. El contesta:

En mi partido somos aliadófilos S. M. el Rey don Jaime de Borbón, que está preso, y yo, que estoy libre. Y es que el partido tradicionalista se divide en dos grandes grupos. En uno estamos el Rey y yo, y en el otro los demás tradicionalistas (14).

En febrero de 1916 muere su amigo Rubén Darío, sin duda el escritor que más cerca estuvo del Valle-Inclán de aquella primera mitad de su autobiografía. Un poco como haciéndole el relevo, es «comisionado por la prensa latina de América», dice *El Imparcial* de Madrid, al que también representa, para visitar como corresponsal el frente occidental de la contienda. La solicitación de la realidad para quien se ha moldeado una máscara quietista y rústica es tentadora. Acepta la comisión y marcha a Francia.

Valle-Inclán va a ver la guerra, pero aclara al despedirse: «Claro está, como tengo un concepto anterior, voy a comprobar ese concepto, no a inventarlo. Si mi portera y yo vemos la misma cosa, mi portera no sabe lo que ha visto, porque no tiene el concepto anterior» (15). En el frente hace toda clase de inverosímiles y descabelladas quijotadas, o bradominadas, o valle-inclanadas. Uno de sus acompañantes, el joven periodista Corpus Barga, ha de comentar: «Es una lástima, don Ramón, que sea verdad todo lo que usted está haciendo porque cuando lo cuente no lo van a creer» (16).

Pero lo que preocupa a Valle-Inclán entonces, recuerda el mismo Corpus Barga, es «el punto de vista en que debía ponerse para escribir sobre la guerra». Y continúa: «Me parece que con bastante aproximación se puede considerar que Valle-Inclán, habiendo llegado a rechazar la herejía de sentirse Dios Padre como novelista, buscaba, sin embargo, un punto de vista de creación total» (17). Más cierto parece entender que Valle-Inclán, habiendo conseguido sentirse Dios Padre como novelista y siéndole ya innecesario perseguir esa meta e inútil rechazarla, es decir, habiendo efectivamente superado este moderno Rubicón literario, buscaba el modo de escribir que corresponde a Dios Padre. ¿Cómo escribe quien ya es Dios Padre? La incógnita es la que planteaban las revelaciones de *La lámpara maravillosa*.

«Valle-Inclán», sigue Corpus Barga, «pasó una noche

y dos días con los aviadores, haciendo la vida de guerra de ellos. ¿Tomó parte en el combate? Lo negaba, hubieran castigado a los aviadores; no pudo negar que había volado sobre el campo de batalla». A partir de ese momento le ocurre a Valle-Inclán quedarse suspenso en las conversaciones y murmurar quedamente: «La visión estelar, el vuelo de noche...» Corpus Barga, que dice recordar otras ocasiones en que Valle-Inclán consultaba con los amigos el nuevo estilo que debía dar a sus libros, le oyó decir entonces, el último día de su estancia en París: «El vuelo de noche ha sido una verdadera revelación. Será el punto de vista de mi novela, la visión estelar.» Algunos, al oír esto, pensarían lo mismo que el francés Auguste Bréal, quien, por lo visto, murmuraba bonachonamente: «Eso es lo malo de tomar haschich.» Corpus Barga, en cambio, asegura que no era difícil darse cuenta de que

> no le resultaría la visión estelar de su vuelo de guerra ... No pasaba como otras veces. Algo se quedaba detenido detrás de toda expresión. ¿Qué había visto en su vuelo de noche, cuál había sido su visión única desde Sirio de los dos campos de la guerra, las dos mitades del campo de batalla?

Y acaba sus recuerdos afirmando: «Decididamente, Valle-Inclán no era un novelista bélico ni desde luego propagandista; llegó, sin embargo, a serlo en la visión antiestelar, sin nada de Sirio, el esperpento» (17).

Se hace difícil comprender la incomprensión de Corpus Barga. Imposible mayor ceguera ante lo palmario. O quizás por eso mismo. Porque si el esperpento y toda la producción de Valle-Inclán a partir de ese momento no son producto de esa visión estelar, visión desde la otra orilla, visión del demiurgo, en una palabra, la del valle de Salnés de *La lámpara maravillosa*, ¿qué son entonces?

De octubre a diciembre de 1916 publica por entregas en *El Imparcial* sus crónicas de guerra. El título, «Un día de guerra. Visión estelar», lleva la indicación «Parte primera: La medianoche». No se le ocultaba a Valle-Inclán que era un intento fallido, sin duda, y por ello no daría lugar a una segunda parte. Por eso también cuando al año siguiente publica en forma de libro las entregas de *El Imparcial* bajo el título, ligeramente cambiado, de *La media noche: Visión estelar de un momento de guerra*, le añadirá esta «Breve noticia»:

> Yo, torpe y vano de mí, quise ser centro y tener de la guerra una visión astral fuera de geometría y de cronología, como si el alma, desencarnada ya, mirase a la tierra desde su estrella. He fracasado en el empeño, mi droga índica en esta ocasión me negó su efluvio maravilloso. Estas páginas que ahora salen a la luz no son más que un balbuceo del ideal soñado (18).

En *La medianoche* Valle-Inclán se proponía una narración y no un drama. Su problema, pues, era narrativo, no dramático. Pero, justamente, la preocupación narrativa le venía de su experiencia dramática: la postura inherentemente divina del dramaturgo es la que Valle-Inclán quiere llevar a la narración. Y no puede todavía.

Desde 1909, Valle-Inclán no había vuelto a escribir en forma narrativa. Al intentarlo ahora, siete años más tarde, confiesa su fracaso. Fracaso, entiéndase, de lo que él se propone, de la aplicación a la narración de esa nueva postura estelar tan claramente emparentada con la dramatúrgica. Habría que esperar casi diez años más, a *Tirano Banderas* y a *El ruedo ibérico*, para que el escritor volviera a la novela con el problema resuelto. Entretanto sólo escribe para el teatro. Prácticamente todas sus obras teatrales importantes. Completa así los, aproximadamente, veinte años de dramaturgia que quedan entre *La guerra carlista* y *Tirano Banderas*. En esos años intermedios se consolida dramatúrgicamente su dominio narrativo, ese dominio que hace crisis en 1916, época casi de silencio o, lo que es casi lo mismo, de misticismo.

El programa de *La lámpara maravillosa*, el experimento de *La medianoche*, le marcan el camino a seguir. Es un camino que pasa por el teatro y acaba en la fusión de ambas formas o, mejor dicho, en el perfeccionamiento de la narración mediante las posibilidades dramatúrgicas.

Bien pensado, teatralización no es el término adecuado para caracterizar la diferencia entre una y otra época. Ya las *Sonatas* tenían claros elementos teatrales. La tendencia del escritor a ver a sus criaturas como actores y no como personas se mantuvo constante desde entonces:

> Hay escritores que van detrás de sus personajes y les siguen la pista y cuentan todo lo que hacen. Yo necesito trabajar con mis personajes de cara, como si estuvieran ellos en un escenario; necesito oírles y verles para reproducir su diálogo y sus gestos (19),

diría Valle-Inclán. La tendencia a verse a sí mismo como personaje dramático también es constante, y complementaria de la anterior. Es la posición relativa de uno y otros dentro de esa fórmula siempre dramática la que refleja el cambio.

A la vuelta de su viaje a Francia aquel Julio Burell de antaño, amigo ahora y ministro de Información Pública, le ofrece una cátedra de Estética de las Bellas Artes, creada expresamente para él, en la Escuela Especial de Pintura, Escultura y Grabado de Madrid. Da unas pocas clases y abandona el puesto. Ni siquiera tiene ocasión de cobrar el primer sueldo. El dice en una entrevista que sus obras le producen de treinta y cinco a cuarenta mil pesetas anuales (entre tres y cuatro millones de hoy). La situación es, pues, desahogada, aun cuando su gerencia labradora y ganadera de la finca de «La Merced» sea desastrosa. Por ahí es por donde se le escapa el dinero a chorros.

Los últimos años de retraimiento del escritor en Galicia vieron una agitación política y social extraordinaria. Ahora es necesario tenerla en cuenta, más en cuenta, sin duda, que antes, porque Valle-Inclán está listo para participar públicamente en ella. A eso le lleva la consolidación de su figura. A partir de ella inicia esta reinmersión en la vida del país. En gran parte, naturalmente, su participación ha de ser la de su actividad como escritor, pero no se limita tampoco a ella.

De 1917 a 1923 ocurren o repercuten en España algunos de los acontecimientos que han de conformar la vida del país hasta por lo menos la guerra civil de 1936.

1917 es el año de la huelga general de trabajadores y del colapso del sistema oligárquico de gobierno puesto en marcha en los inicios de la Restauración, el siglo anterior. Después de la creación del grupo de presión militar llamado «Juntas de Defensa», indicativo del malestar del Ejército, se prepara el conflicto político-social con la reunión de los 78 parlamentarios de la oposición, producto de la alianza de republicanos reformistas y socialistas. Piden un Gobierno «que encarne la voluntad soberana del país». La reunión es disuelta por la policía, se cierran las Cortes y se suspenden las garantías. Los sindicatos, también unidos, convocan entonces a la huelga general. La tropa sale de los cuarteles y lleva a cabo una represión con varios cientos de muertos. Se aplican durísimas condenas a los miembros del comité de huelga. El movimiento proamnistía de los mismos tuvo ocupada a España a partir de ese momento. Las elecciones de febrero de 1918 no logran reparar la inestabilidad, aun cuando dan el triunfo a los monárquicos liberales de izquierda y llevan a seis socialistas a los escaños.

Las huelgas se reanudan en 1919. Enfrentados los obreros barceloneses a los patronos, se desencadena una guerra non-sancta, pero tan feroz y fanática como si fuera de religión, entre los pistoleros a sueldo de los patronos (y con la complicidad oficial) y los anarquistas, fuerza de choque de los obreros: la *Federación Patronal* contra la *Confederación Nacional del Trabajo*. Se suceden los asesinatos. La policía, cuando interviene, usa arbitrariamente de la infame «ley de fugas». El balance es sobrecogedor: entre 1919 y 1923 se producen 700 asesinatos políticos en Cataluña.

El 23 de junio de 1921 se produce la catástrofe militar de Annual, en la ya larga guerra de España en Marruecos. Se exigieron responsabilidades y a lo largo de la investigación empezó a quedar claro que el rey Alfonso XIII estaba directamente implicado en los aspectos más sórdidos de la desastrosa operación. Una semana antes de que la comisión investigadora informara oficialmente a las Cortes, el 13 de septiembre de 1923, se subleva en Barcelona el capitán general Miguel Primo de Rivera. Disuelve las Cortes y se pone a la cabeza de un Directorio Militar. Todo ello con el conocimiento y la aprobación del Rey. Es el principio de una dictadura, que algunos llamaron dictablanda, a causa del carácter campechano de Primo de Rivera, pero que no merece tan benigna calificación si se piensa en la ferocidad del brazo derecho del dictador, Martínez Anido, ministro de la Gobernación, de nefanda memoria como jefe de Policía en Barcelona.

En 1917 se había producido la Revolución Rusa: caída del Zar en marzo de 1917 y toma del poder por los bolcheviques en noviembre del mismo año. Acabada la guerra, se crea la III Internacional (Comunista —marzo de 1919), que tan hondas disensiones produce en las filas del socialismo tanto mundial como español. Los partidarios de la III Internacional crean en Madrid su órgano de expresión, la revista *La Internacional*. Para ella hace Cipriano Rivas-Cheriff una entrevista a, entre otros, Valle-Inclán, que se publica en septiembre de 1920. No tiene más que dos preguntas, las de Tolstoi: «¿Qué es el arte?» y «¿Qué debemos hacer?» Las contestaciones de Valle-Inclán son éstas: «El arte es un juego —el supremo juego— y sus normas están dictadas por el numérico capricho, en el cual reside su gracia peculiar. Catorce versos dicen que es soneto. El arte, pues, es pura forma.» «¿Qué debemos hacer?»: «Arte, no. No debemos hacer arte ahora porque jugar en los tiempos que corren es inmoral, es una canallada. Hay que lograr primero la justicia social.» Concluye Rivas Cheriff por su cuenta:

> El mejoramiento social que Valle-Inclán quiere, ¿hasta qué punto es compatible con su carlismo de antaño? ¿Es don Ramón un convertido al socialismo? No. Don Ramón es bolchevique, o si se quiere bolchevista, en cuanto le inspiran una gran simpatía los procedimientos antidemocráticos dictatoriales de que los bolcheviques se valen en pro de un ideal humanitario que, a su entender, sólo una minoría puede imponer al mundo (20).

En el mismo sentido retrata Luis de Araquistáin, director del semanario *España,* al escritor, por estas fechas, en un soneto que acaba:

> Vos, don Ramón, que sois el primer bolchevique
> y el último cristiano —que sois fuego y justeza—
> consentidme que nueva tan buena os comunique (21).

La Revolución Rusa produjo en Valle-Inclán una fuerte impresión. Desde su postura de personaje carlista diría: «En el siglo XIX la Historia de España la pudo escribir Don Carlos. En el siglo XX la está escribiendo Lenín» (22).

Aunque su figura es la que hace posible la toma de partido por los bolcheviques o comunistas, no hay falsedad alguna en ello. La naturaleza de la máscara de Valle-Inclán no se diferencia de la de las distintas máscaras a que todos nos plegamos —llámense ideales, principios o superego— más que en lo descubierto de su origen y en lo riguroso y consecuente de su desarrollo. En su caso, la máscara está incluso más íntimamente asumida que de costumbre porque depende de su tarea escritora: su literatura es su vida, y su vida, como ya he dicho tantas veces, es literatura, es autobiografía.

Su vida le plantea los mismos problemas que le plantea su literatura: ¿cómo se logra el binomio hombre-sociedad cuando el hombre ha conseguido la perspectiva del espectador cuasi-divino? Valle-Inclán actuará en la vida social y política de su tiempo a partir de ahora como «hombre de máscara». Pero la igualdad de la expresión con esta otra, que carece de connotaciones peyorativas, «hombre de principios», indica la seriedad y honradez de la postura.

La primera indicación de haberse producido ya la flexión que apunta a la inversión de los términos interdependientes no es dramática, sino poética. Ya es clara en *La pipa de kif*, de 1919, que empieza con la siguiente estrofa del poema que da nombre a la colección:

> Mis sentidos tornan a ser infantiles
> Tiene el mundo una gracia matinal.
> Mis sentidos como gayos tamboriles
> Cantan en la entraña del azul cristal.

Sigue en «Aleluya», segundo poema de la colección:

> Por la divina primavera
> Me ha venido la ventolera
>
> De hacer versos funambulescos —
> Un purista diría grotescos —.
>
> Para las gentes respetables
> Son cabriolas espantables (23).

Los años que preceden a *La pipa de kif* han sido años de silencio, pero no de ocio, porque al año siguiente, 1920, va a dar al público, mediante la edición o el estreno teatral, nada menos que cinco obras: los poemas de *El pasajero: Claves líricas, Farsa italiana de la enamorada del rey, Farsa y licencia de la reina castiza, Divinas palabras: Tragicomedia de aldea* y *Luces de bohemia.*

La *Farsa italiana de la enamorada del rey* es la más literaria, metaliteraria más bien, de las obras de Valle-Inclán. Es una especie de comentario sobre su propia obra en el que se pone sobre el tapete textual tanto su modo de hacer como su recepción por las «fuerzas vivas» del mundo literario: es «una caricatura clarísima de los académicos y críticos tradicionlistas, que tan acerbamente recibieron los nuevos modos de hacer modernistas» (24), de hace veinte años. Desfilan por ella los más notables, sobre un fondo paródicamente cervantino y noventayochista-modernista. Valle-Inclán, en figura de maese Lotario, piruetea entre unos y otros como agitador del cotarro. En definitiva, es él quien se lleva el gato al agua en esta transposición teatral de su propia literatura.

Divinas palabras es la visión de Galicia como masa, pueblo, por oposición a la serie anterior de las *Comedias bárbaras,* presididas por la figura de don Manuel de Montenegro. Es el lado antiheroico de la Galicia de antes, una Galicia cruel, primitiva, desgarrada y harapienta, vista precisamente desde la altura de don Manuel de Montenegro mismo, tal como éste la escribiría si describiera su propio acompañamiento de comparsas y escenario.

La *Farsa y licencia de la reina castiza* y el primer esperpento, *Luces de bohemia,* ambas también de 1920, son igualmente un avance que es un desandar del camino anterior —con el consiguiente aumento de experiencia.

La primera es una vuelta a esos años clave de Valle-Inclán, los del final del reinado isabelino, tratados ahora desde la anécdota caricaturesca:

> Corte isabelina,
> befa septembrina.
> Farsa de muñecos,
> maliciosos ecos

de los semanarios
revolucionarios
"La Gorda", "La Flaca" y "Gil Blas" (25).

Valle-Inclán tuvo el descaro de enviarlo a Alfonso XIII, años más tarde, al publicar el libro en 1922, con la siguiente dedicatoria: «Señor: Tengo el honor de enviaros este libro, estilización del reinado de vuestra abuela doña Isabel II, y hago votos por que el vuestro no sugiera la misma estilización a los poetas del porvenir» (26).

Luces de bohemia devuelve al escritor a su propia bohemia inicial, hacia 1900, origen de su carrera, mediante una reflexión característica. Escritor y sociedad definen su postura relativa del momento: «El mundo es una controversia», dice un personaje. Rectifica otro, don Latino: «¡Un esperpento!» ¿Qué es un esperpento? Explica Max Estrella:

> El esperpentismo lo ha inventado Goya. Los héroes clásicos han ido a pasearse en el Callejón del Gato ... Los héroes clásicos reflejados en los espejos cóncavos dan el esperpento. El sentido trágico de la vida española sólo puede darse con una estética sistemáticamente deformada ... España es una deformación grotesca de la civilización europea... Mi estética actual es transformar las normas clásicas (27).

Estas afirmaciones son autobiográficas y por eso mismo no excluyen sino que requieren las máscaras: en primer lugar, esos personajes son la máscara de individuos históricos; en segundo lugar, esa época de principios de siglo es también el presente, 1920-22.

Esta reflexión del teatro sobre sí mismo, que es lo que Valle-Inclán va a hacer a partir de ahora, se explicita en un esperpento de principios del año siguiente (inicialmente publicado de abril a agosto de 1921), *Los cuernos de don Friolera*. Un mismo asunto, el crimen pasional de un marido engañado, es prismatizado por los reflejos divergentes del eco calderoniano del tema —desde dentro, como si dijéramos— y de un prólogo y un epílogo —desde fuera—, que repiten el tratamiento en distinta clave: retablo de títeres a cargo del compadre Fidel, en el primer caso, y romance de ciego, en el segundo. Los espectadores de estos varios espectáculos van indicando sus preferencias. El escritor es uno de ellos. Aunque creador del triple tinglado, adopta el punto de vista del espectador en la figura de don Estrafalario, adecuado nombre para quien el mundo no es sino un esperpento:

> Don Manolito: —Hay que amar, don Estrafalario. La risa y las lágrimas son los caminos de Dios. Esa es mi estética y la de usted.

> Don Estrafalario: —La mía, no. Mi estética es una superación del dolor y de la risa, como deben ser las conversaciones de los muertos al contarse historias de los vivos (28).

Acabada la triple representación, al lector le es fácil entender rectamente la segunda y principal, aquélla a la que no han asistido ni don Manolito ni don Estrafalario, cuando éstos, comparando las otras dos, comentan:

> Don Estrafalario: —¡Qué lejos de este vil romancero aquel paso ingenuo que hemos visto en la raya de Portugal! ¡Qué lejos aquel sentido malicioso y popular! ¿Recuerda usted lo que entonces le dije?

> Don Manolito: —¡Me dijo usted tantas cosas!

> Don Estrafalario: —¡Sólo pueden regenerarnos los muñecos del Compadre Fidel! (28).

Gracias al alienante desdoblamiento teatral —paradójicamente la misma relación teatral que ha sido la base de la génesis de su propia máscara—, el autor es ya capaz de mantenerse a distancia de una creación inambiguamente histórica y cotidiana.

La figura pública de Valle-Inclán tiene ya la suficiente definición y significancia como para que en 1921 el Gobierno mexicano del general Obregón, a petición de éste y a través de su representante cultural en España, Alfonso Reyes, viejo amigo del escritor, le invite oficialmente a visitar México con ocasión del centenario de su independencia. La invitación es curiosa y significativa porque el Gobierno mexicano invita también, pero por separado, a una representación oficial del Gobierno español —que todavía no ha reconocido al mexicano. Valle-Inclán no forma parte de ella, sino que asiste a título personal, en teoría, pero, en la práctica, como representante de los artistas e intelectuales españoles. Y es más significativa todavía la invitación porque un año antes el entonces más internacional de los escritores españoles, Vicente Blasco Ibáñez, había visitado México y provocado un escándalo mexicano mayúsculo con la publicación de una serie de artículos, aparecidos en la prensa yanqui y luego recogidos en el volumen *El militarismo mejicano* (1921), en donde se manifestaba en violento y sarcástico desacuerdo con los resultados de la Revolución Mexicana. El Gobierno de este país, al invitar a Valle-Inclán, quería, sin duda, contrarrestar esa impresión. Le elige, pues, con conocimiento de causa y fundadas esperanzas de actitud amistosa. Valle-Inclán no ha de defraudarles. Crea a su vez un escándalo mayor que el de Blasco Ibáñez, pero de signo contrario, pronunciándose resueltamente a favor de la lucha mexicana y en contra de los gachupines comerciantes y estancieros de ese país. Todo ello en oposición directa con la postura de la legación gubernamental española allí presente.

Acaba de ocurrir en España, 23 de junio de 1921, la catástrofe de Annual, en Africa. Ya se sospechaba de la vergonzosa participación de Alfonso XIII en el suceso. Valle-Inclán cierra su visita mexicana con unas explosivas declaraciones a un periodista cubano, publicadas en México, en las que llama cobarde con todas las letras al rey de España:

—¿Qué opina usted de nuestro Rey?

—El Rey es un cobarde...

—¿Cómo?

—Sí, señor; un cobarde vergonzoso...

......

—Pues su fama es la de un valiente.

—¡Quiá! Eso es lo que creen por aquí.

—Eso es lo que se cree en todo el mundo, don Ramón.

—Pues no hay tal. Esa fama la paga el Intendente de Palacio tan sólo con unos cuantos miles de pesetas.

—¿Y qué haría el Rey en caso de una revolución?

—Huir, huir como un cobarde. Eso es lo único que saben hacer los reyes (29).

Si antes era Valle-Inclán quien teatralizaba su persona y su vida, ahora convierte la realidad a su alrededor en representación igualmente teatral. Para mantener la misma distancia que entonces entre sí y la circunstancia que le rodea y le afecta, esta realidad teatralizada toma los rasgos de un guiñol, de un tabanque de títeres. Títere es el Rey, los gapuchines, la realidad española. Las opiniones de Valle-Inclán sobre ellos son las del espectador de un retablo en el que se dan de puñadas estas figuras.

Su vuelta a España es el regreso al ruedo ibérico, al gran tablado nacional, lleno de fantoches y peleles gesticulantes, tal como determinan sus esperpénticos papeles. Desde aquí echa todavía una astilla más al fuego que ha encendido con su visita, enviando al diario *Excelsior*, de México, la siguiente composición:

> ¡Adiós te digo con tu gesto triste, indio mexicano!
> ¡Adiós te digo, mano en la mano!
>
> ¡Indio mexicano que la Encomienda tornó mendigo!
> ¡Indio mexicano!
> ¡Rebélate y quema las trojes del trigo!
> ¡Rebélate, hermano!
>
> Rompe la cadena. Quebranta la peña. Y la adusta greña sacude el bronce de tu sien.
>
> Como a Prometeo te vio el visionario, a las siete luces del Tenebrario, bajo las arcadas de una nueva Jerusalén.
>
> Indio mexicano,
> mano en la mano
> mi fe te digo:
> lo primero
> es colgar al Encomendero
> y después segar el trigo.
> Indio mexicano,
> mano en la mano,
> Dios por testigo (30).

Su postura respecto a México queda sintetizada en una carta que envía poco después a la revista *España,* donde dirá:

> No es un secreto el vergonzoso comercio que se intentaba reconociendo al gobierno del general Obregón. La Colonia Española esperaba, como prenda de gratitud, el pago de cuatrocientos millones de pesetas, en concepto de indemnizaciones. Se esperaba una violación de las leyes del país en pro de la Colonia Española. Un olvido del programa político al estilo de España ... Los Gobiernos de España, sus vacuos diplomáticos y sus ricachos coloniales, todavía no han alcanzado que por encima de los latifundios de abarroteros y prestamistas están los lazos históricos de cultura, de lengua y de sangre.

> La Colonia Española de México, olvidada de toda obligación espiritual, ha conspirado durante este tiempo, de acuerdo con los petroleros yanquis. Y aun cuando ahora, perdido el pleito, alguno se rasgue las vestiduras y se arañe la cara, nadie podrá negar que ha sido imposición de aquellos trogloditas avarientos, la política de España en México. Hora es ya de que nuestros diplomáticos logren una visión menos cicatera que la del emigrante que tiene un bochinche en América (31).

Publica la tercera parte de aquella trilogía inconclusa de las *Comedias bárbaras, Cara de plata,* en 1922, y un pequeño esperpento, «¿Para cuándo son las reclamaciones diplomáticas?» (15 de julio de 1922).

La excursión al teatro toca casi a su término con estas obras. En *Cara de plata,* Valle-Inclán vuelve a su primer «teatro» de 1907, aquellas novelas dialogadas, para desembocar otra vez en la narrativa. Una carta de esa época a Alfonso Reyes permite seguir la evolución (¿involución?, ¿revolución?):

> *Cara de plata* es un juego con la muerte, un disparar de pistolones, un revolverse airado de unos a otros, una mojiganga de entregar el alma que hace el sacristán ... Pero a fuerza de hacer el fantasma se acaba siéndolo. A fuerza de descreer en la muerte, de provocarla y de fingirla, la muerte llega. Y comienza *Romance de lobos* (32).

Esa máscara que acaba por sustituir a la realidad, esa mascarada a modo de mojiganga, y, sobre todo, el hecho de que esa concepción de 1922 se use como inicio de las obras de 1907 —«Y comienza *Romance de lobos*»— es lo que interesa destacar en estas líneas. Continúa la carta:

> Hace usted una observación muy justa cuando señala el funambulismo de la acción [de *Cara de plata*], que tiene algo de tramoya de sueño, por donde las larvas pueden dialogar con los vivos. Cierto. A este efecto contribuye lo que pudiéramos llamar la angostura del tiempo. Un efecto parecido al del Greco, por la angostura del espacio … En el *Enterramiento* sólo el Greco pudo meter a las figuras en tan angosto espacio; y si se desbarataran, hará falta un matemático bizantino para rehacer el problema. Esta angostura de espacio es angostura de tiempo en las *Comedias*. Las escenas que parecen arbitrariamente colocadas son las consecuentes en la cronología de los hechos. *Cara de plata* comienza con el alba y acaba a la medianoche. Las otras partes se suceden también sin intervalo. Ahora, en algo que estoy escribiendo, esta idea de llenar el tiempo como llenaba el espacio el Greco, totalmente, me preocupa. Algún ruso sabía de esto (32).

Es ese descubrimiento, o la toma de conciencia de ese descubrimiento, de la angostura del tiempo, logrado en la práctica teatral, el que le permite abordar de nuevo la narración, con la solución a la incógnita que planteaba la visión estelar. Porque eso que dice estar escribiendo es *Tirano Banderas* (y los principios de *El ruedo ibérico*, simultáneamente). La fecha, las circunstancias, la referencia al ruso que sabía de esto, Tolstoi, otras cartas de la misma época, así como la naturaleza misma de estas últimas novelas, lo prueban sin lugar a dudas.

El teatro que Valle-Inclán seguirá haciendo hasta 1927 va a ser quintaesencialmente teatral, sólo teatral, desprovisto de toda adherencia narrativa. Todo lo demás ha pasado a la novela, a la que vuelve el escritor. Dirá en 1923:

> El teatro es lo que peor está en España. Ya se podrían hacer cosas, ya. Pero hay que empezar por fusilar a los Quintero. Hay que hacer un teatro de muñecos. Yo escribo ahora siempre pensando en la posibilidad de una representación en que la emoción se dé por la visión plástica (33).

No se trata ya del esperpento, sino del auto para siluetas o melodrama para marionetas, como él los llama: *La rosa de papel* y *La cabeza del Bautista,* de 1924; *Ligazón,* de 1926, y *Sacrilegio,* de 1927.

Intenta representar él mismo este teatro, todo espectáculo, y lo tiene que hacer en los entonces nuevos «teatros de arte y ensayo», de los que dirige dos, *El mirlo blanco* y *El cántaro roto.* A ese teatro le falta, para el gusto público, la trama, el enredo, lo narrativo. Desalentado, tiene que abandonarlo. Cuando en 1927 le preguntan por qué no escribe ya para el teatro, responde:

> ¿Para el teatro? No. Yo no escribo ni escribiré nunca para el teatro. Me gusta mucho el diálogo, y lo demuestro en mis novelas. Y me gusta, claro es, el teatro y he hecho teatro procurando vencer todas las dificultades inherentes al género ... Pero no he escrito nunca ni escribiré para los cómicos españoles ...; me parece una tontería escribir para ellos; es ponerse al nivel de los analfabetos (34).

Al año siguiente, entrevistado por Gregorio Martínez Sierra, desarrolla con detalle y justeza lo que será su última manera literaria. Las preguntas son las siguientes: «¿Cómo trabaja usted? ¿Cuál es su método y cuál es su meta? Dígame algo de lo que quisiera usted conseguir cuando escribe. ¿Por qué? ¿Para qué?» «Graves preguntas, ¿no?», contesta Valle-Inclán, y, tras una pausa, explaya:

> Comenzaré por decirle a usted que creo que hay tres modos de ver el mundo, artística y estéticamente: de rodillas, en pie o levantado en el aire. Cuando se mira de rodillas —y ésta es la posición más antigua en literatura— se da a los personajes, a los héroes, una condición superior a la condición humana, cuando menos a la condición del narrador o del poeta. Así Homero atribuye a sus héroes condiciones que en modo alguno tienen los hombres. Se crean, por decirlo así, seres superiores a la Naturaleza humana: dioses, semidioses y héroes.

> Hay una segunda manera, que es mirar a los protagonistas novelescos como de nuestra propia naturaleza, como si fuesen nuestros hermanos, como si fuesen ellos nosotros mismos, como si fuera el personaje un desdoblamiento de nuestro yo, con nuestras mismas virtudes y nuestros mismos defectos ...

> Y hay otra tercera manera, que es mirar al mundo desde un plano superior, y considerar a los personajes de la

trama como seres inferiores al autor, con un punto de ironía. Los dioses se convierten en personajes de sainete. Esta es una manera muy española, manera del demiurgo, que no se cree en modo alguno hecho del mismo barro que sus muñecos. Quevedo tiene esta manera. Cervantes, también. A pesar de la grandeza de don Quijote, Cervantes se cree más cabal y más cuerdo que él, y jamás se emociona con él. Esta manera es ya definitiva en Goya. Y esta consideración es la que me movió a dar un cambio en mi literatura y a escribir los esperpentos, el género literario que yo bautizo con el nombre de esperpentos.

El mundo de los esperpentos … es como si los héroes antiguos se hubiesen deformado en los espejos cóncavos de la calle [del Gato], con un transporte grotesco, pero rigurosamente geométrico. Y estos seres deformados son los héroes llamados a representar una fábula clásica no deformada. Son enanos y patizambos, que juegan una tragedia. Y con este sentido los he llevado a *Tirano Banderas* y a *El ruedo ibérico*.

Vienen a ser estas dos novelas esperpentos acrecidos y trabajados con elementos que no podían darse en la forma dramática … (35).

De *Tirano Banderas* no es necesario hacer ahora comentario alguno. A ello está dedicado el resto de este libro.

De *El ruedo ibérico*, como ya se temía Valle-Inclán, no llega a publicar en vida más que dos novelas: *La corte de los milagros*, 1927, y *Viva mi dueño*, 1928. La tercera, *Baza de espadas*, que completa el primer tríptico, «Los amenes de un reinado», se publicaría por entregas en *El Sol* en 1932, pero no vería la luz como libro sino en la edición póstuma de sus *Obras completas* de 1944 y luego, por separado, en 1958. Unas páginas más, «El trueno dorado», aparecieron serialmente en *Ahora*, de Madrid, también después de su muerte, en 1936, para publicarse en un volumen sólo en 1975.

Este monumental proyecto —monumental en muchos sentidos: personal, literario, histórico— ocupó casi exclusivamente los últimos años de Valle-Inclán. Si se piensa que la segunda novela de la serie se publicó en 1928 y que Valle-Inclán murió a principios de 1936, son casi ocho los años en que no publica más que otra novela, la ya citada *Baza de espadas,* y casi cuatro en que prácticamente no escribe.

Es verdad que Valle-Inclán estaba ya muy enfermo. Es verdad que la redacción de este ciclo de novelas es muy trabajosa. Pero no puede dejarse de pensar también que hay algo más en la escasez de publicaciones de estos últimos años. Algo que tiene que ver, quizás, con el hecho de que a partir de *Tirano Banderas,* el hombre está ya perfectamente amoldado al escritor y el escritor al narrador. Ya no hay cambio apreciable en su manera: ha conquistado una mirada sobre el mundo, un discurso sobre la realidad, fuera del tiempo y del espacio —pero sobre el tiempo y el espacio—, un discurso, según su frase, como «el de los muertos cuando se cuentan historias de los vivos»: «la perspectiva desde la otra ribera» que Valle-Inclán tan tenazmente persiguiera durante toda su vida; la misma a la que le abocaba su decisión inicial.

Hay cierta perfección en este inacabamiento forzoso de su último proyecto, en esa apertura involuntaria, pero no menos sugerente, de lo que, si tomamos al pie de la letra sus afirmaciones a propósito de *Tirano Banderas,* fue su verdadera y única escritura. Lo que la define es la perfección del acorde entre la estilización y la vida: un equilibrio de la significancia y de la experiencia pespunteado con el hilo transparente del lenguaje de la memoria.

Una vez acomodado Valle-Inclán a esta postura escritora, no había sino escribir al dictado: «Escribo sin corregir ni tachar nada», dirá él por esta época,

> en la cama y con lápiz. Las cuartillas las enumero de antemano para evitarme esa molestia mientras relato. Cuando corrijo es que he pasado unas semanas sin trabajar. Si releo estoy perdido, porque soy el más terrible crítico de mí mismo (36).

Esto supone un considerable trabajo previo, claro está. Un trabajo previo que en cierto modo también es escritura, aunque no sea materialmente parte del acto de escribir. La lentitud de producción durante esos ocho años da fe de ello. Como se ha sabido en las contadas ocasiones en que los herederos de Valle-Inclán han desvelado el archivo del escritor, manejaba cantidades considerables de documentación: la lista de títulos usados para *El ruedo ibérico*, por ejemplo, que Carlos Valle-Inclán, hijo del autor, comunicó a Gaspar Gómez de la Serna, menciona sesenta y cinco obras históricas sobre la época, varias de ellas de abundantes volúmenes, todas de una minuciosidad extraordinaria; más dos colecciones de diarios de la época. Esto sin contar sus frecuentes consultas en bibliotecas y archivos.

La meticulosidad de este trabajoso acopio de materiales llevó a decir a Alvaro Figueroa, conde de Romanones, reconocido especialista de la historia de esos años y conocedor a fondo, como señala F. Madrid, «de la crónica subterránea y en gran parte familiar de las triquiñuelas palaciegas a lo largo del pasado siglo»: «Después de Valle-Inclán, yo soy el español que más sabe de la España del pasado siglo...» (37).

Pero lo que no hay, en cambio, es duda o tanteo en cuanto al discurso narrativo mismo; en cuanto a la novelización de esa realidad de tan difícil y trabajoso conocimiento. Sin duda, por eso mismo que la narración es una actividad esencialmente distinta del acopio de información:

> En mis narraciones históricas, la dificultad mayor consiste en incrustar documentos y episodios de la época. Cuando el relato me da ocasión de colocar una frase, unos versos, una copla o un escrito de la época de la acción, me convenzo de que todo va bien. Eso suele ocurrir en toda obra literaria (38).

La explicación es reveladora de la autonomía que ha alcanzado lo literario justamente cuando más se acerca a la realidad, cuando más llamativa es la apariencia mimética del relato respecto de la realidad histórica. (Y adviértase que, aunque habla de narraciones históricas y no de narraciones de materia ficticia, acaba generalizando rotundamente: «Eso suele ocurrir en toda obra literaria.») La necesidad del contraste práctico, de la prueba de fuego de la inserción de documentos y episodios de la época en la narración, viene justamente del hecho de que lo que él hace no sea reproducción fotográfica de la realidad: mediante esos retazos de realidad en bruto se confirma el carácter ficticio de su labor, carácter que destaca, precisamente, en la medida en que incorpora congruentemente muestras de una realidad histórica, acostumbrada y ordinaria. Destaca no por contraposición, por disparidad o desentono, sino por asombrosa congruencia entre lo evidentemente artificial y lo evidentemente natural.

Al llegar a este punto, el escritor ha alcanzado una libertad creadora capaz de competir con la autonomía del universo mismo. Esta perfección profesional quita urgencia, quizás incluso razón de ser, desde luego carácter de mejoramiento progresivo, a la escritura posterior: tanto podía haber escrito diez mil páginas más como una docena o ninguna. La mayor o menor producción no habría de cambiar en nada el grado de acierto, el carácter definitivo de lo creado. Hay, sí, una posible extensión creadora infinita a la par de la infinita variedad de objetos creables. Pero también la creación del mundo podía haber sido reducida de mitad o duplicada, sin que ello afectara al carácter total de lo resultante, poco o mucho.

4. La per-sona

Desde el primer día de la dictadura de Primo de Rivera, Valle-Inclán no se da reposo para atacar al dictador. Lo toma como cruzada personal y se considera el primer enemigo del Régimen, como si ninguna otra oposición fuera válida o eficaz. Por ello se dice molesto de coincidir con Blasco Ibáñez en esta postura.

Su protagonismo es vociferante, pero, claro está, nulo en cuanto a su eficacia práctica. Protesta en carta abierta del confinamiento de Unamuno en Fuerteventura. Pronuncia en 1925 una conferencia en Burgos sobre *La literatura nacional española* que abunda en improperios contra la Dictadura. En sus sempiternas peñas de café —ahora ya no propiamente literarias o artísticas como antes, sino políticas— despotrica a más y mejor contra Primo de Rivera. No se recata tampoco en la animosidad contra el Rey —en línea con las declaraciones mexicanas de 1921, que le valieron un proceso que únicamente se sobreseyó porque él negó haber dicho tales palabras— y repite expresiones todavía más fuertes que las de antes al periodista argentino Edmundo de Guibourg: «El rey es un muñeco grotesco. Son muchos los que piensan que puede suscitarse algún desacuerdo entre Alfonso y Primo de Rivera. ¡De ningún modo! El Directorio se hizo para salvar al monarca. El beodo y el cretino se entienden perfectamente» (39). Los exabruptos no tienen consecuencias personales.

Su propia naturaleza de personaje le obliga a ver dramáticamente a sus contemporáneos. Algo así, ya se ha insinuado, como la descripción que haría el personaje cuando la realidad de su mundo escénico describiera a los espectadores del patio de butacas, para él forzosamente desrealizados como personajes: «... Primo de Rivera. ¿Saben ustedes cómo lo veo yo? Pues ¡como un bastonero de baile popular! (¡Que siga la danza, señores!) Se equivocó de uniforme y vistió el militar...» (40).

En 1927 publicará en *La Novela Mundial* su último esperpento, *La hija del capitán*, basado en el reciente crimen del capitán Sánchez en complicidad con su hija María Luisa. La animosidad contra la dictadura militar, su política y sus colaboradores era tan sangrienta que

> La Dirección General de Seguridad, cumpliendo órdenes del Gobierno [dispuso] la recogida de un folleto, que pretende ser novela, titulado *La hija del capitán*, cuya publicación califica su autor de esperpento, no habiendo en él ningún renglón que no hiera el buen gusto ni omita denigrar a clases respetabilísimas a través de las más absurdas de las fábulas (41)

La obra circularía clandestinamente, sin embargo, y se publicaría como libro en 1930, a la caída de la dictadura de Primo de Rivera, en colección irónicamente titulada *Martes de Canaval*, que incluía también *Los cuernos de don Friolera* y *Las galas del difunto*.

Pocos meses después arma Valle-Inclán un escándalo en el teatro Fontalba con objeto de hundir el estreno de *El hijo del diablo,* de Joaquín Montaner, escritor en estrecha relación con el Gobierno de la Dictadura. Lo consigue, pero es detenido y multado. Las escenas en la comisaría podrían haber salido de uno de sus esperpentos:

—Siéntese, don Ramón, por favor... Y vamos a cumplir con el trámite de tomarle declaración...

Don Ramón advierte, altivo: —Es inútil; no despegaré los labios.

—Comprenderá usted, don Ramón, que es un simple trámite, una formalidad indispensable...

Replica don Ramón con acento heroico: —Es inútil. Llame a sus sicarios y denme ustedes tormento..., que es lo que ordena ese asesino de Martínez Anido.

—Por favor, don Ramón, no diga usted esas cosas...

Cipriano Rivas Cheriff hace de amigable componedor. Hay un silencio.

—Don Ramón no ha querido decir nada ofensivo...

El comisario: —¿Cómo que no? Le ha dicho al agente que era un estúpido.

Y Valle-Inclán: —Eso no es un insulto; es una definición (42).

Y así por el estilo. Pío Baroja, que nunca hizo buenas migas con Valle-Inclán, a más de ser un hombre poco dado a apreciar extravagancias de este tipo, se dedicó en sus *Memorias* a desinflar muchos de estos globos anecdóticos sobre Valle-Inclán. Refiriendo lo sucedido en otra ocasión en que Valle-Inclán acabó en la comisaría, con Baroja, cuenta que después de unas cuantas respuestas altivas e impertinentes de Valle-Inclán al funcionario, éste le advirtió en voz baja:

—Si sigue usted por ese camino, va usted a ir ahora mismo atado codo con codo a la cárcel.

Allí las jactancias se acabaron.

Años después alguien, que no sabía que yo hubiese presenciado este pequeño episodio, me contaba la escena, queriendo demostrarme que Valle-Inclán se había burlado del comisario.

Hay que ser un poco cándido para creer estas cosas (43).

Pero líneas antes el mismo Baroja ha prologado el relato de este incidente diciendo que «Valle-Inclán se hallaba entonces en el apogeo de la altivez y de la impertinencia, lo cual ha estado siempre dentro de la tradición literaria». Y en otra ocasión, y más generalmente, afirmará que «Valle-Inclán a lo último era un hombre que tenía un salvoconducto para hacer lo que le diera la gana. Se le tenía miedo ...», lo cual más parece confirmar los desplantes de Valle-Inclán que ponerlos en duda.

Entretanto el escritor había tarifado con la editorial Renacimiento y hubo de convertirse en editor de sus propias obras. Así salieron *Tirano Banderas* y *La corte de los milagros,* además de nuevas colecciones de obras anteriormente publicadas. El negocio era malo, a pesar del éxito de estos libros, y Renacimiento no le liquidaba los derechos sobre los ejemplares que retenía en depósito. Finalmente, en agosto de 1928 sale de mal año con el mejor contrato profesional de su vida con la Compañía Ibero-Americana de Publicaciones: 3.500 pesetas mensuales a cuenta de la liquidación anual. El equivalente de 350.000 pesetas de hoy, a juzgar por el costo de, por ejemplo, *Tirano Banderas*: cinco pesetas, que serían hoy por lo menos 500. No era mala renta e inmediatamente se mudó a un lujoso piso en el 9 de la calle del General Oráa.

Su oposición a Primo de Rivera acaba por llevarle a la cárcel en dos ocasiones en 1929: tres días la primera vez, en celda de pago; la segunda, quince días entre los políticos. La explicación de esta última prisión la dio una nota oficiosa de Primo de Rivera, famosa por su descripción del escritor:

> ... ha dado lugar el eximio escritor y extravagante ciudadano señor Valle-Inclán a la determinación de su arresto, porque al negarse a satisfacer la multa de 250 pesetas que le había sido impuesta por infracción gubernativa con el ánimo de evitarle privaciones de la libertad, ha proferido contra la autoridad tales insultos y contra todo el orden social establecido ataques tan demoledores, que se ha hecho imposible eximirle de sanción, como era el propósito ... (44).

El joven Ramón Sender, que le hizo entonces una entrevista, publicada en marzo de 1930, después de la caída del dictador, recoge estas palabras de conclusión de Valle-Inclán respecto de sus encarcelamientos: «La sugestión de la cárcel es para todo español en estos tiempos la de un deber cumplido o por cumplir. El reverso del servicio militar: un servicio "cívico" obligatorio» (45).

El resultado de unas elecciones municipales acaba con la monarquía el 14 de abril de 1931 y se proclama la II República. Sin un tiro, sin violencia, en olor de multitud. Valle-Inclán, fiel a su figura justiciera, se apresura a ir al Ministerio de la Gobernación a exigir a los encargados del Gobierno Provisional de la República que «se aplicase al Rey la justicia del pueblo» y no se le permitiera salir de España.

¿Era la república el ideal político de Valle-Inclán? Sin duda, no. Y desde luego, no esta república. En junio de 1931 *El Sol* publica unas declaraciones de Valle-Inclán sobre el futuro de la República:

> Yo no diré que el ideal de la revolución española fuera el de una suave y pacífica transformación del régimen. Creo, por el contrario, que no hay gran revolución sin guerra en las fronteras. Así fue la Revolución Francesa y así la de Rusia. Una revolución como la que yo sueño hubiera provocado, quizá, la llegada de cien mil hijos de San Luis por el norte y de cien mil hijos de San Jorge por el sur. Tendríamos barcos extranjeros en todos los puertos. No se habría permitido a don Alfonso salir de España. Al cabo, esa revolución sería la más fecunda y acaso al calor de ella pudiéramos crear la unidad nacional (46).

No es, pues, la II República su república, pero tiene todavía esperanzas de que se forme un Gobierno verdaderamente nuevo, ajeno por completo al de quienes de una manera u otra sirvieron a Alfonso XIII. Los jóvenes del Centro Republicano de Santiago de Compostela encabezan su lista de candidatos a las Cortes Constituyentes con el nombre de Valle-Inclán. Mas es otro candidato, Ramón María Tenreiro, apoyado por grupos republicanos más moderados, quien gana las elecciones de junio. Decepcionado, Valle-Inclán —o así confirmada otra vez su excentricidad— vuelve al antiparlamentarismo consustancial con su figura. El 20 de noviembre del mismo año la primera página de *El*

Sol lleva estos titulares centrales: «¿Cómo será España bajo la futura Constitución? Don Ramón del Valle-Inclán daría todos los derechos por una sola ley: Supresión de la herencia. En el porvenir de España presiente una dictadura con el sello de Lenín.»

La entrevista tiene lugar en el café, ante el público, y comienza con estas palabras de Valle-Inclán: «Señores, voy a hacer de profeta...» Acaba con estas otras, también suyas: «¿Cree usted que ya hay bastantes profecías?» Dentro de ese marco, que es el de quien se siente fuera o por encima de los acontecimientos, hace declaraciones sin duda extravagantes para quienes insisten en mantenerse dentro de los límites del juego posible de las circunstancias. Arremete contra un posible Gobierno del socialista Largo Caballero:

> Es absurdo, ridículamente absurdo que alguien haya pensado en una solución socialista. Pero eso, ¿qué es? ... ¡Los socialistas! Conviene advertir que el partido socialista se llama Partido Socialista Obrero. ¡No hay que olvidarlo! Y no hay que olvidarlo porque el tal partido representa una casta, una casta lo mismo de odiosa que la casta eclesiástica o la militar.

Se indigna con la nueva acuñación del término «obrero intelectual»:

> A mí me subleva la sangre cuando oigo lo de "obrero intelectual". ¡Qué cosas! El intelectual no puede ser obrero. A no ser que sea un faquín a sueldo de un periódico o de una editora. El intelectual crea. El obrero sirve a la creación del otro. Son tan dispares los conceptos de creación y de ejecución, que no hay modo de unirlos. ¡Pero si la Santísima Trinidad explica esto claramente!

Perora sobre la condición de la mujer: «En la presente civilización no tienen nada que hacer las mujeres ...». Sobre la economía:

> Eso de la economía no tiene ninguna importancia. El mejor ministro de Hacienda será, a mi juicio, el que la hunda definitivamente ... Cuando la Hacienda española se haya hundido, entonces haremos una economía nacio-

nal racional. Claro que en España la revolución más urgente es convertir a los ricos en pobres. Los ricos en España no tuvieron nunca dignidad de ricos. Merecen ser mendigos ... Y soy en este punto tan radical que daría todos los derechos pueriles que nos reconoce la Constitución por una ley que dijera simplemente: Artículo único: Queda anulada la ley de herencia.

Remata con un conocido desideratum suyo: la dictadura ha de venir fatalmente, pero debería «tener todo o casi todo de Lenín y nada de Mussolini» (47).

Eso no quita para que el 29 de enero de 1932 se le nombre Conservador General del Patrimonio Artístico Nacional. Todo lo relativo a la corta tenencia del cargo lo explicará él mismo en El Sol de 26 de junio del mismo año: sus informes al ministro sobre las reformas que había de llevar a cabo; el silencio de éste; la dimisión de Valle-Inclán; el ruego del ministro para que la retirara y la publicación coincidente de un proyecto de ley de protección del tesoro artístico nacional hecho sin consultarle a él, por lo cual se ratifica en la dimisión.

Pierde con ello un sueldo que le era muy necesario, porque la Compañía Ibero-Americana de Publicaciones, entretando, ha quebrado y él está convaleciente de una segunda operación de su cáncer de vejiga. Se acaba de separar de su esposa de veinticinco años. Vive con sus hijos en un mal piso de la Plaza del Progreso y piensa en la emigración a Río de Janeiro, a donde le tienta su antiguo amigo Alfonso Reyes, embajador mexicano en el Brasil.

Ocurre también en estos momentos que la Academia Española de la Lengua declara desierto el premio Fastenrath, al que se habían presentado Tirano Banderas y las novelas de El ruedo ibérico. El Ateneo madrileño, en cambio, le ha elegido su presidente, en competencia con Miguel de Unamuno y sucediendo a Manuel Azaña. Dos decisiones que reflejan perfectamente el carácter de ambas instituciones. Como desagravio a las desgracias que se abaten sobre Valle-Inclán se organiza un homenaje público en el hotel Palace presidido por lo más granado de la cultura española de la época.

Su situación es angustiosa, especialmente en la segunda

mitad de 1932. Valle-Inclán la convierte en piedra de escándalo contra un país y un régimen que no le dejan, dice él, más camino que el exilio o el asilo. Como muestra valga esta carta personal de 27 de julio de 1932 a Luis Ruiz Contreras, fundador de la *Revista Nueva*:

> ... Recibí su buena carta. Estoy abrumado. Ayer empeñé el reloj. Ya no sé la hora en que muero ... No crea usted, sin embargo, que me desespero. Yo mismo me sorprendo de la indiferencia con que veo llegar el final. He convocado a los hijos y les he expuesto la situación. También ellos tienen el alma estoica. Les he dicho: "Hijos míos, vamos a empeñar el reloj. Después de comernos estas cien pesetas, se nos impone un ayuno sin término conocido. No es cosa de comprar una cuerda y ahorcarnos en reata. No he sido nunca sablista y quiero morir sin serlo. Creo que los amigos me ayudarán, cuando menos para alcanzarnos plazas en los asilos. Yo me acogeré al asilo Cervantes. Allí tengo un amigo: don Ciro Bayo (48).

La nombradía internacional se manifiesta abundantemente. Había sido el segundo firmante del manifiesto español de adhesión al «Socorro Rojo Internacional» en 1931 y forma parte, en mayo de 1932, del comité inicial de un «Gran Congreso Mundial contra la Guerra» convocado en París. Más tarde, ya enfermo de muerte en Santiago de Compostela, forma parte del «Presidium» de 12 miembros de la «Asociación Internacional de Escritores en Defensa de la Cultura».

Pero en España se ve obligado a hacer lo que toda su vida evitó, la colaboración en la prensa periódica. Acepta un contrato con *Ahora,* en donde publicará varios artículos sobre los mismos temas históricos que le ocupaban en su trabajo sobre *El ruedo ibérico.* Y otro contrato con la revista *Blanco y Negro,* en la que únicamente publica un trabajo a instancias de Luca de Tena, su director, que le visita estando él enfermo. Como hubiera un periodista que creyéndole agonizante hubiera querido sobornar a la portera para ser el primero en dar la noticia de la muerte de Valle-Inclán, éste escribe este *Testamento* para *Blanco y Negro:*

Te dejo mi cadáver, reportero.
El día que me lleven a enterrar
Fumarás a mi costa un buen veguero,
Te darás en La Rumba un buen yantar.

Y luego de cenar con mi fiambre,
Adobado en tu prosa gacetil,
Humeando el puro, satisfecha el hambre,
Me injuriará tu dicharacho vil.

Te dejo mi cadáver, verme ingrato.
Harto de mi carroña, ingenuamente
Dirás gustando del bicarbonato:
Que Don Miguel no muera de repente (49).

No publica tal cosa, aunque llega a ser muy conocida, sino un *Réquiem* más a tono con el carácter de la revista.

Sus planes de emigración, ahora a México, donde, a través de su embajador Jenaro Estrada, le aseguran un cargo bien retribuido, quedan interrumpidos por el nombramiento de director de la Academia Española de Bellas Artes en Roma, el 8 de marzo de 1933. De ello se encargó personalmente Manuel Azaña, a quien no le hacían gracia las declaraciones de Valle-Inclán a los periodistas acerca de su solicitud de plaza en un asilo: «Exagera como siempre», dirá, «pero van a decir por ahí, sin razón, que la República abandona a los hombres de España...» (50). Para ello Azaña tiene que forzar la oposición de distintos organismos culturales que proponen a otros candidatos, el escultor Victorio Macho y el arquitecto Teodoro de Anasagasti. La noticia le llega a Valle-Inclán cuando está en el hospital en Madrid convaleciente de su tercera operación. En Roma vivirá algo menos de dos años, de abril de 1933 a principios de 1935, con la interrupción de una corta visita a España en noviembre de 1933. Le entusiasma Mussolini y se ha repetido a menudo cierta frase atribuida a un periodista que le entrevistara para un diario de Tánger: «Valle-Inclán vivió en Roma en olor de santidad fascista» (51). Es indudable su admiración por algunos aspectos mussolinianos, como lo prueba este pasaje de una carta al doctor Salvador Pascual: «Lo realizado por Mussolini me tiene asombrado y suspenso. Junto a una furia dinámica, colmada de porvenir, el sentimiento sagrado de la tradición romana» (52). También parece ser sincero el viraje que da meses más tarde hablando con Rafael Alberti, que le trae un «cariñoso saludo admirativo» de los escritores soviéticos, cuando califica a Mussolini de «botarate» y predice que «caerá muy pronto». O en su entrevista en el verano de 1935 con Armando Bazán, ya de vuelta en España, cuando dice: «El mejor aliado de Mussolini es el miedo. El miedo pavoroso que inspira. Pero el miedo tiene que acabarse. Porque si no, Italia tendría que acabarse de miedo …» (53).

La actitud podrá ser contradictoria, pero es que responde a la visión «de principios» de un Valle-Inclán totalmente inmerso en su personaje, sucesor de Bradomín y de Montenegro, destemporalizado, inactual, despegado de unas circunstancias que no deja de ver desde la lejanía inhumana «de la otra orilla».

Muere el personaje, casi el hombre también, en una aventura galante en Roma, únicamente parangonable con aquellas del joven marqués de Bradomín —éstas con mejor éxito que aquélla. Se enamora de una jovencísima napolitana, no ya hija, sino nieta posible, que rechaza con violencia al anciano de casi setenta años. El la persigue inútilmente en tren por el sur y por el norte del país.

Vuelve a España a poco, mortalmente enfermo, como Don Quijote. Tras una corta estancia en Madrid, se interna definitivamente, en marzo de 1935, en la clínica de su amigo el doctor M. Villar Iglesias, en Santiago de Compostela. Aunque enfermo, Valle-Inclán aún tiene costumbre de escaparse del hospital para asistir a la tertulia de varios cafés compostelanos, rodeado de jóvenes galleguistas.

En noviembre de ese año se ve forzado a acostarse para no levantarse más. Había predicho que su muerte se produciría el 6 de enero de 1936. Ocurre el 5 de enero, no sin antes dejar esta última frase confirmatoria de una postura largamente mantenida: «No quiero a mi lado ni cura discreto, ni fraile humilde, ni jesuita sabihondo.»

En todos los municipios de Galicia se pone la bandera a media asta. Los obreros anuncian un paro. Son ellos quienes acompañan mayoritariamente al cadáver, porque no hay comitiva oficial, aunque sí están presentes el gobernador civil, el alcalde de Santiago y representantes de la Universidad compostelana. Nadie pronuncia discurso alguno. Llueve torrencialmente. De repente, un joven, Modesto Pasín, se abalanza sobre el sencillo ataúd de pino y arranca de él el crucifijo que lo adornaba. Con el forcejeo hace saltar parte de la tapa y caen al hoyo, revueltos, el muchacho, el cadáver y el ataúd abierto. Se cumple así, teatralmente, esperpénticamente, la última voluntad de Valle-Inclán: «¡Que mi entierro sea civil!»

Meses después, la guerra civil. Modesto Pasín ha sido denunciado. Es el primer fusilado, con el puño en alto, en Santiago de Compostela; en el mismo cementerio de su homenaje a Valle-Inclán, el de Boisaca, cementerio civil que durante la guerra sólo se usará para las ejecuciones sumarias.

NOTAS

(1) Ramón del Valle-Inclán, *Sonata de otoño*, en *Obras completas*, tomo II, p. 4.

(2) Julio Burell, *El Imparcial* (Madrid), 17 de marzo de 1902.

(3) Citado en J. Esteban, *Valle-Inclán visto por...* (Madrid: Gráficas Espejo, 1973), p. 28.

(4) Ramón del Valle-Inclán, *Corte de amor. Florilegio de honestas damas*, 2.ª edición (Madrid, 1914), pp. 29-30.

(5) Ramón del Valle-Inclán, «Autobiografía», *Alma Española*, número 8, año I (27 de diciembre de 1903), reproducido en F. Madrid, *Obra citada*, pp. 33-35.

(6) R. Gómez de la Serna, *Obra citada*, p. 13.

(7) Ramón del Valle-Inclán, *Aguila de blasón*, en *Obras completas*, tomo I, p. 560.

(8) Rubén Darío, «Otros poemas», *Cantos de vida y esperanza* (Madrid: Espasa Calpe, 1967), p. 132.

(9) F. Madrid, *Obra citada*, p. 181.

(10) Citado en Melchor Fernández Almagro, *Vida y literatura de Valle-Inclán* (Madrid), pp. 144-145.

(11) Fernández Almagro, *Obra citada*, p. 145.

(12) Ramón del Valle-Inclán, *La lámpara maravillosa*, pp. 561-562, 567-568.

(13) Gómez de la Serna, *Obra citada*, p. 144.

(14) Citado por F. Madrid, *Obra citada*, p. 65.

(15) Citado en Fernández Almagro, *Obra citada*, p. 168.

(16) *Ibídem*, p. 170.

(17) Corpus Barga, «Valle-Inclán en la más alta ocasión», *Revista de Occidente*, año IV, núm. 44-45 (noviembre-diciembre, 1966), p. 297.

(18) Ramón del Valle-Inclán, *La media noche. Visión estelar de un momento de guerra*, en *Obras completas*, tomo II, p. 632.

(19) De una entrevista con Paulino Massip, en F. Madrid, *Obra citada*, p. 107.

(20) Citado por José Antonio Hormigón, *Ramón del Valle-Inclán. La política, la cultura, el realismo y el pueblo* (Madrid: Alberto Corazón, 1972), pp. 179-180.

(21) *Ibídem*, p. 181.

(22) Citado por Fernández Almagro, *Obra citada*, p. 196.

(23) Ramón del Valle-Inclán, *La pipa de kif*, en *Obras completas*, tomo I, pp. 1133 y 1134.

(24) Manuel Bermejo Marcos, *Valle-Inclán. Introducción a su obra* (Madrid: Anaya, 1971), pp. 184-185.

(25) Ramón del Valle-Inclán, *Farsa y licencia de la reina castiza*, en *Obras completas*, tomo I, p. 419.

(26) Citado por Fernández Almagro, *Obra citada*, p. 186.

(27) Ramón del Valle-Inclán, *Luces de bohemia*, en *Obras completas*, tomo I, p. 939.

(28) Ramón del Valle-Inclán, *Los cuernos de don Friolera*, en *Obras completas*, tomo I, pp. 992-993.

(29) Reproducido por Dru Dougherty, «El segundo viaje a México de Valle-Inclán: Una embajada intelectual olvidada», *Cuadernos Americanos*, vol. 223, núm. 2 (marzo-abril, 1979), páginas 172-173.   ;

(30) Reproducido en *Repertorio Americano*, tomo 4, núm. 17 (17 de julio de 1922), p. 231.

(31) Reproducido por Dru Dougherty, *Obra citada*, pp. 149-150.

(32) Reproducido en J. Esteban, *Obra citada*, pp. 97-98.

(33) Citado por Hormigón, *Obra citada*, p. 213.

(34) *Ibídem*, p. 227.

(35) Reproducido en J. Esteban, *Obra citada*, pp. 297-299.

(36) Citado en F. Madrid, *Obra citada*, p. 109.

(37) *Ibídem*, p. 272.

(38) *Ibídem*, p. 109.

(39) F. Madrid, *Obra citada*, p. 264.

(40) *Ibídem*, p. 265.

(41) Citado en Hormigón, *Obra citada*, p. 219.

(42) Citado en Madrid, *Obra citada*, pp. 362-363.

(43) Pío Baroja, *Memorias* (Madrid: Minotauro, 1955), p. 473.

(44) Citado por Fernández Almagro, *Obra citada*, p. 209.

(45) Reproducido en J. Esteban, *Obra citada*, p. 285.

(46) Citado en Madrid, *Obra citada*, pp. 271-272.

(47) *El Sol* (Madrid), 20 de noviembre de 1931, p. 1.

(48) Citado en Fernández Almagro, *Obra citada*, p. 242.

(49) *Ibídem*, p. 241.

(50) Citado en Madrid, *Obra citada*, p. 76.

(51) Citado en Hormigón, *Obra citada*, p. 259.

(52) Citado en Fernández Almagro, *Obra citada*, p. 244.

(53) Citado en Hormigón, *Obra citada*, p. 261.

SEGUNDA PARTE

PALABRAS SIN CUERPO

«Igual que en las palabras, escudriñé en las acciones
humanas una actualidad eterna, y vi desenvolverse
las vidas por caminos sellados como la pauta de las
estrellas.»

(Ramón del Valle-Inclán.)

CAPITULO I

QUE PASA Y QUE NO-PASA EN *TIRANO BANDERAS*

Contrariamente a lo que parece, *Tirano Banderas* es una novela minuciosamente ordenada, un aparato semántico de precisión cuyo funcionamiento responde a unos pocos principios generales cuidadosamente desplegados.

Decía Alfonso Reyes, amigo y atento lector de Valle-Inclán:

> Este hombre platónico sabe siempre de antemano lo que va a decir y a escribir. Procede por arquetipos, por grandes ideas previas; y deja rodar las consecuencias hacia los hechos particulares, con esa seguridad y confianza del que ha dominado por completo las disciplinas técnicas (1).

Valle-Inclán, en efecto, procede más por deducción que por inducción, va de lo general a lo particular, y es con este proceder deductivo con el que organiza la narración de *Tirano Banderas*. Es a este nivel, pues, al que hay que buscar sus criterios organizativos; tarea que para nosotros, sus lectores, ha de ser precisamente inversa a la del escritor, inductiva en vez de deductiva. Para ello nos guiaremos por las técnicas visibles que ponen por obra estos principios generales: la de la ilación de episodios, la de su sucesión temporal y la de su disposición textual material.

1. La prosa de la novela

En *Tirano Banderas* no hay prácticamente acción o incidente narrado que no se engarce ajustadamente en una de las varias cadenas causales que recorren de uno a otro extremo la novela. Uno de sus personajes, el dictador Santos Banderas, es quien nos recuerda este rigor causal al interpelar así a doña Lupita, vieja cantinera a su servicio, casi al cabo de la narración —es decir, cuando los acontecimientos están a punto de cuajar en una resolución:

—¡Chac! ¡Chac! Doña Lupita, me está pareciendo que tenés vos la nariz de la reina Cleopatra. Por mero la cachiza de cuatro copas, un puro trastorno habéis vos traído a la república. Enredáis más vos que el honorable cuerpo diplomático. ¿Cuántas copas os había quebrado el coronel de la Gándara? ¡Doña Lupita, por menos de un boliviano me lo habéis puesto en la bola revolucionaria! No haría más la nariz de la reina faraona. Doña Lupita, la deuda que vos me habéis reclamado ha sido una madeja de circunstancias fatales: Es causa primordial en la actuación rebelde del coronel de la Gándara: Ha puesto en Santa Mónica al chamaco de doña Rosa Pintado; Cucarachita la Taracena reclama contra la clausura de su lenocinio, y tenemos pendiente una nota del ministro de Su Majestad Católica. ¡Pueden romperse las relaciones con la Madre Patria! ¡Y vos, mi vieja, ahí os estás, sin la menor conturbación por tantas catástrofes! ¡Finalmente, cuatro copas de vuestra mesilla, un peso papel, menos que nada, me han puesto en trance de renunciar a los conciertos batracios del licenciado Veguillas! ... Se santiguaba la vieja rabona: —¡Virgen de mi Nombre, la jugó Patillas! —¡Pues hizo saque! —¡De salir siempre tan enredada la madeja del mundo, no se libraba ni el más santo de verse en el infierno! —Una buena sentencia, doña Lupita. ¿Pero su alma no siente el sobresalto de haber concitado el tumulto de tantas acciones, de tantos vitales relámpagos? —¡Mi jefecito, no me asombre! —Doña Lupita, ¿no temblás vos ante el problema de nuestras eternas responsabilidades? —¡Entre mí estoy rezando! (VII, 1, iii) (2).

La historia novelada es, en efecto, «una madeja de circunstancias fatales», aquí sintéticamente perfilada, cuyo hilo comienza con la «cachiza de cuatro copas» que hizo el coronelito Domiciano de la Gándara, borracho, en el tenderete de refrescos de doña Lupita. El accidente tiene lugar poco antes de comenzar la acción novelada y se menciona por primera vez cerca del principio del relato cuando advierte doña Lupita a la compañía del tirano:

> —¿Con qué gustan mis jefecitos de refrescarse? Les antepongo que solamente tres copas tengo. Denantes, pasó un coronelito briago, que todo me lo hizo cachizas, caminándose sin pagar el gasto (I, 3, iii).

El tirano, que está presente, por un prurito de justicialismo, interviene entonces: «Denúncielo en forma y se hará justicia.» La cantinera, imprudentemente, retrueca: «Mi Generalito, el memorialista no moja la pluma sin tocar por delante su estipendio», observación que pone en entredicho la connotación justiciera que Santos Banderas quería dar a su observación:

> Marcó un temblor la barbilla del Tirano:
>
> —Tampoco es razón. A mi sala de audiencias puede llegar el último cholo de la república. Licenciado Sóstenes Carrillo, queda a su cargo instruir el proceso en averiguación del supuesto fregado (I, 3, iii).

Es éste uno de los impensados orígenes de la rebelión que va a dar al traste con la dictadura de Santos Banderas. A partir de él, y de modo tan riguroso· como señala clarividentemente el tirano, se va enristrando una parte de los incidentes novelados.

La confesión del nombre del coronel borracho y la promesa pública del tirano de castigarle —todo ello en I, 3— da lugar a unas escenas en las que éste somete a la consideración de sus ayudantes la mejor manera de llevarla a cabo:

> —¡Chac! ¡Chac! Señor licenciadito [Nacho Veguillas], estamos en deuda con la vieja rabona del 7 ligero. Para rendirle justicia debidamente se precisa chicotear a un jefe del Ejército. ¡Punirlo como un roto! ... Desamparar a la chola rabona, falsificar el designio que formulé al darle la mano, se llama sumirse, fregarse. Licenciado, ¿cuál es su consejo?
>
> —Patroncito, es un nudo gordiano.
>
> Tirano Banderas, rasgada la boca por la verde mueca, se volvió al coro de comparsas:
>
> —Ustedes, amigos, no se destierren. Arriéndense para dar su fallo (II, 3, v).

Naturalmente, el tirano toma su decisión sin tener en cuenta la opinión de sus subordinados. Su orden cierra la Parte II de la novela: «Al macaneador de mi compadre [Domiciano de la Gándara], será prudente arrestarlo esta noche, mayor del Valle» (II, 3, viii).

Uno de los consultados ha sido el licenciado Nacho Veguillas. A él es también a quien tenemos en la Parte siguiente, III, en el prostíbulo de Cucarachita, quien anuncia su llegada a su pupila preferida: «Gritaba en el corredor la madrota: "—Lupita, que te solicitan." "—¿Quién es?" "—Un amigo." "—¡No pasmes!" "—¡Voy!"» (III, 1, v). Allí encuentra Nachito al coronel de la Gándara, que sigue la farra comenzada con el desbarato del puesto de la cantinera.

Ya sea que Lupita la Romántica, compañera lupanaria de Nachito, le lee el pensamiento esa noche, ya que él, borracho, se lo dice a ella, ya que la chica ha adivinado la orden del tirano durante su trance hipnótico anterior, el caso es que ésta avisa al coronelito de que el tirano ha mandado prenderle (III, 2, vi y vii). Este se pone a salvo de su perseguidor, el mayor del Valle, escapándose, a través de una ventana, por los tejados (III, 3), hasta la choza de un indio que le debe ciertos favores, Zacarías el Cruzado, a quien le pide que le lleve a la hacienda de su amigo el ranchero Filomeno Cuevas (IV, 1). Una vez allí, al enterarse de que su amigo ha decidido unirse a las fuerzas contra el dictador, se ofrece a él como otro insurgente más. Este acoge su ofrecimiento con suspicacia, pero finalmente acepta que tome parte en la sublevavión.

Esta cadena causal es la de un solo personaje, el coronel Domiciano de la Gándara. Mas el tirano echa en cara a doña Lupita otras consecuencias adicionales: todas aquellas de las que él tiene noticia —que no son todas, porque Santos Banderas desconoce un par de efectos importantes del desbarato del puesto ambulante.

Veamos en segundo lugar el camino que sigue el malhadado destino del licenciado Nacho Veguillas, contrafigura del coronelito —y del tirano— y, en cierto modo, quien paga sus vasos rotos.

Nachito, despavorido por las consecuencias del aviso

dado al coronelito, le acompaña en su fuga, pero no se atreve a saltar desde la ventana de la casa del estudiante en donde ha entrado a la zaga del fugitivo (III, 3, ii). Allí le alcanza el mayor del Valle, que se lleva a ambos, Nachito y estudiante, arrestados (III, 3, iv y v).

Los dos presos ingresan en la cárcel del fuerte de Santa Mónica, intercambian saludos con otro prisionero y Nachito da inmediatamente muestras de su pusilanimidad (V, 1). Poco después se le ve jugando a las cartas con un grupo de presos (V, 2, i). Su continua ganancia en todas las apuestas es para él confirmación de su próxima muerte (V, 2, ii).

Esa misma mañana le saca de la cárcel el tirano, que ha venido a visitar al también prisionero don Roque Cepeda, su oponente político, y se lo lleva de vuelta al palacio presidencial: «Andele, no más, le subo en mi carruaje a los Mostenses», le dice. «Todavía no ha recaído sentencia sobre su conducta y no quiero prejuzgar su delincuencia» (VI, 1, vi).

Allí es donde, por la noche, tiene lugar su «juicio» —eco del juicio en ausencia del coronelito y, en cierto modo, su continuación—, que se anuncia en VII, 1, iii y se lleva a cabo en VII, 3, ii, iii y iv. Es interrumpido, en el capitulillo v, por el comienzo de la revuelta armada a las doce de la noche.

Los últimos momentos de Nachito Veguillas coinciden con los del tirano:

> [éste], juzgándose perdido, mirándose sin otra compañía que la del fámulo rapabarbas, se quitó el cinto de las pistolas, y salivando venenosos verdes, se lo entregó:
>
> —¡El licenciadito concertista, será oportuno que nos acompañe en el viaje a los infiernos! (Epílogo, iv).

Orden sumaria de ejecución que hay que suponer cumplida por el barbero, acabando así con la vida del licenciadito.

En cuanto a las demás consecuencias de la borrachera del coronel de la Gándara mencionadas por el tirano, además de la clausura del prostíbulo de la Cucarachita y de la protesta del embajador español por ello (pues la patrona del burdel es española —gaditana, dice ella—), hay otra, la más importante, que el tirano no menciona al no tener noticia de ella. Es la relativa al indio Zacarías y su familia, a quienes el coronelito mete en danza con su huida: «El coronelito Domiciano de la Gándara, en aquel trance, se acordó de un indio a quien tenía obligado con antiguos favores» (V, 1, i).

Como recompensa anticipada de su ayuda, el coronel entrega una sortija a la mujer de Zacarías, la chinita (IV, 1), que ésta, mientras los dos hombres se dirigen al rancho de Potrero Negrete, va a empeñar a la casa del gachupín asturiano Quintín Pereda (IV, 2). Coincide ésta allí con el músico ciego Velones y su hija, que la noche anterior cantaban para los parroquianos del burdel y que ahora intentan, sin éxito, que el empeñista les permita retrasarse en el pago de los plazos de su instrumento de trabajo. Quintín Pereda despide con malos modos a la mujer de Zacarías después de darle nueve soles por la sortija, de mucho más valor. La llegada de su sobrino Melquíades con la noticia de la reciente fuga del coronelito desespera al empeñista, pues había reconocido la sortija como propiedad del coronel, que la había empeñado y desempeñado en otras ocasiones:

> —¿El coronel Gandarita evadido? ¡Deja esa tumbaga! ¡Vaya un compromiso! ... ¡La gran chivona me hizo pendejo! ... ¡Melquíades, ese solitario ha pertenecido al coronel Gandarita! ... Horita me largo a denunciar el hecho en la Delegación de Policía (IV, 2, iv).

Cosa que hace, efectivamente, poco después, delatando a la mujer de Zacarías y descubriendo a la Policía la conexión entre el coronel y el indio.

El jefe de Policía envía un retén de gendarmes a que arresten a la chinita (IV, 4, iii) y, al llevársela, le obligan a abandonar a su hijo de pocos años: «La madre le gritaba, ronca: —!Ven¡ ¡Corre! Pero el niño no se movía. Detenido sobre la orilla de la acequia sollozaba mirando crecer la distancia que le separaba de su madre» (IV, 4, iv).

Cuando Zacarías vuelve de su viaje con el coronelito, se encuentra que falta su mujer y que a su hijo lo han matado y desfigurado los cerdos que hozaban en el cenagal de la acequia (IV, 6, i). Guarda sus restos en un saco y, descubriendo en su choza la papeleta de empeño de la sortija y los nueve soles, se dirige en busca del empeñista. Convencido de que los restos de su hijo le sirven de amuleto, juega tres veces los nueve soles en un puesto de albures de la feria y las tres veces gana. Para a comer en un figón y allí encuentra al músico ciego y a su hija, quienes le informan de la denuncia de su mujer por el empeñista.

Decidido a vengar la muerte de su hijo, compra en el ferial un caballo con todos sus arreos y se dirige a la tienda de empeños repitiendo agoreramente: «¡Señor Peredita, corrés de mi cargo! ¡Corrés de mi cargo, señor Peredita!» (IV, 6, vi). Al enfrentarse a él le echa el lazo al cuello y le arrastra al galope de su caballo, ahorcándole. Escapando a la persecución de los gendarmes, huye hacia el rancho donde se encuentra el coronelito y allí llega en el momento en que el ranchero Filomeno Cuevas, sus hombres y Domiciano de la Gándara se disponen a salir rumbo a la ciudad y a la rebelión armada. «¡Se chinga Banderitas! Tenemos un auxiliar muy grande. ¡Aquí va conmigo!» (IV, 7, v), dice al unirse a ellos mostrando el saco con el cadáver de su hijo.

Estos son los hechos y los personajes correspondientes a esa cadena causal iniciada por la borrachera del coronelito y la orden del tirano de arrestarle. La llamaremos —por razones que en seguida se verán— la serie causal «del indio». Da cuenta, aproximadamente, de un tercio de la novela. Los otros dos tercios están dedicados a hechos y personajes que obedecen a causas y motivaciones distintas.

En vista de la antedicha confluencia de destinos del coronelito y el indio con el ranchero rebelde, convendrá serializar ahora la cadena causal en la que se inscriben las acciones de éste, segundo tercio de la novela.

La primera aparición de Filomeno Cuevas tiene lugar en IV, 3, al encontrarse por la mañana con el coronelito, a quien le comunica de entrada su reciente decisión de unirse a la revolución armada contra el tirano. Pero nos enteramos de que esta decisión la ha tomado horas antes, la noche del día anterior, al ser testigo del arresto de su amigo y maestro don Roque Cepeda, principal oponente político del tirano, durante el mitin convocado por el Círculo de Juventudes Democráticas. Dice el ranchero al coronelito:

> —Si el pleito con que vienes es una macana, allá tú y tu conciencia, Domiciano. Poco daño podrás hacerme, dispuesto como estoy para meter fuego al rancho y ponerme en compañía con mis peones. La pasada noche estuve en el mitin, y he visto con mis ojos conducir esposado, entre caballos, a don Roque Cepeda. ¡He visto la pasión del justo y el escarnio de los gendarmes! (IV, 3, ii).

y algo más tarde explicará a su mujer:

> —Laurita, yo comercio y gano la plata, mientras otros se juegan la vida y hacienda por defender las libertades públicas. Esta noche he visto conducir entre bayonetas a don Roquito. Si ahora me rajo y no cargo un fusil, será que no tengo sangre ni vergüenza. ¡He tomado mi resolución y no quiero lágrimas, Laurita! (IV, 3, iii).

Este arresto de don Roque obedece a las instrucciones que el tirano había dado a su jefe de Policía, coronellicenciado López de Salamanca, antes de celebrarse la reunión:

> —¿A qué hora está anunciado el acto de las Juventudes Democráticas?
>
> —A las diez.
>
> —¿En el Circo Harris?
>
> —Eso rezan los carteles.
>
> —¿Quién ha solicitado el permiso para el mitin?
>
> —Don Roque Cepeda ... Mi general, en caso de mitote, ¿habrá que suspender el acto?
>
> —El Reglamento de Orden Público le evacuará cumplidamente cualquier duda. ... Y en todo caso, si usted procediese con exceso de celo, cosa siempre laudable, no le costará gran sacrificio presentar la renuncia al cargo. Sus servicios —al aceptarla— sin duda que los tendría en consideración el Gobierno.

Insinuaciones que el jefe de Policía entiende derechamente cuando el tirano acaba instruyéndole:

—Mi política es el respeto a la ley. Que los gendarmes garantan el orden en Circo Harris. ¡Chac! ¡Chac! Las Juventudes Democráticas ejemplarizan esta noche practicando un ejercicio ciudadano.

Chanceó el jefe de Policía:

—Ciudadano y acrobático.

El Tirano, ambiguo y solapado, plegó la boca con su mueca verde:

—Pues, ¡y quién sabe! ... ¡Chac! ¡Chac! (I, 3, v).

Dejando por el momento al ranchero para seguir a don Roque Cepeda, esto nos lleva a la reunión misma en el Circo Harris, durante la cual se enfrentan los oponentes políticos del tirano a los representantes de la colonia española (II, 1, ii y iii). Estos últimos, principalmente don Celestino Galindo, ricacho español, y don Nicolás Díaz del Rivero, director-propietario de *El Criterio Español,* órgano de la colonia, conversan sobre los méritos de los oradores y, en general, la oposición al régimen de Santos Banderas, con un industrial yanqui, míster Contum, a la puerta del Casino Español. A su vez los oponentes políticos están representados por el orador, doctor Sánchez Ocaña, que entretanto está discurseando en el Circo Harris. Es interrumpido por

una tropa de gachupines, jaquetona y cerril, [que] gritaba en la pista ... La gachupia enarbolaba gritos y garrotes al amparo de los gendarmes. En concierto clandestino, alborotaban por la gradería los disfrazados esbirros del Tirano ... Los gendarmes comenzaban a repartir sablazos (II, 2, v).

Se cumple así la orden, velada, pero terminante, del tirano, quien, al recibir esa noche el parte de su jefe de Policía, inquiere:

—¿Se ha celebrado el mitote de las Juventudes? ... ¿Se han hecho arrestos?

—A don Roque, y algún otro, los he mandado conducir a mi despacho. ...

—Muy conveniente. Aun cuando antagonistas en ideas, son sujetos ameritados y vidas que deben salvaguardarse. Si arreciase la ira popular, déles alojamiento en Santa Mónica. No tema excederse. Mañana, si conviniere, pasaría yo en persona a sacarlos de la prisión y a satisfacerles con excusas personales y oficiales. Repito que no tema excederse (II, 3, ii).

El espectáculo del arresto de los oradores, entre ellos Roque Cepeda, es lo que, como ya se ha dicho, precipita la decisión del ranchero de unirse a la rebelión armada. Volvamos ahora a él y a su rancho a la mañana siguiente. Después de recibir al coronelito prófugo, va a reunirse con otros rancheros, «dueños de fundos vecinos y secretamente adictos a la causa revolucionaria» (IV, 5, i), a los que convence para que tomen las armas y se unan a él esa misma noche para un golpe de fuerza contra el tirano. De vuelta de esta reunión, discute con el coronelito acerca de la participación de éste en la rebelión y, más tarde, acabada la cena, se despide de su familia y se pone en camino con sus peones (IV, 7).

Entretanto, los políticos presos la noche anterior están en el calabozo número tres de la prisión de Santa Mónica, a la que de madrugada han traído a Nachito Veguillas y al estudiante Marco Aurelio. Durante esas primeras horas del día habla Roque Cepeda con un correvolucionario exponiéndole algunos de sus exaltados principios políticos. Poco después llegará a visitarle el tirano, tal como éste tenía previsto, para presentarle sus excusas por la detención y libertarlo (VI, 1, v).

A la caída del sol de ese mismo día es don Roque Cepeda quien, libre ya, visitará al tirano en su palacio. Ha tenido entretanto una conversación con un par de agentes de éste, quien le propone «una tregua hasta que se resuelva el conflicto internacional» en que se ve envuelta la república de Santa Fe: «Una tregua. La unión sagrada. Don Roque, salvemos la independencia de la patria» (VII, 1, iv). Acabada la entrevista, el tirano, «asomado a la talanquera, respondía» al saludo de despedida de don Roque «con la castora», mientras comentaba con su chasquido agorero, «¡Chac! ¡Chac! ¡Una paloma!» (VII, 1, v), palabras con las que desaparece de la escena don Roque Cepeda.

Esta segunda cadena causal de Roque Cepeda y de Filomeno Cuevas, la «del criollo», pues, da cuenta también de una tercera parte de la novela. El último tercio de la novela es el dedicado a los sucesos y personajes relativos al Cuerpo Diplomático, particularmente al embajador español, barón de Benicarlés, y a la colonia española, de la que es representante don Celestino Galindo.

Su actuación se inicia con la visita de una delegación de españoles al palacio presidencial en las primeras páginas de la novela (I, 1, v), cuya causa es el fusilamiento de insurrectos en Zamalpoa que acaba de llevar a cabo el tirano, al que van a felicitar:

> Don Celestino Galindo, orondo, redondo, pedante, tomó la palabra, y con aduladoras hipérboles saludó al glorioso pacificador de Zamalpoa:
>
> —La Colonia Española eleva sus homenajes al benemérito patricio, raro ejemplo de virtud y energía, que ha sabido restablecer el imperio del orden, imponiendo un castigo ejemplar a la demagogia revolucionaria (I, 1, v).

Los gachupines están resueltamente a favor del tirano. No así, en apariencia, los demás extranjeros, especialmente sus representantes diplomáticos, a los que se une el embajador español. Dice Santos Banderas:

> La Colonia [Española] debe señalar una orientación, hacerles saber a los estadistas distraídos que el ideario revolucionario es el peligro amarillo en América. La Revolución representa la ruina de los estancieros españoles. Que lo sepan allá, que se capaciten. ¡Es muy grave el momento, don Celestino! Por rumores que me llegaron, tengo noticia de cierta actuación que proyecta el Cuerpo Diplomático. Los rumores son de una protesta por las ejecuciones de Zamalpoa. ¿Sabe usted si esa protesta piensa suscribirla el ministro de España? (I, 1, vi).

En vista de ello, don Celes queda encargado de presionar a su embajador para que no se una a la protesta internacional, pero su entrevista con él no tiene los resultados apetecidos (I, 2, iii). El tirano, que ya sospechaba que sería infructuosa, tiene preparado un medio de presión adicional sobre el embajador, un chantaje. Pregunta a su jefe de Policía:

> —¿Ha proseguido las averiguaciones referentes al relajo y viciosas costumbres del Honorable Cuerpo Diplomático?
>
> —Y hemos hecho algún descubrimiento sensacional.
>
> —En el despacho de esta noche tendrá a bien enterarme (I, 3, v).

Esa noche, el licenciado López de Salamanca informa al tirano de que «se le ha dado luneta de sombra al guarango andaluz, entre bruja y torero, al que dicen Currito Mi-Alma ..., un niño bonito que entra y sale como perro faldero en la legación de España» (II, 3, ii). Y cuando don Celes informa del poco éxito de su misión, se oye decir por un tirano impaciente:

> —¡No hay que fregarla! Los españoles aquí radicados representan intereses contrarios. ¡Que lo entienda ese señor ministro! ¡Que se capacite! Si le ve muy renuente, manifiéstele que obra en los archivos policíacos un atestado por verdaderas orgías romanas, donde un invertido simula el parto (II, 3, iv).

En consecuencia, se le ordena visitar de nuevo al embajador español a la mañana siguiente. Para entonces el amante del diplomático ya ha salido de la cárcel, por orden del tirano, e informa a aquél de la dificultad de su situación y de la necesidad de «acudir al quite ... Te arrimas al morlaco y lo pasas de muleta. ¡Mi alma, que no sabes tú hacer eso!» (VI, 2, ii). Y en la segunda visita de don Celes, el barón, pensando en «¡Las cartas! ¡La mueca del tirano!», salva la situación engañando al correveidile con el anuncio de su nombramiento como ministro de Hacienda en un falso gabinete dirigido por Castelar, jefe del partido posibilista. Así neutraliza parte de la maniobra chantajista del tirano y no le queda por resolver sino su participación en la firma de la nota de protesta del Cuerpo Diplomático.

Asiste a la reunión de éste a las seis y media de la tarde y se adhiere a las razones de los representantes extranjeros, que prologa así el ministro inglés:

> Inglaterra no puede asistir indiferente al fusilamiento de prisioneros hecho con violación de todas las normas y conciertos entre pueblos civilizados (VI, 3, iv).

Los diplomáticos se reúnen en diversos grupos para deliberar, entre ellos el grupo de «los diplomáticos hispanoamericanos ... bajo la presidencia del ministro de España», bien que, como éste mismo reconoce, «en aquel mundo, su mundo, todas las cábalas se hacían sin contar con el ministro de España». Es el representante yanqui quien resume el sentimiento general:

> —Señores, somos demasiado sentimentales. El gobierno del general Banderas, responsable y con elementos suficientes de juicio, estimará necesario todo el rigor. ¿Puede el cuerpo diplomático aconsejar en estas circunstancias? (VI, 3, iv).

De ahí que la tan temida intervención diplomática quede en agua de borrajas: una inocua nota, firmada por veintisiete naciones y difundida por la prensa mundial en estos términos:

> Santa Fe de Tierra Firme. El honorable Cuerpo Diplomático acordó la presentación de una nota al Gobierno de la República. La nota, a la cual se atribuye gran importancia, aconseja el cierre de los expendios de bebidas y exige el refuerzo de guardias en las legaciones y bancos extranjeros (VI, 3, iv).

Los motivos y las probables consecuencias de esta nota, resumen de la actuación diplomática en la vida de la república, son objeto de comentarios esclarecedores en «La terraza del Club». Es el ministro del Uruguay quien explica que el embajador inglés,

> Sir Jonnes, tan cordial, tan evangélico, sólo persigue una indemnización de veinte millones para la West the Lymited Compagny. Una vez más, el florido ramillete de los sentimientos humanitarios esconde un áspid ... Nuestra América sigue siendo, desgraciadamente, una colonia europea ... Pero el Gobierno de Santa Fe, en esta ocasión, posiblemente no se dejará coaccionar: Sabe que el ideario de los revolucionarios está en pugna con los monopo-

lios de las compañías. Tirano Banderas no morirá de cornada diplomática. Se unen para sostenerlo los egoísmos del criollaje, dueño de la tierra, y las finanzas extranjeras (VII, 2, i).

Con esta conclusión acaba esta tercera cadena causal de la novela, que podemos denominar «del extranjero».

En qué medida esta tripartición sea producto de una concepción general deductiva, como señalaba Alfonso Reyes, se puede comprobar con estas declaraciones de Valle-Inclán al respecto:

> En cuanto a la trama [de *Tirano Banderas*], pensé que América está constituida por el indio aborigen, por el criollo y por el extranjero. Al indio, que tanto es allí, alguna vez presidente como de ordinario paria, lo desenvolví en tres figuras: Generalito Banderas, el paria que sufre el duro castigo del chicote, y el indio del plagio y la bola revolucionaria, Zacarías el Cruzado.
>
> El criollo es tipo que, a su vez, desenvolví en tres: el elocuente doctor Sánchez Ocaña, el guerrillero Filomeno Cuevas y el criollo encargado del sentido religioso, de resonancias del de Asís, que es don Roque Cepeda.
>
> El extranjero también lo desenvolví en tres tipos: el ministro de España, el ricacho don Celes y el empeñista señor Peredita.
>
> Sobre estas normas ya lo más sencillo era escribir la novela (3).

No sería, sin duda, lo más sencillo, como asegura con algo de sorna Valle-Inclán, escribir la novela a partir de esta concepción tripartita, pero, por la exactitud con que las cadenas causales responden a su idea general de una trama de tres cabos diferenciables según consideraciones socio-raciales, sí está claro el valor de éstas como técnica compositiva. Por lo mismo, destaca su valor como guía del sentido de la novela. Guía parcial, sin duda, pues así como no es verdad que «sobre estas normas ya lo más sencillo [haya sido] escribir la novela», tampoco lo es que sea la única a que debe atenerse la lectura. Por eso convendrá posponer las conclusiones respecto a la trama de la novela hasta tanto se observe el resto de sus modos de organización.

El amalgamiento narrativo de estas tres minihistorias, tan nítidamente diferenciables y caracterizadas, es el segundo paso de la novelización.

2. La bisagra temporal

El encadenamiento causal está directamente relacionado con la sucesión temporal, acompañamiento inevitable de la díada causa-efecto. En *Tirano Banderas* las tres cadenas causales comparten un mismo lapso temporal, pero lo hacen de un modo muy peculiar que obedece a otra de las técnicas organizativas generales tan caras a Valle-Inclán, una que él llamaba «de la angostura del tiempo» y que describió en estos términos en una carta también a Alfonso Reyes:

> Hace usted una observación muy justa cuando señala el funambulismo de la acción [de *Cara de plata*], que tiene algo de tramoya de sueño, por donde las larvas pueden dialogar con los vivos. Cierto. A este efecto contribuye lo que pudiéramos llamar la angostura del tiempo. Un efecto parecido al del Greco, por la angostura del espacio … En el *Enterramiento* sólo el Greco pudo meter las figuras en tan angosto espacio; y si se desbarataran, hará falta un matemático bizantino para rehacer el problema. Esta angostura de espacio es angostura de tiempo en las *Comedias* [*bárbaras*]. Las escenas que parecen arbitrariamente colocadas son las consecuentes en la cronología de los hechos. *Cara de plata* comienza con el alba y acaba a la medianoche. Las otras partes se suceden también sin intervalo. Ahora, en algo que estoy escribiendo, esta idea de llenar el tiempo como llenaba el espacio el Greco, totalmente, me preocupa (4).

Ese algo que estaba escribiendo por esa época era precisamente *Tirano Banderas,* que comienza a la caída de la noche de un primero de noviembre y acaba «mediada la mañana» del 3 de ese mismo mes. Estando localizada la ficticia república de Santa Fe cerca del Ecuador, puede considerarse que la puesta y la salida del sol ocurren muy cerca de las seis de la tarde y de la mañana, respectivamente —lo cual facilita los cálculos aproximados. El lapso temporal novelado es, pues, de, aproximadamente, cuarenta y dos horas: seis de la tarde hasta las doce de la mañana de dos días después. Estas cuarenta y dos horas son, efectivamente, un angosto espacio en el que meter los sucesos de esas tres intrigas. Lo más curioso, sin embargo, es que no hay en ellas lapso temporal no novelado, intervalos silenciados. Además, salvo con una muy importante excepción —que ya se verá—, las acciones respectivas de las tres cadenas causales se suceden sin anacronía de ningún tipo, esto es, lineal y consecutivamente según la concepción tópica del encadenamiento de causa y efecto. Más aún, esas tres series no repiten lapso temporal alguno, es decir, se reparten esas cuarenta y dos horas de la acción novelesca cubriendo ya unos ya otros lapsos temporales de la misma sin más que una sola, y muy significativa, repetición o simultaneidad. Los huecos temporales no cubiertos por una de ellas los van rellenando las otras dos, haciéndose el relevo, de modo que la novela total sea un cuadro literario que, lo mismo que las pinturas de El Greco, no deje ningún segmento temporal en blanco.

Como es fácil advertir, los lapsos temporales básicos con los que trabaja el relato son los correspondientes a la división en Libros, cada uno de ellos dedicado a un eslabón hecho de pequeños incidentes consecutivos de cada una de las cadenas causales.

Las tres cadenas comienzan antes de iniciarse la novela: la borrachera del coronelito, la predicación política de don Roque Cepeda y las ejecuciones de Zamalpoa (así como las orgías del barón de Benicarlés) son los dados —datos— con que cuenta la novela, los presupuestos de su acción y, por tanto, las características definitorias de la situación en Santa Fe, las de un tirano y su tiranía.

Las tres series son activadas por decisiones del tirano en las dos primeras partes de la novela. Los seis libros de estas dos partes se reparten seis momentos consecutivamente inmediatos: las seis horas que van desde las seis de la tarde hasta las doce de la noche de un 1 de noviembre. Libro 1: entrevista del tirano, a la caída del sol —«sobre una loma, entre granados y palmas, mirando al vasto mar y al sol poniente...» (I, 1, ii)—, con la delegación española y particularmente con don Celestino Galindo, a propósito de cierta proyectada actuación diplomática. A seguido de la cual, Libro 2, don Celes visita al embajador español, mientras el tirano sigue trabajando. Después de lo cual, Libro 3, acabado el despacho oficial, el tirano se dispone a jugar a la rana en su jardín:

> —¡Se acabó la obligación! Ahora, si les parece bien, mis amigos, vamos a divertir honestamente este rabo de la tarde, en el jueguito de la rana ... En aquel paraje estaba el juego de la rana, ya crepuscular, recién pintado de verde (I, 3, i y ii).

Durante el juego ocurre la delación del coronel de la Gándara, la orden de arresto de don Roque Cepeda y la preparación del chantaje al ministro de España. A seguido de esto, Parte II, Libro 1, a eso de las diez de la noche, don Celes discute en la terraza del Casino español, frente al Circo Harris —donde está a punto de comenzar el mitin de la oposición—, la actuación de la propaganda revolucionaria. A inmediata continuación, Libro 2, asistimos al ya comentado discurso del licenciado Sánchez Ocaña y a la desbandada y arresto de los asistentes. En el Libro 3 volvemos a la residencia del tirano al tiempo que lo hacen el jefe de Policía y don Celestino, ambos procedentes del mitin político. El primero notifica a Santos Banderas el arresto de Roque Cepeda y de Currito Mi-Alma, amante del embajador español; al segundo el tirano le ordena volver a entrevistarse con el barón de Benicarlés, después de informarle de sus deshonestas y deshonrosas actividades. Acaba este Libro y estas dos partes iniciales con la orden de arresto del coronelito Domiciano de la Gándara, al tiempo que se retira el tirano a sus habitaciones: «Hizo una cortesía de estantigua, y comenzó a subir la escalera: "—Al macaneador de mi compadre, será prudente arrestarlo esta noche, mayor del Valle"» (II, 3, viii). Esto ocurre a una hora no especificada de la noche, pero muy posiblemente cerca de la medianoche, como luego se verá.

Hasta ahora la yuxtaposición de actividades no ha dejado resquicio temporal alguno en estas seis horas. La Parte III, «Noche de farra», va a cubrir el tiempo que media entre la retirada del tirano y el amanecer.

113

El comienzo de esta noche en el burdel coincide ajustadamente con el momento en que se retira el tirano: una de las pupilas del prostíbulo, Lupita la Romántica, en trance hipnótico en ese momento, tiene la visión del tirano subiendo las escaleras: «Responda la señorita médium», le insta el doctor polaco. «¡Ay! Alumbrándose sube por una escalera muy grande ... Entra por una puerta donde hay un centinela» (III, 1, ii).

En ese mismo burdel y a la misma hora, sigue su bulla borracha el coronelito. Poco después llega al prostíbulo Nachito Veguillas, que había estado en compañía del tirano y que al llegar solicita los servicios de la ya despierta Lupita. A inmediata continuación, Libro 2, en «La recámara verde, iluminada con altarete de luces aceiteras y cerillos, atendía [a la copla del músico callejero], apagando un cuchicheo, la pareja encuerada del pecado» (III, 2, i), esto es, Lupita y Nachito. El capitulillo iii de este Libro 2 marca sintéticamente el paso del tiempo hasta el alba, que es cuando empieza el capitulillo siguiente: «Con las luces del alba la mustia pareja del ciego lechuzo y la chica amortajada escurríase por el Arquillo de las Madres Portuguesas. Se apagaban las luminarias» (III, 2, iv). Es entonces cuando el coronel de la Gándara entra con gran estrépito en la habitación que ocupan Nachito y Lupita y es advertido por ésta del peligro que corre. Escapa inmediatamente del burdel, Libro 3, con Nachito a la zaga, justo a tiempo de evitar al mayor del Valle, que viene en su busca. No así Nachito, que resulta preso junto con el estudiante Marco Aurelio.

Siguiendo a estos dos personajes por el momento, y posponiendo la consideración de toda la importante Parte IV, «Amuleto nigromante», se echa de ver que la Parte V, «Santa Mónica», empieza a inmediata continuación del final de la III, «Noche de farra», con la llegada de los presos al fuerte de Santa Mónica. Entretanto se familiarizan éstos con la prisión y sus ocupantes, Libro 1, el mayor del Valle, que los arrestó, está en la cantina tomando unas copas para atreverse a darle al tirano la noticia de que el coronelito se le ha escapado.

En el Libro 2, «El número tres», asistimos a la conversación de don Roque Cepeda con otro prisionero, y en el Libro 3, «Carceleras», a la partida de naipes de Nachito y al relato del indio Indalecio Santana. Acaba esta Parte V «conforme adelantaba el día, [y] los rayos del sol, metiéndose por las altas rejas, sesgaban y triangulaban la cuadra del calabozo» (V, 3, iii), es decir, pocas horas después del amanecer. Aunque las indicaciones temporales no son en esta Parte tan precisas como en las demás, el hecho de que la mayor parte de su texto esté dedicada al diálogo —equivalencia del tiempo del relato con el de la historia—, así como el evidente procedimiento general de la novela, permite la determinación que se ha dicho.

Coincidiendo con el momento final de la Parte V comienza el Libro 1 de la Parte VI: en «San Martín de los Mostenses era el relevo de guardias, y el fámulo barbero enjabonaba la cara del tirano. El mayor del Valle, cuadrado militarmente, inmovilizábase en la puerta de la recámara» (VI, 1, ii): después de las copas tomadas en la cantina de Santa Mónica, está dando el parte de su fallida misión a Santos Banderas.

A éste le tienen preparado el carruaje de ceremonia para visitar a don Roque Cepeda en la prisión esa misma mañana, pero antes atiende a su audiencia matinal, hoy reducida a las quejas, desoídas, de doña Rosa Pintado, viuda del doctor Rosales y madre del arrestado estudiante Marco Aurelio. Una vez en Santa Mónica, el tirano da orden de liberar al caudillo de la oposición y se lleva consigo a Nachito Veguillas.

Todo ello nos lleva hasta la hora del mediodía, hora en que en el Libro 2 nos encontramos en la legación de España, donde el embajador «era a las doce del día en la cama», donde recibe la visita de su amante, recién liberado, que le ayuda a vestirse, y poco después la de don Celestino Galindo.

Se da a continuación el único lapso temporal vacío o silenciado de la novela: el que va desde el final de la entrevista con el potentado español hasta un momento cercano a las seis y media de la tarde, hora en que el ministro español tiene pedido el coche para asistir a la reunión de diplomáticos en la legación inglesa, pospuesta desde la noche anterior. En el Libro 3, «La nota», asistimos al último detalle de la toilette del ministro español, una inyección de morfina, y a sus consecuencias alucinatorias, y luego a parte de la reunión diplomática.

La Parte VII y última, «La mueca verde», comienza a inmediata continuación de esa reunión, durante el crepúsculo, momento en que el tirano acostumbra jugar a la rana en su jardín. Allí está también don Celes, a quien había invitado el día anterior, y allí se presenta don Roque, Libro 1, «Recreos del tirano».

El Libro siguiente, 2, «La terraza del club», describe la conversación de algunos diplomáticos después de la cena que siguió a su reunión. Ya es noche cerrada. Ha comenzado la verbena y «a lo lejos, sobre la bruma de estrellas, calcaba el negro perfil de su arquitectura San Martín de los Mostenses» (VII, 2, iii). Lugar, justamente, desde donde el tirano está en ese momento contemplando la ciudad iluminada al comienzo del Libro siguiente, 3, «Paso de bufones»: «Tirano Banderas, en la ventana, apuntaba su catalejo sobre la ciudad de Santa Fe: "—¡Están de gusto las luminarias! ¡Pero que muy lindas, amigos!"» (VII, 3, i).

Comienza el tirano a interrogar a Nachito sobre las circunstancias del soplo que dio al coronel de la Gándara, para lo cual hace venir a Lupita la Romántica, que es a quien acusa Nachito de haberle adivinado el pensamiento. Con ella viene también el hipnotista, doctor Polaco, a quien le ordena el tirano que hipnotice a la chica de nuevo repitiendo en lo posible el experimento de la noche anterior.

En el momento en que despierta Lupita del trance hipnótico da el reloj las doce campanadas de la medianoche y se oye el tumulto de la revuelta armada que acaba de comenzar en Santa Fe. Con ello acaba el cuerpo principal de la novela.

Ya se ha visto que entre el final de la Parte III y el principio de la V no hay lapso temporal silenciado, no hay solución de continuidad cronológica en lo que a la historia novelada se refiere. Sí hay, sin embargo, todo un importante segmento del relato, la Parte IV, «Amuleto nigromante», que es la más larga, y la central, de la novela. En ella se cubre el lapso temporal que va desde el momento de la huida del coronelito, madrugada del 2 de noviembre, hasta después de su cena con el ranchero ese mismo día; el mismo lapso que cubren las Partes V, VI y VII. Este tiempo resulta, pues, repetido o simultáneo con el de esas tres últimas partes.

El decurso de este tiempo se atiene a los mismos principios de yuxtaposición de momentos consecutivos que regían para las demás partes de la novela.

El Libro 1, «La fuga», relata el encuentro del coronelito y del indio Zacarías San José y su marcha en canoa hacia el rancho de Filomeno Cuevas. Una vez en camino, el Libro 2, «La tumbaga», sigue a la chinita, mujer de Zacarías, que empeña la sortija que les ha regalado el coronel. El tiempo de la transacción es el mismo que les lleva a los fugitivos llegar a su destino. Una vez allí, comienza el Libro 3, «El coronelito». Este se encuentra con el ranchero, que, a su vez, acaba de llegar a la capital, donde pasó la noche. Tras una corta conversación, el ranchero se marcha con su capataz, Chino Viejo, para convocar a la rebelión a sus vecinos, momento que aprovecha la narración para volver al empeñista Quintín Pereda en el Libro 4, «El honrado gachupín», quien denuncia a la mujer de Zacarías a la Policía. Estos van en busca de ella y la llevan presa, obligándole a abandonar a su hijito, al que matan los cerdos.

Entretanto, el ranchero ha llegado al punto de reunión convenido, convence a sus amigos y vuelve a su rancho, donde continúa conversando con el coronelito, Libro 5, «El ranchero».

No sabemos cuánto tiempo pasó el indio Zacarías en el rancho al que llevó al coronel, pero en cualquier caso es ahora cuando llega de vuelta a su choza. Su llegada coincide con el comienzo del Libro 6, «La mangana». Descubre entonces el cadáver de su hijo y al cabo de un ensimismamiento de duración indefinida se decide a vengarse del responsable, el empeñista. Entre unos y otros preparativos y averiguaciones pasa el día. Pudiera ser, aproximadamente, el mismo lapso de tiempo que quedaba en blanco en el otro decurso temporal, desde poco después de mediodía hasta cerca de las seis y media de la tarde. En cualquier caso, en el momento de la muerte del empeñista a manos de Zacarías ya es de noche.

El Libro 7 y último, «Nigromancia», comienza durante la cena del ranchero con el coronelito, quienes al acabar se despiden de la familia de aquél y se ponen en camino rumbo a la cita con los demás rancheros para el ataque al tirano. Justo cuando lo están haciendo, se les une el indio que viene huyendo de la capital; con lo que acaba esta Parte IV.

La cuidadosa andadura rectilínea y consecutiva de la acción novelesca no se quiebra, pues, ni se tuerce en ningún momento. Unicamente se duplica a partir de la Parte III, para seguir un doble curso paralelo, e internamente consecutivo, hasta converger de nuevo al final de la Parte VII. Esta cuidadosa disposición temporal está directamente relacionada con la también cuidadosa ilación causal de sus incidentes, a la que refuerza. La disposición complementaria resalta ante todo la medida en que los distintos hechos y personajes contribuyen al desenlace. Mas la relación expresa de causa y efecto entre los distintos elementos de la trama y su desenlace es tanto la creación de un orden temporal unidireccional como una confirmación o repetición de ese mismo orden en sentido inverso: el desenlace es también la causa primera de los elementos que a él conducen, la causa de sus propias causas, puesto que éstas tienen esta función como consecuencia del propósito teleológico de Valle-Inclán.

Tirano Banderas no oculta en absoluto esta dimensión. Al contrario, exhibe este hecho mediante el llamativo contraste que con la antedicha cronicidad sucesiva tiene la violenta anacronía inaugural de su Prólogo. Se relatan en él los últimos preparativos bélicos del ranchero y sus tropas, a las que se han unido ya el coronelito y el indio Zacarías, momentos antes de la medianoche. Se anuncia, pues, el resultado de la acción novelesca, el ataque al tirano a las doce de la noche. Causal y temporalmente, este hecho corresponde a inmediata continuación del final de la Parte IV, de la que, en realidad, ha sido desgajado. Como tal, es simultáneo con los últimos momentos relatados en la «intriga del tirano», con la que confluye en los capitulillos v a vii. A partir de ello, unidos ambos cabos de la trama y acabado el cuerpo de la novela, se continúan en el Epílogo.

Desde el punto de vista de la causalidad histórica, este «desorden» del Prólogo permite afinar el carácter de esta teleología que guiaba al autor. Siendo las acciones relatadas en el Prólogo efecto directo de las acciones relatadas al final de la Parte IV y directamente responsables del final o desenlace de la novela, la línea causal principal, la que une el principio y el final de la novela, es la que determina la siguiente serie: I-II-III-IV-Prólogo-VII, 3, v-vii-Epílogo. Es decir, queda fuera de ella lo relatado en V, VI y VII, salvo los tres últimos capitulillos de esta última Parte. Dicho de otro modo, la novela «acaba» (casi) al final de su IV Parte, momento en que la acción sufre una interrupción —señalada por la posición del Prólogo— para repetir parte de un tiempo ya relatado narrando acciones causalmente ajenas a las principalmente eficientes. O, dicho aún de otro modo, las acciones narradas en las Partes I, II y III tienen una doble serie de efectos, bifurcados: los principales, que llevan directamente al desenlace, y los secundarios, que son ajenos a él.

Desde el punto de vista temporal —complementario y reforzador del de la causalidad— la anacronía del Prólogo permite aún más interesantes observaciones. Dado que el principio textual del relato corresponde a inmediata continuación del momento final de la novela —el Prólogo a continuación de la Parte IV y de la Parte VII—, la acción novelada parece ser toda ella objeto de una visión retrospectiva a partir de ese desplazado momento de desenlace. Mas, dado que el momento a inmediata continuación del Prólogo es el relatado en el Epílogo, ambos por definición exteriores y distintos al relato propiamente dicho, para esa mirada retrospectiva el tiempo cubierto es nulo o prácticamente inexistente: un instante, aquél en que «el reloj de la catedral difunde la rueda sonora de sus doce campanadas» (VII, 3, v).

Quiere esto decir, entonces, que lo que «ocurre» en la novela, en toda la novela, no sólo está visto retrospectivamente desde ese momento decisivo posterior, sino que

119

«ocurre», todo ello, *en* ese momento, dentro de él, y que lo hace no como recuento del pasado cronológico, sino como despliegue instantáneo de las posibilidades latentes en el Prólogo.

3. *El verso de la novela*

El encuadre temporal de *Tirano Banderas* es, pues, ese corto lapso de tiempo que va desde la primera hasta la última campanada de la medianoche. El extraño carácter de esa retrospección capaz de anular el tiempo es visible en esa llamativa ruptura de la prosa o discurso rectilíneo de su relato. Es también el más fuerte ejemplo de otro posible tipo de andadura novelesca o discursiva, la del verso, el salto atrás o, etimológicamente, el surco que se dobla sobre sí mismo haciendo desaparecer el tiempo al duplicarlo, o multiplicarlo.

Sin duda, lo primero que se debe observar a este respecto es que, siendo el momento privilegiado de la novela el del ataque al tirano, éste coincide con el trance hipnótico de Lupita la Romántica:

> La niña del trato se despertaba suspirante, salía a las fronteras del mundo con lívido pasmo, y en el pináculo de la escalerilla, la momia indiana apuntaba su catalejo sobre la ciudad. El guiño desorbitado de las luminarias brizaba clamorosos tumultos de pólvoras, incendios y campanas, con apremiantes toques de cornetas militares (VII, 3, v).

Se recuerda también, sin duda, que esta segunda hipnotización es consecuencia de la orden del tirano al doctor Polaco: «¡Chac! ¡Chac! Va usted a servirse repetir, punto por punto, como creo haberle indicado, las experiencias que la noche de ayer realizó con la niña de autos» (VII, 3, iv); y que aquella primera experiencia también había coincidido con un momento privilegiado de la narración: aquél a partir del cual ésta se bifurcaba en las dos series causales tantas veces mencionadas: el momento en que el tirano se retira a dormir al final de la Parte III, a una hora —ahora se ve—, sin duda, muy cercana también a las doce de la noche. Estos dos trances magnéticos de Lupita marcan, pues, respectivamente, el comienzo y el final de la simultaneidad temporal del relato, un plazo de veinticuatro horas, de medianoche a medianoche.

Lo mismo que antes Lupita la cantinera nos recordaba la visión u organización causal del mundo del relato, ahora es otra Lupita, la Romántica, quien nos trae a las mientes otro tipo de visión. (Sin duda, no hace falta insistir en la significancia del nombre de ambas mujeres.)

¿Qué clase de segunda oganización narrativa es ésta? Siguiendo la llamativa analogía, veamos de qué clase de visión goza Lupita. Ante la incrédula insistencia del tirano se ve forzado a aclarar el doctor Polaco, mentor de la joven:

> —Señor Presidente, tres formas adscritas al tiempo adopta la visión telepática. Pasado, actual, futuro. Este triple fenómeno rara vez se completa en una médium. Aparece disperso. En la señorita Guadalupe, la potencialidad telepática no alcanza fuera del círculo del presente. Pasado y venidero son para ella puertas selladas (VII, 3, iv).

Lupita únicamente es capaz, pues, de ver sucesos simultáneos a su propio presente, pero no niega, ni conoce, en esos trances, el pasado o el futuro, es decir, el tiempo, sino que lo multiplica. Por eso, sin duda, es por lo que sus intervenciones enmarcan aquellos dos segmentos sincrónicos del relato.

Valle-Inclán ha ido, sin embargo, mucho más lejos que ella al enmarcar su novela entre un Prólogo y un Epílogo inmediatamente consecutivos: ha reducido así el tiempo novelado a unos instantes; lo ha negado, pues, al convertirlo todo en un presente análogo al de la visión hipnótica. En él se inscriben como simultáneos, paradójicamente, todos los hechos de un pasado cronológicamente sucesivo.

Se trata de la misma visión que Valle-Inclán había preconizado diez años antes en su *Lámpara maravillosa* (1916). La descripción en ese libro es prolija, pero queda adecuadamente cifrada en esta cita: «Las pupilas ciegas de los dioses en los mármoles griegos simbolizan esta suprema visión que aprisiona en un círculo todo cuanto mira» (5). Así lo hace pensar la evidente semejanza entre esas pupilas ciegas de las estatuas y el blanco de los ojos de Lupita: «Lupita la Romántica suspira en el trance magnético, con el blanco de los ojos siempre vuelto sobre el misterio» (VII, 3, vii).

Valle-Inclán persigue con ello aquella visión estelar de la que dijo haber tenido un atisbo concreto durante su vuelo nocturno sobre el frente de guerra franco-alemán; aquella misma para la cual «los instantes se [abren] como círculos de largas vidas, y en este crecimiento fabuloso todas las cosas se [revelan] a [los] sentidos con la gracia de un nuevo significado» (6), o, resumido como norma en el mismo tratado: «Cuando se rompen las normas del tiempo, el instante más pequeño se rasga como un vientre preñado de eternidad. El éxtasis [estético] es el goce de sentirse engendrado en el infinito de ese instante» (6).

Se podrían multiplicar las citas de este tenor, pues son el fundamento de su *Lámpara maravillosa* y, como ya se ha indicado, su máxima preocupación a partir de 1915 —además de ser, o por ser, el núcleo del desarrollo de su propia significación como escritor y como hombre—, pero por el momento basta, sin duda, con lo antedicho. Lo que en realidad interesa ahora no es tanto el propósito que perseguía Valle-Inclán como su manera de llevarlo a cabo en *Tirano Banderas* y las consecuencias para la trama de la novela.

No se limita a esa indicación por medio de Lupita, en efecto. Lo mismo que en el caso de doña Lupita la cantinera, Lupita la Romántica no es más que la señal o aviso analógico de la existencia de cierta visión organizativa de la narración. Varios de los elementos del relato están dispuestos de tal modo que, aun sin Lupita, aun sin la anacronía del Prólogo, consiguen la misma actualización instantánea.

El procedimiento común a todos ellos es el fundamental en el verso: la repetición a modo de eco de un elemento discursivo por otro posterior, de modo que una palabra, una frase, un párrafo o todo un Libro, toda una Parte, traiga a la conciencia el recuerdo de otro u otros, cancelando, en cierto modo, la distancia y la diferencia que los separa.

El aspecto en el que más evidentemente se advierte este procedimiento es el de la disposición de las distintas divisiones textuales.

No dejará de sorprender en *Tirano Banderas* la abundante fragmentación de su texto. Esta fragmentación o atomización, tan extremosa en una novela tan corta, obedece, entre otras razones, a la necesidad de facilitar la identificación de las unidades narrativas que funcionan como ecos recíprocos. Los fragmentos son de tres categorías principales: de mayor a menor, las Partes, los Libros y los capitulillos: 7, 25 y 138, respectivamente, ó 9, 27 y 148, si se incluyen en la cuenta Prólogo y Epílogo.

Siendo los Libros los que determinan principalmente los segmentos espaciotemporales del argumento, tiene especial interés su distribución en Partes. Resultan conformar el esquema siguiente: (1) 3 3 3 7 3 3 3 (1), en el que inmediatamente se advierte una simetría: tres primeras Partes simétricas de las tres últimas, y una Parte central, IV, que es o bien el centro que las resume —tiene siete Libros análogamente a las siete Partes—, o bien su punto de reflexión.

Una vez advertida esta disposición simétrica general, las combinaciones posibles son numerosísimas. En cualquier caso, es inevitable pensar que, análogamente a lo que ocurre con la Parte IV, el Libro central de cada Parte sea un resumen o un punto de reflejo de los flancos: bien los Libros 1, 2, 3 y 5, 6, 7, respecto de la Parte IV, bien los Libros 1 y 3 respecto de las demás; y, por tanto, que el Libro 4 de la Parte IV sea el centro de toda la novela, su punto de inflexión general.

Trátese de círculos concéntricos o de simetrías especulares, las correspondencias de los flancos entre sí han de ser invertidas: a la Parte I corresponde la Parte VII, invertida, esto es, formando las siguientes parejas de Libros: I, 1 con VII, 3; I, 2 con VII, 2, y I, 3 con VII, 1; y así en los demás casos. Todo ello, representado en un esquema general, daría la siguiente disposición de simetrías o equivalencias:

Esta cuidadosa disposición textual tiene, ante todo, un valor funcional más que intrínseco; es decir, más que pretender ser una representación icónica de la realidad reflejada, invita a comparar las secciones simétricamente correspondientes. Aun cuando es altísimo el número de correspondencias posibles, según la naturaleza y tamaño de la unidad narrativa que se escoja, no debe olvidarse que ninguna de ellas será independiente del otro tipo de organización del relato, la ya dicha ligazón causal. No se trata, en efecto, de una yuxtaposición ingeniosa de dos técnicas organizativas a modo de crucigrama, sino de un relacionamiento de ambas en el que las funciones individuales se modifican recíprocamente: la significancia de las correspondencias es modificada por la de las causalidades y, al revés, la de las relaciones causales resulta especificada por la de las correspondencias. Ello permite destacar el valor especial de algunas de las correspondencias posibles; sobre todo el de la Parte IV.

Esta Parte, centro de la novela, corresponde también al único lapso temporal repetido, además de ser precedente directo del desenlace. Tan significantes atributos, sin duda, han de tener consecuencias para la novela toda.

Dado que es la única Parte no reflejada, la única, por

tanto, irrepetible, tiene un valor decisivo independiente, en cierto modo, del resto del relato. Hasta tal punto que casi da lugar a una mininovela significativamente parecida y distinta a otra mininovela, ambas interiores a la novela total, *Tirano Banderas*.

Es posible, en efecto, pensar en la Parte IV, enmarcada por el Prólogo y el Epílogo —sus continuaciones lógicas— como en un resumen esencial de la novela entera. Tendría su misma distribución numérica y su misma visión retrospectiva-instantánea; su mismo desenlace y la misma interrelación de causas eficientes: criollo, indio, extranjero —los dos primeros unidos contra el tirano; el último como instrumento de la tiranía. Valle-Inclán casi lo dio a entender así cuando, antes de publicar la novela entera, dio a la imprenta toda esta Parte por separado bajo el título de *Zacarías el Cruzado*, aunque sin Prólogo ni Epílogo.

Esta novela-resumen carecería, en cambio, de muy importantes elementos de la novela total. No sólo por el hecho de faltarle la información contenida en las otras Partes, sino porque, aislada, no podría contrastar significativamente con ellas, con la otra mininovela interior a *Tirano Banderas*, la constituida por esas seis Partes restantes. Estas dan lugar a una narración anecdótica y temporalmente unida, esto es, sin solución de continuidad alguna en su ilación causal o en su decurso temporal. Una novela también simétrica y también tripartita en cuanto a sus agentes principales: indio, representado por el tirano y el soldado azotado; criollo, por Roque Cepeda y el orador Sánchez Ocaña, y extranjero, por el Cuerpo Diplomático y la colonia española, pero especialmente por el ministro de España y el potentado Celestino Galindo. Faltaría en ella, sin embargo, el desenlace, la rebelión contra el tirano y su caída. Mejor dicho, su desenlace sería justamente el contrario, la consolidación de la tiranía de Santos Banderas al frustrar la oposición tanto del indio, que muere fusilado, como la de los diplomáticos extranjeros, que no tiene más consecuencia que la anodina nota de protesta, y la de su oponente político, Roque Cepeda, eficazmente engañado con el señuelo de la tregua.

Además de esta diferencia evidente, se advertirá que

esta otra mininovela —llamémosla «de la tiranía triunfante»— resuelve en su segunda mitad los conflictos apuntados en la primera y que el momento de flexión tiene lugar en su centro, entre el final de la Parte III y el principio de la V: salida del prostíbulo y entrada en la cárcel de Santa Mónica, respectivamente. Se advertiría también que estas dos Partes centrales, III y V, «Noche de farra» y «Santa Mónica», son las únicas en las que está ausente el tirano, aun cuando su presencia las precede y las sigue inmediatamente: se retira a dormir al acabar la Parte II y se reincorpora por la mañana a la vida social, mientras se afeita, al comenzar la Parte VI. El burdel y la mazmorra, cerrado aquél cuando se abre ésta, por orden del tirano, constituirían así una especie de submundo asociable con los sueños, o con las pesadillas, de Santos Banderas. El paso de sus amigos por este mundo inferior de la tiranía parece ser capaz, en cualquier caso, de neutralizar la eficacia de su oposición; al menos es capaz de invertir su signo, de modo que a partir de ese momento Santos Banderas vuelve a tener firmemente en las manos las riendas que parecía a punto de perder o que le disputaban.

Finalmente se advertiría la simétrica presencia del tirano en las Partes I, II y VI, VII, y especialmente en los Libros inicial y final, confirmando así que el mundo descrito en esta mininovela es en todo momento el de Santos Banderas.

La comparación de estas dos hipotéticas novelas revelaría que la «de la rebelión contra la tiranía», Parte IV, aquella en la que Santos Banderas en vez de protagonista presente es un antagonista ausente, «comienza» en el interior de la novela «de la tiranía triunfante», Partes I, II, III, V, VI y VII. Más aún, que «comienza» en su mismo centro con una fuga del submundo del tirano —ese peligroso lugar de transmutaciones al que escapa el coronelito— y «acaba» con un retorno vengador contra Santos Banderas.

La rebelión contra el tirano surge, pues, del centro mismo de su mundo, de su más íntimo submundo. Lo cual no impide que este núcleo interior rebelde cerque decisivamente el mundo de la tiranía, tal como lo indican el

Prólogo y el Epílogo, partes integrales de la novela «de la rebelión», pero ajenas a la «de la tiranía».

Si en vez de atender a las simetrías en términos de Partes lo hacemos a un nivel inferior, según los Libros, es de notar, ante todo, el valor especial del Libro 4 de la Parte IV, «El honrado gachupín», centro aislado de cualquier división de la novela.

Desde el punto de vista causal, es un mínimo eslabón en el que ni acaba ni empieza la acción y que no parece tener valor decisivo alguno. Trata de la delación de la mujer del indio Zacarías por el empeñista Quintín Pereda; del arresto de ésta por la Policía del tirano, y del forzoso abandono de su hijo, un niño de pocos años, que ha de causar su muerte poco después devorado por los cerdos. Pero si, alertados por su crítica posición, lo observamos con más cuidado, advertiremos que en él están presentes las dos fuerzas que sostienen a la dictadura, la del tirano mismo, representada por sus esbirros policíacos, y la de los intereses económicos extranjeros, representada por el empeñista asturiano; y que estas fuerzas se conjugan aquí contra el más débil e inferior de los sometidos a la tiranía, el indio, causando el sacrificio de la víctima más inocente, un niño de pocos años.

La novela, en cierto modo, acaba aquí o, al menos, toca fondo en este momento y con este suceso. Por un lado, se trata de la consecuencia negativa, o pasiva, final de la orden del tirano de arrestar al coronelito de la Gándara. Es, pues, el desenlace de la apretada cadena autoritaria de Santos Banderas y el último acto efecto de su imperio. A partir de él —y a causa de él— el indio Zacarías no huirá ya del tirano, sino que se revolverá contra él vengadoramente, comenzando por matar a su aliado, el gachupín empeñista, y burlar a sus agentes policíacos para unirse a los rebeldes.

Por otro lado, aun cuando Zacarías no es quien decide esta rebelión organizada, sino que lo hace el ranchero, y aun cuando éste lo haya hecho a causa del arresto de Roque Cepeda la noche anterior, los inicios concretos de la rebelión, su verdadera puesta por obra, comienzan a continuación de la muerte del niño con la convocatoria de los rancheros vecinos por Filomeno Cuevas, relatada en el Libro siguiente, 5, «El ranchero».

Es evidente entonces que su posición central coincide con su valor de incidente a partir del cual se invierte todo el desarrollo causal de la trama. Este hecho central aislado, ejemplo de avaricia, injusticia y crueldad, tiene, pues, un valor tanto funcional respecto del desenlace como paradigmático respecto de la crueldad del tirano, la avaricia de los extranjeros y el sufrimiento del indio; además de ser decisivo en la transformación de los antagonistas o víctimas en protagonistas vengadores, y viceversa.

El valor de las parejas que forman los demás Libros simétricos enfrentados, así como el valor central de los Libros número 2 de cada Parte, son lo suficientemente evidentes como para hacer innecesario un comentario individual. En todos los casos los Libros se adjetivan mutuamente y en todos los casos refuerzan las conclusiones principales ya señaladas.

4. Diagnosis, prognosis

Este triple análisis de técnicas organizativas —causalidad, temporalidad, simetrías— permite inducir aquellos principios generales de los que Valle-Inclán dedujo su composición de *Tirano Banderas*. Son dos nada más, relacionados por su común preocupación con el tiempo, al que tratan de distinta manera, aceptándolo y negándolo; esto es, la causalidad, mediante la visión diacrónica de un proceso, y la simetría, mediante la visión sincrónica de un sistema. El proceso, en la práctica, se organiza como un eslabonamiento de causas y efectos que llevan a un efecto final o desenlace. El sistema se estructura como constelación de elementos análogos en un momento dado y respecto de un hecho particular.

Estas dos visiones, la procesal y la sistemática, se manifiestan simultáneamente en unas mismas palabras. Eso es evidente. Pero la unidad de su objeto quizás no sea tan palmaria. El objeto del proceso descrito, su resultado o término temporal de la cadena causal es la caída y muerte del tirano, último efecto mencionado por el relato en el Epílogo. Mientras que el objeto de la visión sincrónica, definido por el momento en que ésta se produce, sería el del ataque al tirano al filo de la medianoche.

En vista de la disparidad, es tentador pensar que la novela se propone dos cosas ligeramente distintas: mostrar el proceso de caída de un tirano, es decir, cuáles son las causas (hechos, agentes) responsables en el tiempo de cierto resultado —algo que podría llamarse la fisiología de la novela—, y mostrar el sistema de organización del hecho puntual de la rebelión contra una tiranía, es decir, cuáles son las relaciones recíprocas de las causas (sucesos, personajes) en un momento preciso —la anatomía de la novela.

Varias señales del texto no hacen más que reforzar esa diferencia. Por un lado, la existencia misma de un Prólogo y un Epílogo da a entender que existe también un cuerpo novelesco distinto de ambos y delimitado por ellos —y se recordará que la caída del tirano ocurre en el Epílogo y no en el cuerpo de la novela.

Por otro, en cambio, el Prólogo da entrada o anuncia el ataque al tirano y no sus consecuencias. Hecho al que apunta también la confluencia de las tramas paralelas, la de los sometidos a la tiranía y la de los rebeldes a ella, que se produce precisamente en el momento del ataque y no antes ni después.

Este carácter epilogal del resultado del ataque, el no estar sometido a la visión sistemática, no quiere decir que carezca de interés o de significancia, sino que los tiene muy particulares. En primer lugar cumple una función instrumental: en vez de ser objeto de la doble atención del novelista —y por eso mismo, por no serlo—, sirve de recordatorio de la materia a la que es ajeno: lo que precede a la caída de un tirano, la rebelión contra él. Mas esta función delimitativa podía haberse llevado a cabo con cualquier otro contenido, por ejemplo, con el triunfo del tirano y la represión de la rebelión. O, más radicalmente, silenciando totalmente el resultado de la rebelión, esto es, suprimiendo el Epílogo. En ambos casos, sin embargo, se perdería la necesaria característica del problema, que es la del cambio histórico. No se trataba ni de hacer que continuara la tiranía —ni ésta ni otra—, ni de silenciar el resultado de la rebelión convirtiendo a ésta en objeto principal del relato. La caída es, pues, importante como desaparición de un sistema y, sin embargo, esa desaparición es epilogal, adicional. ¿Por qué no haber concentrado las dos iluminaciones narrativas, la procesal y la sistemática, en esa última instancia? ¿Por qué en la penúltima, en cambio?

La elección de este momento obedece, para seguir con la analogía médica de descripción simultáneamente anatómica y fisiológica, a su carácter crítico. Crisis: mutación grave que sobreviene en una enfermedad para mejoría o empeoramiento; momento decisivo en un asunto de importancia. Etimológicamente, acción y efecto de decidir, separar, juzgar.

Esa mutación grave, ese momento decisivo, objeto del juicio de la novela, es la sublevación armada. La crisis corresponde al hecho cuyo resultado será ya una situación distinta de la anterior; corresponde a la agonía o lucha fisiológica que desemboca en la desaparición del organismo. Y es que la explicación de esa desaparición no se encuentra en ella, sino en el estado anterior, el último en el que todavía no ha cambiado nada, pero tras el que ha de cambiar todo; el último en el que todavía están presentes todos los elementos; el último en el que se puede estudiar el misterio de la vida y de la muerte simultáneamente, el misterio de la vida como principio de la muerte —literalmente y no como metáfora.

Entre ambas descripciones no existe una relación de precedencia sino de equivalencia contradictoria, pero no exclusiva. Ni una ni otra descripción por separado bastan como explicaciones de lo sucedido. Recuérdese que respecto de la presentación causal, al cabo de la recapitulación con que Santos Banderas confronta a su criada, doña Lupita, ésta exclama: «—¿Y la culpa de mi tajamar? —Ese problema se lo habrán de proponer los futuros historiadores» (VII, 1, v), contesta el tirano.

Y no se olvide que respecto a la descripción del sistema, cuando el tirano ordena que se hipnotice de nuevo —por tercera vez— a Lupita la Romántica para saber en qué parará el «tumulto de Santa Fe» que acaba de comenzar, ésta «suspira en el trance magnético con el blanco de los ojos siempre vuelto sobre el misterio» (VII, 3, viii), palabras con las que se cierra el cuerpo de la novela.

Juntas, en cambio, permiten ver que el sistema de la tiranía es un proceso de autoanulación. En términos más generales, el cambio del sistema —diacronía de la sincronía— está inscrito en el sistema mismo. Esta vida que lleva a la muerte, esta cancelación de sí mismo, se produce por una inversión de su propio dinamismo y no por un accidente debido a causas externas. Ocurre una noche de Santos y Difuntos, en la que Santos Banderas comenzará a convertirse en el Difunto Banderas; durante un lapso temporal que escapa a la conciencia del sistema mismo, que se produce en su subconsciencia y como continuación de su propia energía vital: al retirarse el tirano a dormir (final de la Parte II) y durante su sueño, hasta que se despierta (principio de la Parte VI).

Lo que entonces ocurre, el milagro o misterio de la vida (del tirano) que empieza a ser muerte, es la muerte (del niño indio) que empieza a ser nueva vida: un intercambio eucarístico gracias al sacrificio del inocente, redentor de los pecados de la tiranía. No se crea que esta fraseología es gratuita. Al fin y al cabo el padre del niño muerto se apellida San José, y su cadáver se convierte en un amuleto —«Amuleto nigromante» es el título de la Parte IV— en el que el indio tiene la misma fe que si hubiera oído las famosas palabras «In hoc signo vinces».

Una última aclaración es necesaria acerca de la trama de *Tirano Banderas*: la relativa a su aparente circularidad.

Valle-Inclán insistió tanto, especialmente en *La lámpara maravillosa*, en la perfección de cierta visión circular, estática, de la realidad, así como en la imperfección de la visión sucesiva, dinámica, que, respecto a sus últimas novelas, se ha hablado de eliminación del decurso temporal, de rechazo de la Historia como progresión y de su adopción alternativa de un modelo clíclico y fatalista. Concretamente, respecto a *Tirano Banderas* se ha dicho que predice otra tiranía a seguido de la de Santos Banderas, a la que seguirá otra y otra, infinitamente (7).

Esto es confundir la visión narrativa con el objeto de

la narración, pues la circularidad instrumental no prejuzga ni determina la de la realidad descrita. Pero hay más. ¿Qué valor tiene la circularidad o, mejor dicho, la apariencia de circularidad respecto de la visión histórica de Valle-Inclán?

Es verdad que diez años antes de *Tirano Banderas* decía:

> La conciencia quebranta el círculo de las vidas para deducir la recta del Tiempo. Consideramos las horas y las vidas como yuxtaposición de instantes, como eslabones de una cadena, cuando son círculos concéntricos al modo que los engendra la piedra en la laguna (8).

Mas lo primero que hay que recordar al leer estas palabras, lo mismo que muchas otras del mismo tenor, es que la polarización entre lo rectilíneo y lo circular se debe más a la extremosidad del concepto usual del tiempo histórico como yuxtaposición de instantes que a una creencia de Valle-Inclán de sentido opuesto. Es decir, su afirmación no está exenta de función retórica opositiva y no representa una definición positiva de lo que debe ser o es la verdadera Historia o relato de las vidas para Valle-Inclán.

Poco después de 1916 escribió su relato *La medianoche: visión estelar de un momento de guerra,* en donde intentó poner por obra lo señalado en *La lámpara maravillosa,* sin éxito, como él mismo confesó. Sin prejuzgar la cuestión de qué es lo que se indicaba en *La lámpara,* sí cabe pensar que algo, sin duda, debió de aprender Valle-Inclán de aquel fracaso cuando repite el intento en *Tirano Banderas* diez años más tarde, casi al pie de la letra —como indica la coincidencia del título de 1917 y el carácter de la novela—, pero, esta vez, con éxito.

El aprendizaje pudo consistir en el descubrimiento de la necesaria simultaneidad de ambas dimensiones, la temporal y la atemporal, puesto que tan insistente y cuidadosamente las ensambla en *Tirano Banderas*. Este descubrimiento ya estaba implícito en sus afirmaciones de *La lámpara*. Valle-Inclán no tuvo más que releer sus propios escritos para advertir que circularidad implica sucesión

lineal, que el círculo es ya una línea producto de la yuxtaposición de instantes. Así, cuando afirma:

> Satanás, estéril y soberbio, anhela ser presente en el
> Todo. Satanás gira eternamente en el Horus del Pleroma,
> con el ansia de hacer desaparecer el antes y el después.
> Consumirse en el vértigo del vuelo sin detenerse nunca
> es la terrible sentencia que cumple el Ángel Lucifer. El
> giro de los círculos infernales apresurado hasta el infinito
> haría desaparecer lo pasado y lo venidero trocando en
> suprema quietud el movimiento (9).

No es, pues, la circularidad un fin en sí mismo, sino un
medio ambivalente para conseguir una visión ya dinámica,
ya estática. La virtud del círculo está en esta ambivalencia,
en su carácter de híbrido de dinamismo sucesivo y de
estatismo totalizante. Como tal híbrido sí es literalmente
descriptivo de la doble dimensión de la realidad histórica.
Pero como círculo, esto es, como repetición o ciclo, no es
más que metafóricamente descriptivo y no icónico respecto
de esa realidad. La circularidad no es característica definitoria de realidad alguna. No es sino la espacialización metafórica, mediante la combinación de la línea y el punto, de
la simultaneidad del proceso y del sistema de cualquier
realidad. No cabe, por tanto, aplicar a la realidad las pro-
piedades recurrentes de la línea circular ni hablar de una
historia valle-inclanesca circular, repetitiva, estática, etc.
Como tampoco hay razón para suponer que, según Valle-
Inclán, a la tiranía de Santos Banderas haya de suceder
otra tiranía.

También se puede describir metafóricamente un diccionario como un gran círculo semántico en el que una palabra
remite a otra, que a su vez remite a otra, que a su vez remite a otra, y así sucesivamente, hasta que la última remita
a la primera. Y, sin embargo, no hay tal circularidad lingüística, sino sistematización o unidad estructural, que no
es lo mismo.

La realidad se plasma lingüísticamente mediante la
andadura de la prosa o mediante la del verso; a veces,
como en esta novela, mediante la prosa-verso. Ni una ni
otra son formas de más realidad, sin embargo, que la del
lenguaje. Y aun en este caso, sin duda no estamos dispues-

tos a decir que su «circularidad» no permita más que repeticiones cíclicas. Sería un muy extraño corolario del carácter simultáneamente sistemático de la lengua y libremente combinatorio del habla. Sería una ceguera ante la evidente capacidad de cambio del sistema, la evidente oportunidad de ejercer la libertad.

NOTAS

(1) «Valle-Inclán a México», reproducido en José Esteban, *Valle-Inclán visto por...* (Madrid: Gráficas Espejo, 1973), p. 87.

(2) Todas las citas de la novela se hacen indicando la Parte en números romanos en mayúscula, el Libro en números árabes y el capitulillo o sección en números romanos en minúscula. En este caso, por ejemplo, VII indica «Séptima Parte, La mueca verde»; 1 indica «Libro Primero, Recreos del tirano» y iii, la sección que lleva el número tres.

(3) Entrevista con Gregorio Martínez Sierra, «Hablando con Valle-Inclán de él y de su obra», reproducida en J. Esteban, *Obra citada*, pp. 298-299.

(4) «Algo más sobre Valle-Inclán», reproducido en *Ibídem*, páginas 98-99.

(5) *La lámpara maravillosa*, en *Obras completas*, 2.ª edición (Madrid: Plenitud, 1952), tomo II, p. 605.

(6) *Ibídem*, pp. 564 y 566.

(7) Especialmente Dru Dougherty, «The Question of Revolution in *Tirano Banderas*», *Journal of Spanish Studies* (Liverpool), volumen LIII, núm. 3 (July 1976), pp. 207-213.

(8) *La lámpara maravillosa*, p. 614.

(9) *Ibídem*, p. 566.

CAPITULO II

QUIEN HABLA Y QUIEN NO-HABLA EN *TIRANO BANDERAS*

Una de las más desazonantes extrañezas que produce *Tirano Banderas* es la relativa a su voz narrativa. Tanto el relato como el lenguaje en que se lleva a cabo tienen algo de contradictorio, de irreal, que no cuadra con nuestros hábitos de percepción y nos impide identificar esa voz, identificarnos con ella. Incapaces de precisar su origen o los rasgos distintivos de quien la usa, lo leído adquiere una fluidez de sueño, inconcretable e ilocalizable: nítido y vaporoso al mismo tiempo; con carácter de espejismo imprevisiblemente cambiante. Se parece en ello la narración a las alucinaciones del barón de Benicarlés bajo los efectos de una inyección de morfina:

> Entre ángulos y roturas gramaticales algunas palabras se encadenaban con valor epigráfico ... Sobre ese trampolín, un salto mortal, y el pensamiento quedaba en suspensión ingrávida, gaseado ... El pensamiento, diluyéndose en una vaga emoción jocosa, se trasmudaba en sucesivas intuiciones plásticas de un vigoroso grafismo mental y una lógica absurda de sueño ... Las imágenes tenían un valor aislado y extático, un relieve lívido y cruel ..., números de una gramática rota y llena de ángulos, volvían a inscribir los poliedros del pensamiento, volvían las cláusulas acrobáticas encadenadas por ocultos nexos (VII, 3, i, ii, iii).

Algo hay en *Tirano Banderas* de este encadenamiento por nexos ocultos de nítidas imágenes, de números de una

137

gramática rota, de lógica absurda de sueño y de intuiciones plásticas de un vigoroso grafismo mental —todo ello fluyente a lo largo de los rápidos toboganes de sombra del pensamiento. En esa medida, el embajador español nos refleja a nosotros mismos desde dentro de la ficción. La diferencia, diferencia decisiva entre él y nosotros, está en que cuando observamos sus alucinaciones con una perspectiva exterior a ellas somos capaces de «naturalizarlas», es decir, de saber a quién concretamente es a quien le están ocurriendo, cuál es la base alucinante: un individuo concreto en unas circunstancias igualmente concretas: un hombre drogado. No así, en cambio, con la «alucinación» que bien pudiera ser *Tirano Banderas*: su base no alucinada, el origen identificable de la alucinación o no existe o, al menos, no se deja ver e identificar. El enunciado novelesco parece carecer de enunciador y casi, por tanto, de actividad enunciativa.

Pero si en vez de observarnos como lectores en relación con la alucinación del barón de Benicarlés, lo hacemos en relación con lo que parece ser la nuestra, la novela entera, resulta que nuesta experiencia lectora vuelve a asemejarse a la del barón: tampoco él es capaz de separar enunciado y enunciación, puesto que no puede verse a sí mismo alucinando fuera de su alucinación. En ello consiste la cualidad onírica de su experiencia, el «sine qua non» alucinatorio: en no poder distinguir entre pensamiento y objeto del pensamiento; en estar ausente de aquél por estar de lleno en el contenido alucinado. Es paradójico que sea en esas circunstancias cuando es factible la atención entera a las imágenes como espectáculo, como realidad observada que absorbe la realidad observadora exterior a ella. Entonces y sólo entonces puede la irrealidad imponer sus fueros como tal irrealidad, anulando todo posible contraste con una alternativa realidad.

1. Irrealidad, metáfora, teatralidad

Tirano Banderas no es una alucinación del lector. Ni siquiera es una alucinación del narrador. ¿Por qué produce entonces esa impresión de inmediatez visual de las imágenes, de falta de mediación narrativa? Busquemos un punto de apoyo fuera de la novela. Por ejemplo, en las siguientes consideraciones de otra obra de Valle-Inclán, *Los cuernos de don Friolera*. Hablan don Manolito y don Estrafalario, y explica éste:

> —Los sentimentales que en los toros se duelen de la agonía de los caballos son incapaces para la emoción estética de la lidia. Su sensibilidad se revela parecida de la sensibilidad equina, y por caso de cerebración inconsciente llegan a suponer para ellos una suerte igual a la de aquellos rocines destripados. Si no supieran que guardan treinta varas de morcillas en el arca del cenar, crea usted que no se conmovían. ¿Por ventura los ha visto usted llorar cuando un barreno destripa unas canteras?
>
> Don Manolito: —¿Y usted supone que no se conmueven por estar más lejos sensiblemente de las rocas que de los caballos?
>
> Don Estrafalario: —Así es. Y paralelamente lo mismo ocurre con las cosas que nos regocijan: Reservamos nuestras burlas para aquello que nos es semejante.
>
> Don Manolito: —Hay que amar, Don Estrafalario. La risa y las lágrimas son los caminos de Dios. Esa es mi estética y la de usted.
>
> Don Estrafalario: —La mía, no. Mi estética es una superación del dolor y de la risa, como deben ser las conversaciones de los muertos al contarse historias de los vivos.
>
> Don Manolito: —¿Y por qué sospecha usted que sea así el recordar de los muertos?
>
> Don Estrafalario: Porque ya son inmortales. Todo nuestro arte nace de saber que un día pasaremos. Ese saber nos iguala a los hombres mucho más que la Revolución Francesa.
>
> Don Manolito: —¡Usted, Don Estrafalario, quiere ser como Dios!
>
> Don Estrafalario: —Yo quisiera ver este mundo con la perspectiva de la otra ribera. Soy como aquel mi pariente que usted conoció, y que una vez, al preguntarle el cacique qué deseaba ser, contestó: "Yo, difunto" (1).

No son palabras del mismo Valle-Inclán, pues se afirman por boca de uno de sus personajes, pero este ficticio propósito estético bien pudiera ser, por eso mismo, genuino como ideal de la escritura del autor de *Tirano Banderas*. De haberse intentado en la novela, no sería de extrañar el desconcierto que produce su lectura: la novela estaría narrada (como) por un difunto, (como) desde la perspectiva de la otra ribera: como si nosotros, sus lectores, fuéramos los interlocutores, muertos, de otro muerto que nos contase historias de los vivos. La situación es imposible, difícilmente concebible incluso: ¡La vida vista desde la muerte, la realidad vista desde fuera de la realidad! Estamos acostumbrados a verla desde distintos puntos de vista, pero puntos de vista reales, posibles: un mismo hecho visto por un niño, por un adulto, que puede ser un sabio, un santo, un loco incluso; por alguien, en definitiva, que participa de nuestra realidad; alguien concebible por el lector. Pero ¿cómo concebir el punto de vista de un muerto, de quien ya no tiene punto de vista o, al menos, uno al que por definición somos ajenos?

La proposición recuerda obligatoriamente afirmaciones como ésta de Ortega y Gasset:

> El arte no puede consistir en el contagio psíquico, porque éste es un fenómeno inconsciente y el arte ha de ser todo plena claridad, mediodía de intelección. El llanto y la risa son estéticamente fraudes (2).

Son palabras de su conocida *La deshumanización del arte* (1924), fenómeno que Ortega y Gasset consideraba «la nota más genérica y característica de la nueva producción» artística. Con el ejemplo principal de la pintura, pues lo visual es, ya se sabe, la figuración filosófica preferida, explica así el autor esta deshumanización:

> Lejos de ir el pintor más o menos torpemente hacia la realidad, se ve que ha ido contra ella. Se ha propuesto denodadamente deformarla, romper su aspecto humano, deshumanizarla ... En su fuga de lo humano no le importa tanto el término "ad quem", la fauna heteróclita a que llega, como el término "a quo", el aspecto humano que destruye. No se trata de pintar algo que sea por completo distinto de un hombre o casa, o montaña, sino de pintar un hombre que se parezca lo menos posible a un hombre, una casa que conserve de tal lo estrictamente necesario

para que asistamos a su metamorfosis ... El placer estético para el artista nuevo emana de ese triunfo sobre lo humano (3).

Ya se ve cuán semejantes son los propósitos de don Estrafalario y las afirmaciones de Ortega y Gasset sobre el arte nuevo. Falta saber cómo se lleva a cabo esta deshumanización. Hay varias maneras, pero, según Ortega y Gasset, el instrumento idóneo es la metáfora,

> el más radical instrumento de deshumanización ..., probablemente la potencia más fértil que el hombre posee ...: esa actitud mental que consiste en suplantar una cosa por otra no tanto por afán de llegar a ésta como por el empeño de rehuir aquélla. La metáfora escamotea un objeto enmascarándolo con otro, y no tendría sentido si no viéramos bajo ella un instinto que induce al hombre a evitar realidades (4).

Poco después observará que

> al substantivarse la metáfora se hace, más o menos, protagonista de los destinos poéticos. Esto implica sencillamente que la intención estética ha cambiado de signo, que se ha vuelto del revés. Antes se vertía la metáfora sobre una realidad a manera de adorno, encaje o capa pluvial. Ahora, al revés, se procura eliminar el sostén extrapoético o real y se trata de realizar la metáfora, hacer de ella la "res" poética (5).

La explicación de esta «vuelta del revés», como él la llama, no se encuentra, en su forma más clara y completa, en *La deshumanización del arte,* sino en su anterior «Ensayo a manera de prólogo» al libro *El pasajero,* de J. Moreno Villa, de 1914, especialmente en su apartado dedicado a «La metáfora». De él interesan las siguientes observaciones:

> Nuestra mirada al dirigirse a una cosa tropieza con la superficie de ésta y rebota volviendo a nuestra pupila. Esta imposibilidad de penetrar los objetos da a todo acto cognoscitivo —visión, imagen, concepto— el peculiar carácter de dualidad, de separación entre la cosa conocida y el sujeto que conoce. Sólo en los objetos transparentes, un cristal, por ejemplo, parece no cumplir-

se esta ley: mi visión penetra en el cristal, es decir, paso
yo bajo la especie de acto visual al través del cuerpo
cristalino y hay un momento de compenetración con él.
En lo transparente somos las cosas y yo uno. Sin émbar-
go, ¿acontece esto con rigor? Para que la transparencia
del cristal sea verdaderamente es menester que dirija mi
vista a su través en dirección a otros objetos donde la
mirada rebote: un cristal que miráramos sobre un fondo
de vacío no existiría para nosotros. La esencia del cristal
consiste en servir de tránsito a otros objetos: su ser es
precisamente no ser él, sino ser las otras cosas ... Este
ejemplo del cristal puede ayudarnos a comprender inte-
lectualmente lo que instintivamente, con perfecta sencillez y evidencia, nos es dado en el arte, a saber: un
objeto que reúne la doble condición de ser transparente
y de que lo que en él transparece no es otra cosa distinta,
sino él mismo (6).

Esta simultaneidad paradójica del objeto estético «encuentra su forma elemental en la metáfora. Yo diría que objeto
estético y objeto metafórico son una misma cosa» (7).

¿Por qué? ¿Cómo? Gracias a la doble operación en
que consiste toda metáfora, que se nos presenta a la intem-
perie, despellejada, en los poemas religiosos de lá India,
en los *Vedas*, donde

la metáfora no se expresa aún diciendo que *una cosa es
como otra*, sino precisamente por medio de la negación ...
Cuando el poeta védico quiere decir que un hombre es
fuerte como un león, dice: *fortis non leo*, es fuerte, pero
no es un león (8).

Operación doble, pues: primero, liberarnos de los objetos
como realidades visuales y físicas, aniquilar objetos reales; segundo, dotarlos de una nueva cualidad que les preste
carácter de belleza. Esto es, apoyándose en una semejanza
real, pero inesencial, de dos objetos, afirmar su identidad
absoluta:

Toda imagen tiene, por decirlo así, dos caras. Por una
de ellas es imagen de esta o aquella cosa; por otra es,
en cuanto imagen, algo mío ... con respecto al [objeto]
es sólo imagen; pero, con respecto a mí es un estado
real mío, es un momento de mi yo, de mi ser ... Por un
lado, pues, es la palabra ... nombre de una cosa; por
otro es un verbo —mi ver [la cosa]. Si ha de convertirse,

> a su vez, en objeto de mi percepción este ser o actividad
> mía, será preciso que me sitúe, digámoslo así, de espal-
> das a la cosa ... y desde ella, en sentido inverso a la ante-
> rior, mire hacia dentro de mí y vea [la cosa] desrealizán-
> dose, transformándose en actividad mía, en yo (9).

A esto llama Ortega y Gasset «imagen como estado ejecutivo mío, como actuación de mi yo», imagen, pues, como
acto personal de visión del objeto, como «estar-viendo»
cierto objeto: «el acto mismo de ver ... ejecutándose» o,
en su terminología, «sentimiento»: «A lo que toda imagen
es como estado ejecutivo mío, como actuación de mi yo,
llamamos sentimiento.» Y concluye:

> La palabra "metáfora" —transferencia, transposición—
> indica etimológicamente la posición de una cosa en el
> lugar de otra ... Sin embargo, la transferencia es en la
> metáfora siempre mutua [entre sus dos términos]..., lo
> cual sugiere que el lugar donde se pone cada una de las
> cosas no es el de la otra, sino un lugar sentimental, que
> es el mismo para ambas. La metáfora, pues, consiste en
> la transposición de una cosa desde su lugar real a su
> lugar sentimental (10).

La pertinencia de estas ideas para Valle-Inclán la ates-
tiguan no sólo la antedicha coincidencia, sino múltiples
declaraciones suyas del mismo tenor sobre la contemplación estética y el distanciamiento artístico, además de su
predilección por la pintura, la proclividad visual de su arte
y la consecuente importancia decisiva del punto de vista;
así como también múltiples caracterizaciones de su obra
última como «moderna», expresionista, cubista, suprarrea-
lista, esperpéntica, deshumanizada, etc.

Lo que está por señalar todavía, sin embargo, es cómo
la metáfora deshumanizante funciona en la novela de Valle-
Inclán como teatralización de la misma. La técnica no sólo
estaba a su alcance, sino que, dada su experiencia y su
vocación, le resultaba inevitable. Hablando de *El ruedo
ibérico*, que escribía por la misma época que *Tirano Banderas*, confesaba que «busco más que el fabular novelesco,
la sátira encubierta bajo ficciones casi de teatro. Digo casi
de teatro, porque todo está expresado por medio de diálogos, y el sentir mío me guardo de expresarlo directa-

143

mente» (11). Y también por esos años, con mayor generalidad, afirmaba: «Yo escribo todas mis obras en diálogo porque así salen de mi alma, y porque mi sentido de la vida así me lo ordena» (12). O «Ese trabajo de dialogar y de acotar artísticamente es el que más me gusta y el que encuentro más fácil» (13).

¿Qué relación hay entre deshumanización metafórica y teatralización? Vuelve a ser Ortega y Gasset quien más meridianamente provee la transición en su conferencia de 1946, «Idea del teatro». Comienza por observar que en

> el teatro no sólo oímos, sino que, *más aun* y *antes* que oír, *vemos*. Vemos a los actores moverse, gesticular, vemos sus disfraces, vemos las decoraciones que constituyen la escena. *Desde ese fondo de visiones*, emergiendo de él, nos llega la palabra (14).

Y llega a lo que él llama un hecho

> trivialísimo que acontece diariamente en todos los teatros del mundo [y que] es tal vez la más extraña, la más extraordinaria aventura que al hombre acontece: ... las cosas y las personas en el escenario se nos presentan bajo el aspecto o con la virtud de representar otras que no son ellas ... Esto es re-presentar: que la presencia del actor sirva no para presentarse a sí mismo, sino para presentar otro ser distinto de él. *Marianinha* desaparece como tal *Marianinha* porque queda cubierta, tapada por Ofelia. Y lo mismo las decoraciones quedan tapadas, cubiertas por un parque o un río. De suerte que lo que no es real, lo irreal —Ofelia, parque del palacio—, tiene la fuerza, la virtud mágica de hacer desaparecer lo que es real (15).

Así es cómo puede concluir que

> el escenario y el actor son la universal metáfora corporizada, y esto es el teatro: la metáfora visible... [cuyo] *ser como* no es el ser real, sino un como-ser, un cuasi-ser: *es la irrealidad como tal* ...: una realidad ambivalente que consiste en dos realidades: la del actor y la del personaje del drama que mutuamente se niegan (16).

Lo teatral, metáfora por excelencia, puede considerarse, pues, como uno de los fundamentos de la tendencia del entonces arte moderno a deshumanizar lo humano, a realizar lo irreal.

2. La narración en blanco

Lo novelesco en la medida en que es ficticio, esto es, al presentar lo irreal como tal irreal, nunca ha dejado de ser metafórico y, por ende, teatral. El lenguaje de sus personajes siempre se ha ofrecido como espectáculo leído y nunca como verdadera comunicación al lector. Nunca es el suyo un lenguaje real, sino un pseudolenguaje (el de un actor: el narrador) que representa otro lenguaje imaginario (el del personaje).

En el teatro este carácter imaginario del lenguaje de los personajes no cede más que ante quien, como Don Quijote ante el retablo de maese Pedro, carezca del sentido de la irrealidad y se deje llevar de la ilusión de realismo de la representación. En la novela, en cambio, es más difícil salvaguardar este carácter irreal. No se trata sólo de que en ella falte la presencia física del actor cuya realidad concreta nos recuerde la irrealidad contrapuesta del personaje, sino, más radicalmente, de que en la novela el lector parece encargado de la doble tarea de actor y de espectador: de actor, en la medida en que se identifica con el narrador, que «actúa» con su lectura a los personajes; de espectador, al «oír» a éstos hablar. Y es esta simultaneidad la que impide la partición entre realidad e irrealidad. Recuperar el carácter teatral de simple espectador no es, pues, tanto alejarse más del personaje, hacerse un espectador más distanciado, como deshacerse de la función de actor narrativo de la novela. Una operación extremadamente difícil, pues la novela siempre la dice alguien: un narrador, por parte del escritor, cuya otra cara es el narratario, por parte del lector. Y por mucho que este alguien se quiera invisibilizar o ausentar de la novela, siempre quedará caracterizado, cuando menos, por el modo y el hecho de narrar, por su actividad enunciativa misma, independientemente de lo que diga.

La perspectiva desde la otra ribera puede ser la solución: una conversación entre muertos acerca de los vivos implica, en efecto, que los interlocutores carezcan de la característica discursiva más básica, su actividad como hablantes vivos, su capacidad enunciativa. Entonces sí podrían ser simples espectadores sin asomos de actor al divorciar su observación de su actuación lingüística. Pero ¿cómo se logra este milagro de hablar sin hablar?

Debilitar la actividad declamatoria, actora o enunciativa del narrador no puede significar sino reforzar contrariamente la autonomía e independencia de la del personaje; hacer como que éste existe por sí mismo y se narra o declama a sí mismo: desplazar, pues, la relación narrador-personaje al interior de este último, creando la impresión de que el personaje se representa o enuncia a sí mismo: en pocas palabras, que es actor de sí mismo haciendo su propio papel.

Esta es la estrategia de Valle-Inclán en *Tirano Banderas*: los personajes de su novela representan teatralmente su propia vida. No lo hacen para distanciarse de ella, sin embargo, sino para que pueda distanciarse de ellos el narrador de modo que su actuación enunciativa parezca inútil y hasta inexistente. La novela no deja de estar narrada, naturalmente, pero da la impresión de narrarse sola, como si la actividad del narrador se limitara a ser la observación de una representación teatral ajena. Esta transferencia de la narración o declamación del relato ficticio a los personajes mismos de ese relato no ha de entenderse como caracterización hecha por el narrador de la vida de sus personajes, sino como un debilitamiento de su propia actividad narrativa en lo que ésta tiene de personalmente caracterizadora: es su garantía de observación limpia de veleidades participatorias.

Esta continua irresponsabilización narrativa en favor de los personajes viene a ser una transferencia de la enunciación al enunciado mismo y se pueden calibrar sus distintos modos mediante un instrumento analítico tradicional para el estudio de la relación entre la palabra narrativa con la palabra de los personajes. En su más sencilla expresión, consiste en la distinción de tres estilos discursivos: el directo, el indirecto puro y el indirecto libre. Brevemente caracterizados, consisten, el primero, en la cesión de la palabra narrativa a un tercero —cesión aparente nada más, porque en realidad se trata de una cita o repetición por el narrador de lo dicho por ese tercero—: el diálogo directo de los personajes introducido por «dijo» o su equivalente: «Jaime decía: "—Estos disgustos los merezco por tener buen corazón".» El segundo, en lo contrario, la incorporación explícita del diálogo ajeno a la narración propia mediante una fuerte subordinación sintáctica: el narrador habla en su propio nombre acerca del habla de un tercero: «Jaime decía que aquellos disgustos los merecía por tener buen corazón.» El tercero, a medio camino entre ambos, en la incorporación del diálogo ajeno a la narración propia sin nexos que indiquen subordinación o dependencia de uno a otra: «Aquellos disgustos los merecía por tener buen corazón.»

Bajo esta división y terminología tradicionales se advierte la distinción entre tres posibles relaciones paradigmáticas de la enunciación propia con el enunciado ajeno: en el estilo directo, enunciación y enunciado pertenecen al personaje; en el indirecto puro, la enunciación pertenece al narrador y el enunciado al personaje; en el indirecto libre, la enunciación es compartida por ambos y el enunciado es del personaje.

a) Introducción de la palabra ajena

El procedimiento más frecuente en la novela es, consecuentemente con lo antedicho, el del estilo directo en que el narrador cede la palabra a sus personajes. Pero ya aquí es importante advertir cómo hace Valle-Inclán esta cesión. Nunca introduce los parlamentos de sus personajes con un neutro «dicen» o «contestan» ni «preguntan» o «exclaman». El tirano, por ejemplo, en ningún momento «habla» o «dice», sino que «*rasga* su verde *máscara* indiana», o «*pliega* la boca con su *mueca* verde», en donde las palabras subrayadas sugieren una falta de expresión genuinamente personal: habla una máscara o un gesto, no un individuo que se exprese a sí mismo con su expresión.

Pudiera entenderse que las expresiones citadas no son propiamente introductoras de los parlamentos que las siguen, sino descriptivas del gesto o estado de ánimo que las acompaña, esto es, de la conducta no verbal del hablante. Pero esto no sería más que una verdad a medias, puesto que se trata de una conducta no verbal que matiza el sentido mismo de las palabras. Y lo matiza siempre en una misma dirección: la de quitar, más que sinceridad, inmediatez expresiva a esas palabras. No se trata, en efecto, de caracterizar al hablante como hipócrita o mentiroso hablador, sino de destacar la impersonalidad de su habla, su falta de relación inmediata y expresiva con el hombre que las dice.

Las demás ocasiones en que se caracteriza el acto mismo de hablar del tirano van siempre en este mismo sentido. Unos pocos ejemplos:

> Tirano Banderas masculló estudiadas cláusulas de dómine: (I, 1, v)
>
> La momia acogió con una mueca enigmática: (I, 1, vi)
>
> Raro prestigio cobró de pronto aquella sombra; y aquella voz de caña hueca, raro imperio: (I, 2, iv)
>
> Tirano Banderas interrumpió con su falso y escandido hablar ceremonioso: (II, 3, iv)
>
> El Tirano se inclinó, con aquel ademán mesurado y rígido de figura de palo: (II, 3, iv)

El narrador introduce las palabras de todos los demás personajes de este mismo modo. Don Celestino Galindo, por ejemplo, en vez de «decir», «toma la palabra» oratoriamente «y con aduladoras hipérboles [saluda] al glorioso pacificador de Zamalpoa» (I, 1, v). En los demás casos:

> Cacareó Don Celestino: (I, 1, v)
>
> Don Celes infló la botarga: (I, 1, vi)
>
> Don Celes asentía con el grasiento arrebol de una sonrisa: (I, 1, vi)
>
> Declamó el gachupín: (I, 1, vi)

> El gachupín simuló una inspiración repentina, con palmada en la frente panzona: (I, 1, vi)
>
> El gachupín, barroco y pomposo, le tendió la mano: (I, 1, vi)
>
> Don Celeste tuvo un gran gesto adulador y enfático: (II, 3, iv)

No sólo se produce así ante el tirano. Hablando con el ministro de España también manifiesta un mismo distanciamiento expresivo de su propia palabra:

> Con su gesto adulador y pedante, lleno de pomposo afecto, se inclinó hacia Merlín: (I, 2, iii)
>
> El ricacho se infló de vanidad ingeniosa: (I, 2, iii)
>
> Don Celestino le tendió la mano condolido, piadoso, tal como su lienzo en el vía crucis la María Verónica: (VI, 2, v)

E igualmente ante sus compinches del Casino Español:

> Se arreboló de suficiencia Don Celes: (II, 1, iv)
>
> Don Celes arqueaba la figura con vacua suficiencia: (II, 1, iv)
>
> Don Celes infló la botarga patriótica ... (II, 1, iv)
>
> Don Celes, redondo y pedante, abanicándose con el jipi, salió a los medios de la acera: (II, 1, v)
>
> Don Celes se acercó confidencial ... tendiendo el brazo con ademán aparatoso: (II, 1, v)
>
> Lamentó Don Celes con hueca sonoridad: (II, 1, vi)

Con distinto matiz, pero con igual procedimiento, otro tanto ocurre con el coronelito de la Gándara, con el barón de Benicarlés, con el orador Sánchez Ocaña e incluso con don Roque Cepeda, quien en vez de ser máscara parlante, como el tirano, es una sombra, una estatua de retablo parlante, pero tampoco un hombre de carne y hueso:

> Interrogó la sombra de don Roque Cepeda: (V, 2, ii)

149

> Hablaba con esta luz fervorosa de los agonizantes, confortados por la fe en una vida futura, cuando reciben la Eucaristía: (V, 2, ii)

> Don Roque Cepeda ... se iluminaba con una sonrisa de santo campesino, tenía un suave reflejo en las bruñidas arrugas: (VI, 1, v)

Ni se limita el procedimiento a los personajes principales. Afecta igualmente a los circunstanciales. Los diplomáticos, por ejemplo, como el ministro japonés: «Tu-Lag-Thi repuso con flébiles maullidos:» (VII, 2, ii); el ecuatoriano, doctor Aníbal Roncalí, quien «se acariciaba el bigote, y a flor de labio, con leve temblor, retocaba una frase sentimental ...:» (VII, 2, ii); o el empeñista asturiano, Quintín Pereda: «El empeñista ... modulando una risa de falso teclado:» (IV, 2, i); por no hablar del propio Zacarías el Cruzado: «Repitió Zacarías con su opaca canturria:» (IV, 6, v).

Este tipo de introducción de las palabras de los personajes es afín a las acotaciones que el dramaturgo añade al diálogo teatral como indicación del tono, el sentimiento o el gesto que deben acompañarlo y con que se debe declamar. La comparación es útil para advertir que, si se tratara de indicaciones a los actores, en todos los casos sugerirían una misma declamación no natural y sincera, sino visiblemente falsa, que recordara en todo momento que se trata sólo de una actuación, esto es, que recordara la falta de identidad fundamental del actor con el personaje: impidiendo siempre, pues, la ilusión realista para destacar la realidad de la ilusión misma.

b) La palabra ajena enajenada

En gran número de casos el narrador, en cambio, ni siquiera introduce los parlamentos de los personajes: deja que sean sus palabras mismas las que los caractericen como actores, es decir, deja que se caractericen como parlamentos dramáticos cuyo origen expresivo es ajeno. Lleva esto a cabo haciendo sonar en la voz del personaje-actor voces ajenas a la suya, de modo que su actividad hablante no se confunda con la del personaje-actuado, que no parezca el actor expresarse en su propio nombre, sino repetir palabras ajenas.

No quiere ello decir que todos los personajes resulten igualmente caracterizados: aunque todos comparten esta teatralidad o hipocresía, en sentido etimológico, ésta se diversifica en muy distintos papeles.

El papel de tirano que el «actor» Santos Banderas representa, por ejemplo, consiste en confirmar las expectativas de sus súbditos a modo de espejo magnificador de ellas. Con los gachupines, cuando se entrevistan éstos con él, contesta como gobernante «hermano de raza» y como funcionario esclavo de sus deberes, todo ello con la misma solemnidad y pedantería que de él se espera y que ellos practican: a mitad de camino entre las del dómine, el clérigo y el rastacueros abnegado. Su lenguaje, más que suyo propio, es repetición o confirmación del que esperan de él los gachupines, esto es, de la idea que éstos se hacen de sus propios intereses y personas.

Con don Celes, en privado, su papel es, en cambio, el del político sabio y maquiavélico al que únicamente puede comprender y ayudar un aliado, el prohombre español, igualmente avezado en las intrigas públicas. Que el tirano habla el lenguaje de don Celestino queda claro incluso en las reacciones de éste a sus palabras: «—En un todo de acuerdo. ¡Cómo no!»; o «—Asombroso cómo somos de gustos parejos»; «—Tenemos los gustos parejos y me siento orgulloso.»

Con don Roque Cepeda el papel del tirano consiste no en una autoridad y solemnidad trasnochadas, ni en el doméstico maquiavelismo de don Celes, sino en la nobleza de una actuación respetuosa de la ley. De este tipo es la imagen, naturalmente, que de sí mismo proyecta don Roque Cepeda, aunque a un nivel más trascendental. Esta identidad refleja, degradada en un caso y trascendente en el otro, se insinúa en la reacción que tiene don Roque ante el tirano: «—Señor general, perdóneme la franqueza, oyéndole me parece escuchar a la serpiente del Génesis» —aquella misma que se insinuaba a Eva haciéndole oír lo que ella deseaba; aquella, pues, que no necesita existir realmente puesto que se trata de uno mismo como máximo tentador propio. (La serpiente acaba, sin embargo, por hipnotizar a la paloma de la pureza, a don Roque, a quien de «paloma» califica, en efecto, el tirano después de engañarle.)

Durante su audiencia de justicia, ante doña Rosita Pintado, es cuando más claramente muestra su naturaleza el papel que representa el tirano: sus palabras vuelven contra sus súbditos sus mismas dudas sin añadir de su parte más que la solemnidad institucional. Pregunta ella: «—Mi generalito, ¿a qué obedece el sino que rige la vida?», y aprovecha él para enhebrar:

> —Acorde con esa doctrina, espere el sino del chamaco, que nada podrá sucederle fuera de esa ley natural. Mi señora doña Rosita, me deja muy obligado ... Váyase muy consolada, que contra el sino de cada cual no hay poder suficiente para modificarlo en lo limitado de nuestras voluntades (VI, 1, iii).

Esta capacidad para hacer cristalizar solemnemente los temores y los deseos de los demás, institucionalizándolos, convirtiéndolos en leyes y ritos de los que él es el sacerdote y el dispensador, pero no el originador, está sintetizada en sus palabras sobre los indios a quienes dice ingobernables por esconder una fuerza misteriosa bajo su humilde apariencia: con ello no hace sino repetir lo que los indios mismos piensan de él: que tiene pacto con el demonio, un «poder tenebroso, invisible, y en vela», que les hace revivir «un terror teológico, una fatalidad religiosa poblada de espantos» (VI, 1, i).

El examen de la palabra directa de los personajes ha de tener también en cuenta la de los revolucionarios mismos, el indio Zacarías, el ranchero Filomeno Cuevas y el coronelito de la Gándara.

Lo más notable respecto del primero es su silencio: hace, pero no dice. Salvo unas pocas respuestas y otras pocas explicaciones amenazadoras, el indio no tiene nada que decir, aunque sí mucho que hacer. Es una presencia prácticamente muda, aun cuando objeto de las palabras y las discusiones de la gran mayoría de los demás personajes. No es, naturalmente, que sea un personaje secundario, sino que tiene valor de símbolo, que es el pretexto de la garrulería de los demás. Esta condición afecta incluso a ese otro indio que es Santos Banderas, quien, como ya se ha visto, habla —no demasiado abundantemente tampoco— para reflejar los pensamientos ajenos y no los propios.

El ranchero es el único personaje que parece no participar de la común conducta teatralizada. Sus palabras carecen de la misma llamativa insinuación de falsedad, impersonalidad o irrealidad de los demás. Parece hablar como quien es, en su propio nombre y trasluciéndose sinceramente. Es decir, el ranchero parece efectivamente hablar, en vez de recitar o representar.

Bien es verdad, sin embargo, que su misma decisión de comprometerse finalmente en la lucha contra el tirano, su profesión de activismo, la hace en términos que no consiguen esconder su modelo de abnegado héroe cívico ligeramente grandilocuente. A más de que es evidente, en cuanto se piensa en ello, que está hablando como quien debe ser más que como quien era hasta hace poco: se está dando a sí mismo un modelo de conducta con sus propias palabras:

> —Por ti y los chamacos no cumplo mis deberes de ciudadano, Laurita. El último cholo que carga un fusil en el campamento insurrecto aventaja en patriotismo a Filomeno Cuevas. Yo he debido romper los lazos de la familia y no satisfacerme con ser un mero simpatizante ... Laurita, yo comercio y gano plata, mientras otros se juegan vida y hacienda por defender las libertades públicas (IV, 3, iii).

> —He creído hasta hoy que podía ser un buen ciudadano, trabajando por acrecentarles la hacienda, sin sacrificar cosa alguna al servicio de la Patria. Pero hoy me acusa mi conciencia, y no quiero avergonzarme mañana, ni que ustedes se avergüencen de su padre (IV, 7, ii).

Mas, en cualquier caso, el constante acompañamiento de su antiguo amigo el coronelito, que es con el único con quien o en cuya presencia le vemos departir, y la lengua sintética en que él, lo mismo que el resto de la novela, se expresa, facilitan respecto de él la postura escriclectora que se viene señalando. Viene a resultar un actor de una representación escénica distinta a la de los demás actores; un elemento alógeno cuya presencia, sin embargo, no desequilibra la representación ajena hasta que la desbarata definitivamente, poniendo fin a ella.

En efecto, su emparejamiento constante con una de las figuras más histriónicas de la novela, el coronelito, impide la naturalización completa, la humanización real a que daría lugar su falta de teatralidad. No hay una sola palabra del coronel de la Gándara que no suene a eso, a palabra de un personaje. Un personaje reconocible, el «miles gloriosus» clásico, mitad rufián tabernario, mitad grandilocuente héroe patriotero: dos lenguajes que se mezclan incongruentemente, desde el punto de vista natural, pero con perfecta pertinencia desde la perspectiva del modelo dramático. Explica al ranchero:

> —Merito se le ha puesto en la calva tronarme al chingado Banderas. Albur pelón y naipe contrario, mi amigo, que dicen los Santos Padres. Más bruja que un roto y huyente de la tiranía me tienes aquí, hermano. Filomeno, me voy al campo insurrecto a luchar por la redención del país, y tu ayuda vengo buscando, pues tampoco eres afecto a este oprobio de Santos Banderas (IV, 3, ii).

Poco después, ante las condiciones precautorias del ranchero para dejarle ir libremente, el coronelito rodeado de los hijos de aquél —uno de los cuales «se alzó con lloros penetrando en el drama del coronelito»—, es protagonista del siguiente «morçeau de bravoure»:

> —¡Tiernos capullos, estáis dando ejemplo de civismo a vuestros progenitores! Niños, no olvidéis esta lección fundamental, cuando os corresponda actuar en la vida. ¡Filomeno, estos tiernos vástagos te acusarán, como un remordimiento, por la mala producción que has tenido a mí referente! ¡Domiciano de la Gándara, un amigo entrañable, no ha despertado el menor eco en tu corazón! Esperaba verse acogido fraternalmente, y recibe peor trato que un prisionero de guerra. Ni se le autorizan las armas ni la palabra de honor le garanta. ¡Filomeno, te portas con tu hermano chingadamente! (IV, 5, iii).

La reacción del ranchero es el mejor comentario:

> —Domiciano, te estás demorando no haciéndote orador parlamentario. Cosecharías muchos aplausos. Yo lamento no tener bastante cabeza para apreciar tu mérito (IV, 5, iii).

Del predominio de este peculiar estilo directo escénico el narrador no pasa al estilo indirecto libre más que en una ocasión: en el momento de la exposición de la filosofía político-religiosa de don Roque Cepeda. La justificación de este pasaje, esto es, su necesidad novelesca, parece a primera vista muy ligera, casi inexistente. ¿Por qué correr el riesgo —para la congruencia del punto de vista narrativo, es decir, para la consecuencia y la homogeneidad del mundo ficticio— de difuminar la frontera entre narrador y personajes, de personalizar así la voz narrativa, tan escrupulosamente neutra hasta ahora, haciéndole compartir la enunciación de este personaje, identificando la voz narrativa con la de don Roque?

En efecto, la participación enunciativa es señal de la participación del narrador en los enunciados mismos de su personaje, pero de ella resulta, en este caso y ante todo, una despersonalización o, al menos, una irrealización de la primera contagiada por la cualidad visionaria de don Roque Cepeda. El tipo de visión de este apóstol político es análogo a la organización narrativa sincrónica del relato: en ambos casos se ofrece una visión parecida a la de «las almas [que] al despojarse de la envoltura terrenal, actúan su pasado mundano en límpida y hermética visión de consciencias puras. Y este círculo de eterna contemplación —gozoso o doloroso— [es] el fin inmóvil de los destinos humanos» (V, 2, iii). Sin duda es éste el tipo de visión exterior a este mundo, desde la otra ribera, como había señalado Valle-Inclán, para la que

> las humanas vidas con todos sus pasos, con todas sus horas, [promueven] resonancias eternas que [sella] la muerte con un círculo de infinitas responsabilidades ... Cada vida, la más humilde, [es] creadora de un mundo, y al pasar bajo el arco de la muerte la conciencia cíclica de esta creación se [posesiona] del alma, y el alma, prisionera en su centro, [deviene] contemplativa y estática (V, 2, iii).

En cambio, lo que no existe en absoluto en la novela respecto del habla de los personajes son casos de estilo indirecto puro: aquellos en que el narrador repite las palabras de ellos subordinándolas a las suyas propias.

Valle-Inclán consigue deshumanizar la visión del narrador —y con él la del lector novelesco— respecto de la palabra de los personajes transfiriendo la actuación narrativa tradicional de aquél, esto es, su recitación de los diálogos de los personajes, a ellos mismos: por un lado, anunciando el valor declamatorio o teatral de su uso de la palabra; por otro, confirmando ese anuncio con el carácter personalmente inexpresivo de sus palabras a causa de la resonancia de voces ajenas en su interior. En resumidas cuentas, lo que ha hecho es evitar toda enunciación caracterizadora de su propio narrador achacándosela por entero a unos personajes actores de sí mismos. Aunque ingenioso y eficaz, el procedimiento no es más que un desarrollo lógico de la relación tradicional del narrador con sus personajes, en todo semejante a la del actor escénico con los suyos: ambos los hablan, dicen sus dichos, y mientras exista esa dualidad, existe la posibilidad de traspasarla a otro hablante.

En sus obras dramáticas, Valle-Inclán conseguía el mismo efecto mediante el carácter paródico de los parlamentos de sus personajes, simultáneamente expresivo de distintos orígenes enunciativos —el modelo parodiado y el parodiante—, sin que fuera posible o necesario privilegiar a uno o a otro, pues habían de mantenerse precisamente en esa inestable indecisión o equilibrio —la esencia, como señalaba Ortega y Gasset, del fenómeno teatral.

El comentarista, que actualmente ha tenido el acierto de señalar esta función de la parodia valle-inclaniana en su teatro, señala también el modo en que la sutil, pero firme, inadecuación entre lo visto y lo oído por el espectador le obliga a esa postura estética de pura observación y falta de participación (17).

Pero lo que en el teatro ocurre con toda naturalidad gracias a la evidente presencia física del actor —sus gestos, su apariencia, sus acciones—, contrastable con lo expresado por su recitación, no se produce con igual naturalidad en la novela. En ella, en efecto, la presencia del actor no está *vista,* sino que es *dicha,* y dicha por una tercera voz, la del narrador, a quien su modo de decir caracteriza enunciativamente. Esta presencia verbal del narrador en la novela, tan evidentemente distinta de la de sus personajes, puede ser la base de un contraste significativo entre unos y otros. Ahí están desde las novelas irónicas clásicas hasta las decimonónicas —desde Cervantes hasta Galdós— para probar lo fructífero de la posibilidad. Mas este contraste entre narrador y personajes inevitablemente confiere a aquél una concreción imaginaria con la que el lector ha de identificarse para comprender rectamente el relato. Esta es la premisa que tan interesantemente desarrolla el ya clásico estudio de W. C. Booth sobre la *Retórica de la ficción.* Esta identificación se produce, sin embargo, respecto de una figura humana desde cuya perspectiva se observa el mundo y las acciones de los personajes novelescos. Como tal perspectiva, permite al escritor «expresar» sus pensamientos o comentarios acerca de sus personajes —lo cual nada tiene que ver con una conversación entre muertos acerca de los vivos, que es lo que pretende Valle-Inclán.

c) El «habla» del narrador

¿Cómo lograr entonces que las descripciones del narrador en su propio nombre no le caractericen personalmente? ¿Cómo lograr que se ausente de su propia palabra, de su propia descripción?

La contestación está apuntada en la actividad narrativa que respecto de los discursos de sus personajes adopta el novelista: prolongando esa ilusión misma de unos personajes que son al mismo tiempo sus propios actores: mediante una adaptación novelesca de la postura teatral de los pirandellianos personajes en busca de un autor ausente.

En efecto, teatralizar significa ante todo hacer hablar a otro o, lo que es lo mismo, hacer que las palabras surjan de alguien o algo que es un espectáculo para un espectador. En ese sentido, el actor «habla» o significa con sus gestos, con su apariencia, con sus acciones, e igualmente «habla» o significa el decorado con su apariencia. El recordatorio de que la conducta de los personajes y su entorno físico son, respectivamente, actuación y decorados teatrales, convierte a éstos en enunciados cuya enunciación no es atribuible al narrador que los dice sino a un 'dramaturgo invisible.

En el momento en que el mundo no verbalizado de los personajes se presenta como representación escénica de esos mismos personajes, tanto su conducta como su entorno se convierten en objeto de representación propia sin intervención visible de tercera persona: narrándose —o actuándose— a sí mismos. El único cuidado que en este sentido debe tener el narrador novelesco es mantener siempre en un primer plano de atención la dualidad mutuamente exclusiva entre lo actuante y lo actuado. Ella es, en efecto, la que le invisibiliza o anula.

En *Tirano Banderas* no se describe, por tanto, a unos individuos con aspecto de actores, ni un paisaje con aspecto de decorado teatral, sino a unos actores con aspecto de individuos y un decorado con aspecto de paisaje. No unas vidas y un mundo que parecen actuaciones y efectos escénicos, sino unas actuaciones y unos efectos escénicos que *son* vidas y mundo. No una vida como actuación, sino una actuación como vida.

Actores y decorado «dicen» entonces con su apariencia aquello mismo que representan. Su apariencia «habla», análogamente a como lo hacen sus parlamentos, y el narrador puede relacionarse con aquel «habla» de igual modo a cómo lo hacía con los parlamentos de los personajes. Es posible, pues, utilizar el mismo instrumental analítico antedicho con tal de entender que el carácter teatral del mundo descrito hace que todo en él tenga una significación ajena a la voluntad expresiva del narrador con la que éste puede relacionarse según las mismas pautas que usaba para relacionarse con la significación hablada de los personajes: en estilo directo, cuando deje «hablar» a las acciones o los objetos, esto es, cuando se limite a *citar* su significado, a prestarles su voz para que se presenten activamente en sus propios términos; en estilo indirecto puro, cuando utilice la descripción habitual en que él mismo atribuye ciertas características a lo descrito expresando su propio punto de vista de observador; y en estilo indirecto libre, cuando en la descripción compartan la enunciación el narrador y el objeto o apariencia descritos.

i. Descripción de lo humano

De estilo directo deben considerarse aquellas descripciones de la conducta o apariencia de los personajes que se repiten una y otra vez en los mismos términos: el martilleo monocorde de unos mismos rasgos da realidad propia a lo presentado relegando a un segundo plano la presentación misma: lo presentado se impone al presentador con la fuerza de su apariencia dictándole los términos descriptivos.

Los rasgos definitorios de los personajes, en efecto, no varían, se repiten siempre iguales a sí mismos: Santos Banderas se distingue desde el principio por su perfil inmóvil de pájaro sagrado y de mal agüero. Así es como será presentado una y otra vez:

> Inmóvil y taciturno, agaritado de perfil en una remota ventana …

> Desde la remota ventana agaritado en una inmovilidad de corneja sagrada …

> En la remota ventana, era siempre el garabato de un lechuzo …

> Sumido en el hueco de la ventana, tenía siempre el prestigio de un pájaro nocharniego …

> Agaritado en la ventana, inmóvil y distante, acrecentaba su prestigio de pájaro sagrado …

Todas las citas se encuentran en el corto espacio de un solo libro, el 1 de la Parte I, pertinentemente titulado «Icono del tirano».

Si, en vez de su aspecto a distancia, pasamos a su presentación en primer plano, encontramos el mismo tipo de repetición: aspecto cadavérico, gafas negras, atuendo clerical y, sobre todo, una continua mueca bordeada de saliva verde por el continuo mascar de la coca. Son demasiados los ejemplos para citarlos. Son también lo suficientemente evidentes como para que baste con señalar el hecho sin dar muestras de él.

El procedimiento no se limita a Santos Banderas. Es rigurosamente general y afecta a todos los demás personajes presentados en la novela. Pero también sería prolijo citar exhaustivamente lo que cualquier lector advierte a la primera ojeada.

Cuestión distinta, aunque relacionada con la anterior, es la del carácter de esos rasgos repetidos. Con ello pasamos al estilo indirecto puro: el narrador subordina el significado de la apariencia y acciones de sus personajes a su propio lenguaje. Pero ocurre aquí algo parecido a lo que ocurría con la introducción de la palabra de los personajes: que la caracterización narrativa resalta siempre un mismo rasgo: el histrionismo o, más generalmente, la común característica de que lo descrito no sea nunca expresivo del hombre interior, de su realidad personal, sino que remita a una misma realidad ajena al individuo en cuestión.

En el caso del tirano es el carácter irreal, ritual, formulaico de su conducta el que priva. Cuando su máscara de sacerdote o actor remite a distintos modelos, éstos siempre son los de otro personaje público en funciones: dómine, clérigo, cuáquero; en suma, otra máscara.

Podría pensarse que esta caracterización del tirano como máscara de sí mismo se debe a su posición de ápice político-social cuyos gestos están naturalmente investidos de una significación institucional. Es decir, podría pensarse que el hecho de tener que hacer el papel de dirigente hace obligatorio el carácter espectacular de su apariencia. Pero este mismo carácter afecta a personajes tan distintos como los gachupines de la novela, don Celestino Galindo y el barón de Benicarlés, por ejemplo, o al criollo don Roque Cepeda. Ninguno de ellos tiene apariencia directamente expresiva de su propia humanidad. No se trata tanto de inhumanidad como de una representación mediata de su humanidad: la cualidad misma de la relación actor-personaje.

Así, don Celestino —cuyo nombre recuerda ya a un

personaje clásico, a la correveidile antonomástica, la vieja Celestina— no es un hombre, sino un actor caracterizado por su rotundidad y su pedantería: «orondo, redondo, pedante». Su calva y su barriga son lo más significado de su persona, nos recuerda una y otra vez la presentación narrativa: «Resplandecía como búdico vientre el cebollón de su calva», se dice en una ocasión. En otras, «Al rico gachupín se le enrojeció la calva», o «El gachupín simuló una repentina inspiración con palmada en la frente panzona» (I, 1, passim).

Al pasar al estilo indirecto puro, toda su conducta refiere a una actuación: Don Celes, esperando audiencia con el tirano,

> presentía su hora, y la trascendencia del papelón le rebosaba. Su redondez pavona, en el fondo mal alumbrado del vasto locutorio, tenía esa actitud petulante y preocupada del cómico que, entre bastidores, espera su salida a escena (II, 3, iv).

> Don Celes, rubicundo entre las patillas de canela, poco a poco, iba inflando la botarga, pero con una sombra de recelo, de íntima y remota cobardía de cómico silbado (I, 2, iii).

Incluso en su intimidad, sus pensamientos son, ante sí mismo, acompañamiento teatral:

> Le sonaban eufónicamente escandidas palabras —Sacerdocio, Ponencia, Parlamento, Holocausto—. Y adoptaba un lema: ¡Todo por la Patria! Aquella matrona entrada en carnes, corona, rodela y estoque, le conmovía como dama de tablas que corta el verso en la tramoya de candilejas, bambalinas y telones (VI, 2, iv).

El barón de Benicarlés, a su vez, es un «figurón diplomático» cuya cara o aspecto quedan siempre quintaesenciados por su máscara:

> Merlín, el gozque faldero, le lamía el colorete y adobaba el mascarón esparciéndole el afeite con la espátula linguaria (VI, 2, i).

No tiene sino «muecas de suripanta» y «sonrisas protocolarias»: «sobre la crasa rasura, el colorete, abriéndose en grietas, tenía un sarcasmo de careta chafada» (VI, 2, v). Su apariencia espectacular tiene tal autonomía o realidad propias que incluso a los ojos de los demás actores se impone más como espectáculo que como individuo:

> El Curro y Merlín, cada uno desde su esquina, le contemplaban sumido en la luz acuaria del mirador, en la curva rotunda, labrada de olorosas maderas, con una evocación de lacas orientales y borbónicas, de minué bailado por visorreyes y princesas flor de almendro (VI, 2, vi).

Don Roque Cepeda es «una figura de retablo» y no un payaso, pero eso en nada quita a su carácter impersonalmente representativo. Si acaso, lo agrava, en clave distinta:

> Su cabeza tostada de santo campesino erguíase sobre la almohada como en una resurrección, y todo el bulto de la figura exprimíase bajo el sabanil como bajo un sudario (V, 2, ii).

O a caballo,

> la frente tostada, el áureo sombrero en la mano, el potro cubierto de platas, daban a la figura del jinete, en las luces del ocaso, un prestigio de santoral románico (VII, 1, iv).

Es significativo el caso del orador Sánchez Ocaña. Como orador es ya un actor ante un público. Pero no basta, ni sería ésa la teatralidad aquí en cuestión. Hace falta que esa actuación oratoria sea una reduplicación, sea objeto de re-presentación: no la actuación de un hombre perorando, sino la actuación de un actor haciendo el papel de orador:

> Aplausos y vítores acogieron la aparición de los oradores: Venían en grupos, rodeados de estudiantes con banderas: Saludaban agitando los sombreros, pálidos, teatrales, heroicos (II, 1, ii).

La representación va a tener lugar en un circo, significativamente, y los espectadores reaccionan como los de un espectáculo teatral, no como asistentes a una reunión política: pregunta el director del periódico español a uno de sus corresponsales: «—¿Qué impresión en el público?» «—En la masa, un gran efecto. Alguna protesta en la cazuela, pero se han impuesto los aplausos», le informa éste. Y aconseja el primero: «—Haga la reseña como si se tratase de una función de circo con loros amaestrados» (II, 1, vi).

La distinción entre el como-si descriptivo y la supuesta realidad descrita se difumina de tal modo que se olvida. El como-si adquiere realidad propia; su ficción se traspasa al personaje mismo:

> Aún cantaba su aria de tenor el licenciado Sánchez Ocaña (II, 2, ii).

> Hacía engalle: Se tiraba de los almidonados puños ... (II, 2, iii).

> El licenciado Sánchez Ocaña, un poco pálido, con afectación teatral, sonreía removiendo la cucharilla en el vaso de agua (II, 2, iii).

> El orador sacaba los puños, lucía las mancuernas, se acercaba a las luces del proscenio. Le acogió una salva de aplausos: Con saludo de tenor remontóse en su aria (II, 2, iv)

No es posible pasar por alto la especial presentación de que es objeto el ranchero Filomeno Cuevas. Ni sus palabras, como ya se ha dicho, ni sus acciones adolecen del mismo carácter teatral que infesta a los demás personajes. El contraste es evidente, sobre todo, al tener por interlocutor al coronelito de la Gándara, uno de los actores más evidentemente histriónicos de la novela.

> Al [indio] de la piocha canosa ordenó el patrón que sacase aparejo de vianda para el desayuno, y a la mucama, negra mandinga, que cebase el mate ... Aprobó el patrón no más que con el gesto, y brindó del tasajo al huésped (IV, 3, ii).

> El ranchero clavaba la aguda mirada endrina en el coronelito de la Gándara (IV, 3, ii).

> Filomeno Cuevas sonreía: Era endrino y aguileño: Los dientes alobados, retinto de mostacho y entrecejo: En la figura prócer, acerado y bien dispuesto (IV, 3, ii).

163

En cambio, como se advierte en estas pocas citas, tampoco se libra su presentación de la recurrencia de unos términos característicos: su astuto o prudente laconismo, su aguda mirada endrina y aguileña, su sonrisa burlona, su aspecto general de entereza y distinción. La llamativa repetición, como en los demás casos, no destaca cierta voluntad narrativa, sino su neutralidad: estos rasgos parecen tener tal fuerza que se imponen al narrador antonomásticamente, esto es, no con valor de cualidades que el narrador eligiera para caracterizar al personaje, sino con valor de nombres propios inalienables, únicos e inevitables, cuya existencia es independiente de voluntad narrativa alguna.

Esta actitud narrativa respecto de los personajes, respecto de lo humano, evita el peligro de aquella humanización antiestética que se ha dicho, aprovechando, justamente, la voluntariedad expresiva de la conducta humana, el hecho de que decir sea siempre un personal querer-decir. El decir del narrador no remite a su propio querer-decir, a su propia voluntad expresiva, sino al de unos personajes que, en tanto que actores, se ven forzados a decir un querer-decir ajeno que es su propia vida.

ii. Descripción de lo inhumano

La cuestión es simultáneamente más difícil y más sencilla cuando se trata de la actitud narrativa respecto del mundo inanimado de la novela: la descripción del entorno físico de los personajes como decorado. Más difícil porque, evidentemente, los objetos ni dicen ni quieren-decir nada por sí mismos y, por tanto, no se prestan automáticamente a la ilusión de representación propia, tan natural en los individuos: no es posible traspasar a ellos responsabilidad expresiva alguna. Pero esta dificultad no hace sino facilitar el procedimiento en otro sentido, pues la mudez de los objetos no permite tampoco la confusión acerca de quién se quiere expresar en ellos, si una persona o si ellas mismas: si el objeto descrito significa, es indudablemente porque alguien exterior a él lo dota de significancia, de modo que cuando el narrador los presenta como dotados de significación propia, lo que hace en realidad es negar su atribución personal de sentido endosándosela a otra voluntad humana distinta, a otro hablante ausente que ya les hubiera atribuido esa significancia desde su exterior. Los objetos son entonces vehículos totalmente transparentes de la intención expresiva de otro. Son, paradigmáticamente, signos sin voluntad propia: actores puros de un guión ajeno.

Esta es la naturaleza evidente de cualquier decorado escénico. Tal como corresponde a un mundo de actores, el entorno de *Tirano Banderas* no es más que un decorado. La *im*presión que causa es, en realidad, *ex*presión del querer-decir personal no del narrador —que no hace sino dejarse impresionar, describir las impresiones que le causa ese decorado como si fuera un espectador—, sino de un dramaturgo o escenógrafo ocultos y desconocidos.

El narrador señala ese carácter espectacular de los objetos presentándolos mediante signos visuales que resaltan su calidad por distintos medios: bien por la atención a su función decorativa, principalmente luminotécnica o pictórica; bien, alternativamente, por el carácter irreal y ausente de lo que representan; bien combinando estos dos aspectos.

De carácter expresamente decorativo es el fuerte de Santa Mónica. En su exterior:

> El fuerte de Santa Mónica descollaba el dramón de su arquitectura en el luminoso ribazo marino (VI, 1, v).

> El fuerte de Santa Mónica, castillote teatral con defensas del tiempo de los virreyes, erguíase sobre los arrecifes de la costa (V, 1, iii).

Interiormente, en sus calabozos, predomina su valor luminotécnico:

> La luz polvorienta y alta de las rejas resbalaba por la cal sucia de los muros, y la expresión macilenta de los encarcelados hallaba una suprema valoración en aquella luz árida y desolada (V, 2, i).

En clave pictórica:

> Conforme adelantaba el día, los rayos del sol, metiéndose por las altas rejas, sesgaban y triangulaban la cuadra del calabozo ... [Los presos] sentíanse alejados en una orilla remota, y la luz triangulada del calabozo realzaba en un módulo moderno y cubista la actitud macilenta de las figuras (V, 3, iii).

La descripción del entorno de estos mismos presos cuando estaban en libertad, durante su mitin político en el Circo Harris, también se había hecho en esta misma clave luminotécnica y geométrica de signo cubista:

> El Circo Harris, en el fondo del parque perfilaba la cúpula diáfana de sus lonas bajo el cielo verde de luceros ... Las luces del interior daban a la cúpula de lona una diafanidad morena ... El Circo Harris, entre ramajes y focos voltaicos, abría su parasol de lona morena y diáfana ... el diáfano parasol triangulaba sus candiles sobre el cielo verde de luceros ... Los gendarmes comenzaban a repartir sablazos. Cachizas de faroles, gritos, manos en alto, caras ensangrentadas. Convulsión de luces apagándose. Rotura de la pista en ángulos. Visión cubista del Circo Harris (II, 2, passim).

La coincidencia en los dos casos, circo y cárcel, de la imagen cubista es otra prueba de la ya señalada repetición de impresiones descriptivas inherentes en los objetos descritos.

La espectacularidad que rodea al barón de Benicarlés es, en cambio, decadente, versallesca u oriental; esto es, modernista:

> La Legación de España se albergó muchos años en un caserón con portada de azulejos y salomónicos miradores de madera, vecino al recoleto estanque francés, llamado por una galante tradición Espejillo de la Virreina (I, 2, i).

Este carácter visual —miradores, Espejillo—, aunado al de una realidad desaparecida y exótica, se repite en otra ocasión:

> Los cedros y mirtos del jardín trascendían remansadas penumbras de verdes acuarios a los estores del salón apenas ondulados por la brisa perfumada de nardos. El jardín de la Virreina era una galante geometría de fuentes y mirtos, estanques y ordenados senderos: Inmóviles cláusulas de negros espejos pautaban los estanques, entre columnatas de cipreses (VI, 2, vi).

La decoración, en clave patriotera y chillona esta vez, va acompañada de un carácter postizo respecto del entorno de los demás españoles:

> Amarillos y rojos mal entonados, colgaban los balcones del Casino Español.

> El Casino Español —floripondios, doradas lámparas, rimbombantes moldurones— estallaba rubicundo y bronco, resonante de bravatas.

> Luces y voces ponían una palpitación chula y politiquera en aquellos salones decorados con la emulación ramplona de los despachos ministeriales en la Madre Patria (II, 1, passim).

Pero lo más significativo es el carácter de la ciudad misma de Santa Fe, el telón de fondo de toda esta escenificación: durante el día,

> la ciudad, pueril ajedrezado de blancas y rosadas azoteas, tenía una luminosa palpitación acastillada en la curva del puerto (I, 1, vii).

Su aspecto nocturno es carnavalesco y enfebrecido, como «en una calentura de luz y tinieblas», durante las Ferias de Santos y Difuntos. Este es el que más acentuadamente destaca, por la forma y por el tema, su valor de signo cuyo significante es visual y su significado irreal, de pesadilla y misterio: predominio de actividades de misterioso carácter: naipes y azares fulleros; corridos de milagros y ladrones; persecuciones de sombras chinescas; cosmorama a la luz de un candil y espectáculos de barraca; predominio también de los efectos visuales, tanto, que hasta los ruidos se presentan en esta clave:

> Llegaban ecos de la verbena. Bailaban en ringla las cuerdas de farolillos, a lo largo de la calle. Al final giraba la rueda de un tiovivo. Su grito luminoso, histérico, estridente, hipnotizaba a los gatos sobre el borde de los aleros. La calle tenía súbitos guiños, concertados con el rumor y los ejercicios acrobáticos del viento en las cuerdas de farolillos (VII, 2, iii).

Las descripciones narrativas citadas pertenecen al estilo indirecto puro, estilo propio del narrador. Pero también respecto de este decorado teatral cabe hablar de estilo directo y de estilo indirecto libre. La «palabra» con la que así se relaciona entonces el narrador no es tanto, como ya se ha dicho, la de los objetos mismos, mudos, como la de ese otro hablante ausente que ha dotado de significancia al decorado: el desconocido dramaturgo.

La cita directa por parte del narrador, o su analogía, al menos, se lleva a cabo mediante el abandono de la subordinación sintáctica de la frase descriptiva y su sustitución por la yuxtaposición paratáctica. La subordinación, en efecto, destaca en primer plano la actividad ordenadora y significante del descriptor; la parataxis, en cambio, su pasividad receptora. Así, el párrafo de apertura de la novela, cuya última parte reza: «... avanzaban por los esteros de Ticomaipú —luna clara, nocturnos horizontes profundos de susurros y ecos.»

Los ejemplos son numerosos y cubren una gama de distinta acentuación: más suave en casos como éste: «El Jardín de los Frailes, geométrica ruina de cactus y laureles, gozaba la vista del mar» (I, 3, ii). Más fuerte, al tratarse de una aposición de sustantivos sin calificación alguna y carente de verbos, en casos como éste: «Santa Fe de Tierra Firme —arenales, pitas, manglares, chumberas— en las cartas antiguas, Punta de las Serpientes» (I, 1, i).

Este tipo de descripción se aplica indistintamente a las cosas y a las personas, con lo que éstas quedan en esa medida reducidas al mismo valor decorativo de aquéllas y aquéllas personalizadas como éstas:

> Grupos populares se estacionaban con rumorosa impaciencia por las avenidas del parque: Ahí el mayoral de poncho y machete, con el criollo del jarano platero, y el pelado de sabanil y el indio serrano (II, 2, i).

O desmenuzando la apariencia humana en sus detalles componentes; o resumiéndola en uno de ellos:

> Se acercaron los ministros latino-americanos. Zalemas, sonrisas, empaque farsero, cabezadas de rigodón, apretones de manos, cháchara francesa (VII, 2, ii).

> Sobre el resplandor de las aceras, gritos de vendedores ambulantes. Zigzag de nubios limpiabotas: Bandejas tintineantes, que portan en alto los mozos negros de los bares americanos: Vistosa ondulación de niñas mulatas, con la vieja de rebocillo al flanco (II, 1, vii).

En estilo análogo al indirecto libre, Valle-Inclán hace que su narrador describa el «lenguaje» de los objetos incorporándolo a su propio discurso. Son tan numerosos los casos de este tipo de descripción que habrá que limitarse a unos pocos representativos:

> Sobre una loma, entre granados y palmas, *mirando* al vasto mar y al sol poniente, *encendía* los azulejos de sus redondas cúpulas coloniales, San Martín de los Mostenses (I, 1, ii).

en donde los verbos en cursiva crean la ilusión no de una atribución de acción expresiva por parte del narrador, sino de cita de la «palabra» o acción significante ajenas incrustadas en el discurso del narrador sin subordinación: es San Martín de los Mostenses mismo el que encendía sus cúpulas y el que miraba al mar.

Algunos ejemplos más:

> En la desolación azul, toda azul, de la tarde, *encendían* su roja llamarada las cornetas de los cuarteles (I, 1, vii).

> El Jardín de los Frailes, geométrica ruina de cactus y laureles, *gozaba* la vista del mar (I, 3, ii).

> Sobre la cal de los muros, *daban* sus espantos malas pinturas... (II, 3, v).

> El Circo Harris, en el fondo del parque, *perfilaba* su cúpula (II, 1, ii).

> El Casino Español ... *estallaba* rubicundo y bronco, *resonante* de bravatas (II, 1, iii).

> El Circo Harris, entre ramajes y focos voltaicos, *abría* su parasol de lona morena y diáfana (II, 2, i).
>
> El diáfano parasol *triangulaba* sus candiles ... (II, 2, i).
>
> Las sombras de los murciélagos *agitaban* con su triángulo negro la blancura nocturna de la ruina (II, 3, iii).

A estos principales procedimientos estilísticos teatralizantes hay que añadir, aunque sin pretensiones exhaustivas, los consistentes en la sustitución de verbos modales por el impersonalmente existencial «ser», así como el recurso al presente de indicativo en vez del pretérito, actualizando el suceder ficticio ante la imaginación del lector espectador. Ejemplos de lo primero:

> La marina era llena de cabrilleos... (I, 1, vii).
>
> En este tiempo, era luminosa y vibrante de tabanquillos y tenderetes la Calzada de la Virreina ... (I, 2, ii).
>
> En el filo luminoso de la terraza, petulante y tilingo, era el quitrí de Don Celes ... (II, 1, i).

Muestras de lo segundo:

> Los compadritos hacen rueda en el otro cabo y apuntan distingos ...
>
> El licenciado Carrillo se insinúa ...
>
> El licenciado Nacho Veguillas, sesga la boca y saca los ojos ...
>
> Y le desprecia con un gesto ... el mayor Abilio del Valle (II, 3, vi).

O todo el capitulillo i del Libro 1, Parte III, el que comienza «¡Famosas aquellas ferias de Santos y Difuntos!», donde el valor temporal de pretérito del demostrativo «aquellas» da más fuerza, por contraste, al presente de la descripción que anuncia. El mismo procedimiento es usado en III, 3, i, tras esta otra introducción: «¡Fue como truco de melodrama!», también inicialmente en pretérito, verbal esta vez, para adoptar luego el presente.

En todo lo antedicho, Valle-Inclán consigue dar la impresión de abstenerse de dar su opinión sobre la apariencia de los personajes, sus acciones y su mundo, mediante la creación de ese tipo de narrador muerto que se limita a reflejar el espectáculo autosignificante de los vivos, la representación que éstos llevan a cabo, en los términos mismos que el espectáculo le impone. Lo riguroso de esta postura resalta ante la mínima escasez de los casos en que el narrador hace un comentario personal. Los cinco más flagrantes, y quizá los únicos, son los siguientes:

> El coronel licenciado López de Salamanca … arrastraba una herencia sentimental y absurda de orgullo y prematicas de casta. De este heredado desprecio por el indio se nutre el mestizo criollaje dueño de la tierra, cuerpo de nobleza llamado en aquellas repúblicas patriciado (II, 3, ii).

> El Ciego Velones —nombre de burlas— … (III, 1, iv).

> El Coronelito y Filomeno descansaron en jinocales parejos … —son los jinocales unos asientos de bejuco y palma, obra de los indios llaneros (IV, 3, ii).

> El alcaide de Santa Mónica, coronel Irineo Castañón, aparece en las relaciones de aquel tiempo como uno de los más crueles sicarios de la Tiranía (V, 1, ii).

> Sacó del pecho el puñal, tomó a la hija de los cabellos para asegurarla, y cerró los ojos.—Un memorial de los rebeldes dice que la cosió con quince puñaladas (Epílogo, iv).

Estos cinco casos tienen en común un mismo carácter metanarrativo que, por contraste con el resto del relato, destaca la personalidad del narrador. No es posible perfilarla, sin embargo, con este escaso fundamento, ni atribuir intención de alcance general para toda la novela al hablante de estas líneas. Sí es significativa, en cambio, su escasez, especialmente dado que la intención común es la de explicar un vocabulario y/o autentificar unos hechos o circunstancias, dos áreas en las que el narrador tenía campo abonado para extenderse con una casi infinita abundancia. Evidentemente, no es ésta su postura narrativa definitoria.

3. Un simulacro de lenguaje

La extrañeza que produce en el lector el insólito punto de vista narrativo de *Tirano Banderas* viene a ser simultánea de la que produce su lenguaje. Sus peculiaridades se cifran de un modo engañosamente simple e inocente en esta advertencia de Valle-Inclán:

> En *Tirano Banderas* hay, además, la voluntad literaria de sumar al castellano castizo el vocabulario creado en la América española. Claro que para esto me ha sido necesaria la invención de una república con geografía imaginaria (18).

En efecto, el último resorte con que la enunciación lingüística caracteriza al hablante es el de la connotación de origen regional: hablar castellano es ante todo hablar castellanamente y, por tanto, quedar caracterizado como miembro de la comunidad de castellanoparlantes. Hablar, pues, un lenguaje imaginario es pertenecer a una comunidad imaginaria de hablantes.

En este sentido, ningún lector, pertenezca a la comunidad lingüística a que pertenezca, será capaz de reconocer como suya la de los hablantes novelescos de *Tirano Banderas*. No se trata de que en la novela exista una mezcla de hablantes de distintas regiones hispanas, cada uno de ellos fiel al idioma de su grupo, sino de que la mezcla de hablas se encuentra en boca de cualquiera de ellos y a veces en una misma frase. Ningún personaje tiene una lengua de origen reconociblemente real. Todos, en cambio, tienen, en una u otra medida, un mismo lenguaje imaginario, el de Tierra Firme o tierrafirmeño, que no es ni castellano ni mexicano ni argentino ni ningún otro dialecto hispánico conocido.

Este lenguaje parece una síntesis de todas las hablas hispánicas o, al menos, de un número suficiente de ellas como para connotar todo el ámbito hispanoparlante: está formado por una base de español que pudiera considerarse neutra, puesto que es igualmente castellana, mexicana, argentina, etc., y por el añadido de cierto número de regionalismos. Entre ellos predominan los de origen mexicano en una proporción de 10 a 1: de unos doscientos regionalismos en total, cerca de la mitad son de uso corriente en varias o en todas partes de Hispanoamérica, pero no en España; cerca de la cuarta parte son exclusivamente mexicanos; y no llegan a media docena cada uno de los característicos de ninguna otra región o país. Se encuentra, además, en la novela cierta cantidad de americanismos ficticios o modismos americanoides de nuevo cuño inventados por Valle-Inclán y sin vigencia alguna fuera de la novela (19).

Es preciso señalar, sin embargo, que esta referencia a una síntesis lingüística falsea algo la naturaleza de este lenguaje, pues hace olvidar que las distintas connotaciones regionales son mutuamente exclusivas y funcionan tanto negativa como positivamente: por ejemplo, el mexicanismo no sólo mexicaniza al conjunto, sino que también lo descastellaniza o desargentiniza, etc. En cuanto cualquier regionalismo es reconocido queda invalidado por el siguiente o por el anterior: un castellanismo resulta desvirtuado por un mexicanismo, ambos por un argentinismo y todos tres por la presencia de un cubanismo, pongamos por caso. Por eso, más que de síntesis conviene hablar de producto sincrético. No se pierde así de vista la incompatibilidad de los componentes de este lenguaje, su incoherencia lingüística o imposibilidad real. Más que de una cuestión de fidelidad descriptiva, sin embargo, esta caracterización es útil para mejor comprender la función que este lenguaje tiene en la novela.

Salvo aquellos americanismos ficticios —que son los únicos cuya función pudiera considerarse homogeneizante, puesto que, como inexistentes, carecen de origen real exclusivo de otros orígenes—, los auténticos americanismos no sólo se niegan recíprocamente la primacía local, sino que aumentan la impresión de lenguaje artificioso al estar usados incorrectamente. Como autoridad que abone esta afirmación basta, sin duda, con señalar lo que respecto de los más abundantes, los mexicanismos, pensaba un mexicano, Martín Luis Guzmán:

> Para los mexicanos ... los mexicanismos de *Tirano Banderas* llegan a no ser mexicanismos, o a serlo sin sabor,

sin matiz, con un ligerísimo error de ajuste que, al darles demasiado resalte, los exhibe. Son acaso, a menudo, los mexicanismos que oyen los oídos no mexicanos, no los que brotan perfectamente afinados y equilibrados en la estructura de nuestra frase — mexicanismos sin los sutiles reflejos semánticos, y, en consecuencia, detestables y grotescos, pese a la maestría vigorosa con que responden en su intrínseco valor gramatical, al perfil de los personajes de *Tirano Banderas*, siempre pletórico de vida (20).

Sin duda es verdad que el repetido error señalado por M. L. Guzmán se debe al hecho de que Valle-Inclán no tenía un oído mexicano. Si hubiera tratado de mexicanizar la novela, incluso si su propósito hubiera sido conseguir una síntesis realista y convincente de la variedad lingüística hispanoamericana, cabría achacarle este defecto y hablar de disonancia, de desacierto contraproducente. Es lo que ocurre, por ejemplo, con la venezolización intentada en la conocida *La catira* de C. J. Cela. Es también lo que M. L. Guzmán reprocha, como malentendido, a su «ilustre maestro don Victoriano Salado Alvarez, al juzgar, con severidad agudísima, el lenguaje voluntariamente contrahecho de *Tirano Banderas*». No era eso, sin embargo, lo que perseguía Valle-Inclán. M. L. Guzmán se da cuenta de ello cuando habla de la utilización consciente de esas disparidades, esto es, de su funcionalización en la novela, al señalar el carácter «voluntariamente contrahecho» de su lenguaje o al declarar «la maestría vigorosa con que [los equivocados mexicanismos] responden ... al perfil de los personajes». Y aunque en ocasiones se contradiga ligeramente al creer que el exotismo de ese lenguaje se debe a un accidente, más que a la intención del escritor, acierta al señalar la consecuencia general:

En la nueva obra de Valle-Inclán, el lenguaje es la primera piedra de toque, o de choque. La misma libertad con que quiso él —o debió— barajar los americanismos, para disponer de un idioma a la vez vivo e inexistente, parece como que ha venido a producir el efecto imprevisto de presentar a los hispanoamericanos sus giros y vocablos regionales con un tinte exótico, sujetos a un sesgo (21).

«La libertad con que quiso —o debió— barajar los americanismos para disponer de un idioma a la vez vivo e inexistente» implicaba necesariamente ese efecto exótico, ese desafinamiento y esos errores filológicos. Todos quedan justificados por el propósito de exhibir este lenguaje americano ante los americanos mismos como un lenguaje imposible e inexistente.

En cualquier caso, no podía ser de otro modo. Siendo todo lenguaje un sistema de diferencias a todos los niveles —en este caso, el de su origen local—, era imposible simultáneamente conservarlas —usar los dialectos correctamente— y abolirlas —conciliar los dialectos constituidos por esas diferencias recíprocas.

En segundo lugar, y dando la vuelta a la cuestión, hubiera sido sorprendente que los habitantes de un país imaginario hablaran un idioma reconociblemente real. Hubiera sido sorprendente que un Santos Banderas, por ejemplo, producto imposible de varios tiranos hispanoamericanos, hablara como uno cualquiera de ellos; o que, deshumanizado como está, su habla fuera el único aspecto reconociblemente humano, ya como dialecto regional reconocible, ya como síntesis humanamente concebible de varios dialectos.

Además, y en tercer lugar, la manera de pensar la ficción novelesca que las anteriores consideraciones implican es errónea: no se trata en ningún caso de proveer de un lenguaje adecuado a unos personajes que existen ya independientemente de ese lenguaje. Se trata, al revés, de crear unos personajes que son resultado de la exploración de ciertos lenguajes. Tanto esos personajes como su mundo no existen más que por y en ese lenguaje y no son sino lo que éste les permite ser. No es el carácter ficticio de los personajes el que pide un lenguaje consonantemente ficticio; es el carácter ficticio e imposible del lenguaje el que ficcionaliza o desrealiza a quienes lo «hablan». Conviene recordar una vez más el orden en que Valle-Inclán hacía la doble observación sobre este aspecto de la novela:

En *Tirano Banderas* hay, además, la voluntad literaria de sumar al castellano castizo el vocabulario creado en

> la América española. Claro que para esto me ha sido necesaria la invención de una república con geografía imaginaria.

El país no determina al lenguaje; es el lenguaje el que determina al país, y ello por la sencilla razón de que ese país no tiene más existencia que la que le presta o tiene su lenguaje. Esto es verdad en cualquier obra de ficción, escrita en el lenguaje que sea, pero adquiere una importancia adicional cuando ese lenguaje es imaginario y ocurre en una novela con el punto de vista narrativo de *Tirano Banderas*. Punto de vista y lenguaje, en efecto, se dan la mano como estrategias recíprocamente confirmatorias.

Cuando el narrador se invisibiliza hasta el punto de crear la ilusión de que son los personajes quienes se narran a sí mismos como actores de su propio papel, la realidad de éstos no es más que la de un signo de sí mismos, un papel, su propio papel. La realidad de su lenguaje es del mismo tipo, un papel de sí mismo como lenguaje.

Ahora bien, cualquier signo de sí mismo tiene una existencia precaria: tiende a desaparecer transformándose bien en signo de otra cosa —otro tipo de signo—, bien en la cosa misma significada, confundiéndose con ella al perder su diferencia respecto de sí mismo. Esto es lo que evita la disonancia interna o error del lenguaje de *Tirano Banderas*: como representante de sí mismo exhibe su no-coincidencia con el lenguaje representado —consigo mismo, pues— mediante ese ligero desfase. Guarda así su carácter de simulacro visible como tal simulacro. El procedimiento es análogo al de los recordatorios del carácter teatral de los personajes.

El lenguaje de *Tirano Banderas* no es, pues, tal lenguaje, sino un simulacro teatral de lenguaje. Prueba de ello, de la ausencia de un lenguaje como síntesis natural o aceptable, es el hecho de que no sería posible aducirlo como modelo lingüístico, por ejemplo, en un *Diccionario de Autoridades,* ni siquiera a título de posible esperanto hispanoamericano. No porque resulte incorrecto, pues tampoco sería posible citarlo como autoridad negativa o error que se debe evitar, sino porque no se trata de un verdadero uso lingüístico. Este lenguaje no es utilizable en circunstancias distintas de las de la novela. Sus fines específicos son al mismo tiempo sus condiciones de posibilidad —o de imposibilidad. Más que el idioma o estilo personal de Valle-Inclán, se trata del idioma de esta novela. El novelista ni intentó repetir este mismo juego con el lenguaje ni hubiera podido hacerlo sin repetir las circunstancias, todo el mundo, de *Tirano Banderas* (22).

Unamuno había explicado esto mismo diciendo que con Valle-Inclán

> no hay que buscar precisión en su lenguaje. Las palabras le sonaban o no le sonaban. Y según el son les daba un sentido, a las veces completamente arbitrario ... No era capaz de desentrañar las expresiones de que se servía porque para él —actor ante todo y sobre todo— las entrañas estaban en lo que he llamado antes de ahora las "extrañas", el fondo estaba en la forma (23).

Es más que dudosa esa arbitrariedad que Unamuno achaca a Valle-Inclán, pues, de ser cierta, no se le podría entender: detrás del uso evidentemente heterodoxo de cualquier palabra se mantiene visible el uso ortodoxo violentado; por eso es evidente la heterodoxia y su intención significante. Pero sí es verdad, en cambio, que la actitud de Valle-Inclán ante el lenguaje fue la del actor ante las palabras de su personaje: consciente siempre de que éstas más que vehículo de su realidad imaginaria *son* toda su realidad imaginaria; tanto su entraña como su «extraña».

Lo que Valle-Inclán no había hecho hasta *Tirano Banderas*, sin embargo, era llevar esta concepción teatral a una novela con tanta extremosidad y con tanto rigor como aquí lo hace, esto es, con tan cuidadosa atención a sus consecuencias y un aprovechamiento tan fértil de sus posibilidades.

Es evidente la semejanza, y al mismo tiempo la diferencia, del texto de *Tirano Banderas* con el de una obra teatral o un guión cinematográfico —dos tipos de texto a los que se lo ha asemejado frecuentemente. Pero *Tirano Banderas no es* represent*able* como lo serían aquellos textos: ya está represent*ado* en el texto mismo. No hay metáfora o figuración alguna en esta afirmación: *Tirano Banderas* es representación de su propio guión: es espectáculo de la representación de sí mismo: es visión predeterminada de esa representación.

Entre otras cosas, se trata de la respuesta del frustrado dramaturgo Valle-Inclán a su repetida insatisfacción con los actores, escenógrafos y directores teatrales de su tiempo; o, más generalmente, con las limitaciones de cualquier producción teatral: después de intentar representar él mismo en teatro de cámara sus últimas producciones teatrales, da el último paso liberador y *representa su propia obra mediante/en la forma novelesca,* tal como él creía que debía representarse, esto es, como él creía que debía ser vista —en la lectura.

Por los mismos años en que se escribía *Tirano Banderas,* Ortega y Gasset resumía así la espectacularidad teatral de la obra de arte en su ensayo «Sobre el punto de vista en las artes»:

> No es otra cosa el equívoco cubismo que una manera particular dentro del expresionismo contemporáneo. En la impresión se ha llegado al mínimum de objetividad exterior. Un nuevo desplazamiento del punto de vista sólo era posible si, saltando detrás de la retina —sutil frontera entre lo externo y lo interno—, invertía por completo la pintura su función y, en vez de meternos dentro de lo que está fuera, se esforzaba por volcar sobre el lienzo lo que está dentro: los objetos ideales inventados. Nótese cómo por un simple avance del punto de vista en la misma y única trayectoria que desde el principio llevaba, se llega a un resultado inverso. Los ojos, en vez de absorber las cosas, se convierten en proyectores de paisajes y faunas íntimas. Antes eran sumideros del mundo real; ahora, surtidores de irrealidad.
>
> Es posible que el arte actual tenga poco valor estético; pero quien no vea en él sino un capricho puede estar seguro de no haber comprendido ni el arte nuevo ni el viejo. La evolución conducía la pintura —y en general el arte— inexorablemente, fatalmente, a lo que hoy es (24).

Es evidente la relación de estas afirmaciones con las de «Idea del teatro», «La deshumanización del arte» y especialmente las relativas a la metáfora y al objeto estético en «Ensayo de Estética a manera de prólogo», todas ellas ya citadas. Se trata, en efecto, de la misma cuestión presentada bajo distinta figuración explicativa: la visible transparencia de sí mismo del objeto estético que la metáfora hacía posible y que se encontraba quintaesenciada en la experiencia teatral, equivale ahora a la proyección material de objetos ideales. Entonces describía Ortega y Gasset las estrategias que permiten la confección del objeto estético, así como sus características, esto es, qué configuración había de tener un objeto para que fuera visto estéticamente. En el caso de ahora, esta visión estética o «sentimental», como él la llama, del objeto se reifica como proyección de ideas, no como reflejo de realidades externas.

Tan es lo mismo lo afirmado en unos y otros ensayos, que Ortega y Gasset invalida en parte sus propias afirmaciones acerca de la evolución del arte, porque si su definición del objeto estético en general coincide tan ajustadamente con la del objeto de arte cubista en particular —al que, por otra parte, considera sólo como un estadio de la evolución artística—, ¿qué valor estético pueden tener los productos anteriores al cubismo? Pero, dejando aparte la validez o invalidez de su concepción de la evolución del arte, sus afirmaciones siguen siendo válidas como descripción de lo que pretende y consigue *Tirano Banderas*.

NOTAS

(1) En *Obras completas*, 2.ª edición (Madrid: Plenitud, 1952), tomo I, pp. 992-993.

(2) *La deshumanización del arte y otros ensayos de estética* (Madrid: Revista de Occidente y Alianza Editorial, 1981), p. 31.

(3) *Ibídem*, pp. 27-28.

(4) *Ibídem*, pp. 36-37.

(5) *Ibídem*, p. 39.

(6) *Ibídem*, pp. 112-113.

(7) *Ibídem*, p. 113.

(8) *Idea del teatro* (1946) (Madrid: Revista de Occidente, 3.ª edición, 1977), p. 42.

(9) «Ensayo de estética...», *La deshumanización*..., pp. 115-117.

(10) *Ibídem*, p. 118, nota 1.

(11) Entrevista con Gregorio Martínez Sierra, «Hablando con Valle-Inclán de él y de su obra», reproducida en José Esteban, *Valle-Inclán visto por...* (Madrid: Gráficas Espejo, 1973), p. 299.

(12) Entrevista con Federico Navas, reproducida en J. Esteban, *Obra citada*, p. 313.

(13) Entrevista con José López Pinillos, reproducida en J. Esteban, *Obra citada*, p. 326.

(14) *Idea del teatro*, p. 34.

(15) *Ibídem*, pp. 37-38.

(16) *Ibídem*, pp. 40, 41 y 43.

(17) Dru Dougherty, «The Tragicomic Don Juan: Valle-Inclán's *Esperpento de las galas del difunto (The Dead Man's Duds)*,» *Modern Drama*, vol. XXIII, núm. 1 (March, 1980): 44-57.

(18) Entrevista con G. Martínez Sierra, *Obra citada*, p. 298.

(19) Tal como resulta del detallado estudio de E. S. Speratti-Piñero, «El lenguaje americanista en *Tirano Banderas*». Véase Guía bibliográfica.

(20) Martín Luis Guzmán, «*Tirano Banderas*», *El Universal* (México, D.F.), reproducido en *Repertorio Americano* (San José, Costa Rica), vol. XIV, núm. 13, p. 196.

(21) *Ibídem*.

(22) Valle-Inclán manifestó esta misma actitud ante el lenguaje en otras obras suyas, sin embargo. En todas ellas más que hablar o hacer hablar a sus personajes, los convierte en productos de un juego con distintos lenguajes, entre los que no dejan de estar presentes los hispanoamericanos. *La cabeza del bautista*, sobre todo, pero también *Las galas del difunto*, vienen a las

mientes como anuncio de este mismo panhispanismo lingüístico. E incluso en una obra tan castiza como *Farsa y licencia de la reina castiza* se encuentran americanismos en el habla de los personajes que no están justificados por una congruencia realista entre el origen local del personaje y su habla.

(23) «El habla de Valle-Inclán», reproducido en J. Esteban, *Obra citada*, pp. 229-230.

(24) «Sobre el punto de vista en las artes», en *La deshumanización...*, pp. 154-155.

CAPITULO III

TIRANO BANDERAS Y LA NOVELA
DEL DICTADOR

1. Individuo y masa

> Por lo mismo que es imposible conocer directamente la
> plenitud de lo real, no tenemos más remedio que cons-
> truir arbitrariamente una realidad, suponer que las cosas
> son de una cierta manera. Esto nos proporciona un es-
> quema, es decir, un concepto o enrejado de conceptos.
> Con él, como al través de una cuadrícula, miramos luego
> la efectiva realidad, y entonces, sólo entonces, consegui-
> mos una visión aproximada de ella. En esto consiste el
> método científico. Más aún: en esto consiste todo uso
> del intelecto (1).

Hacía esta salvedad epistemológica Ortega y Gasset al
disponerse a enunciar una de las tesis de *La rebelión de
las masas* (1930). El tema general era, como ya se sabe,
el emergente fenómeno de las multitudes en la vida occidental, cuya primera formulación había ocurrido en el
artículo titulado «Masas», publicado en 1926 en el diario
madrileño *El Sol*. Corolario de la tesis avanzada por Os-
wald Spengler a partir de 1918 en *La decadencia de Occidente* —que Ortega y Gasset hizo traducir inmediatamente
en su *Revista de Occidente*—, para el pensador español el
nuevo fenómeno de las multitudes era, en efecto, consecuencia de la pérdida de confianza en sí misma de Europa,
del eclipse de su capacidad dirigente.

A la luz de la observación citada, esto es, dado el carácter inevitablemente ficticio de nuestras explicaciones de la realidad, el hecho de entender que el eclipse del liderazgo europeo tenga como consecuencia el dominio de las masas, revela claramente la naturaleza de uno y otro elementos de la relación causal: lo que hace crisis por esos años es la creencia en una ficción básica de la cultura occidental, la de preeminencia del sujeto individual como origen de la visión europea de la realidad. La decadencia del concepto coincidía con la revelación de su carácter ficticio y esta revelación acarreaba automáticamente la entronización de la ficción contraria, la del gobierno de las masas.

Existe, sin duda, un subterráneo lazo dialéctico entre ambas explicaciones ficticias de la realidad, la desechada y la aceptada: entre la revelación de la falsedad contemporánea de una, o descreimiento en ella, y su efecto inmediato, la creencia en una ficción opuesta, no se da una relación simplemente sustitutiva de términos independientes, sino una contradicción directa o inversión dialéctica de una misma realidad. Estas otras palabras de Ortega y Gasset así permiten comprenderlo:

> Sufre hoy el mundo una grave desmoralización que, entre otros síntomas, se manifiesta por una desaforada rebelión de las masas y tiene su origen en la desmoralización de Europa. Las causas de esta última son muchas. Una de las principales, el desplazamiento del poder que antes ejercía sobre el resto del mundo y sobre sí mismo nuestro continente. Europa no está segura de mandar, ni el resto del mundo de ser mandado. La soberanía histórica se halla en dispersión (2).

¿Es la rebelión de las masas consecuencia de la desmoralización europea o, al revés, es la desmoralización efecto de la rebelión de las masas? Ambas cosas a la vez. En efecto, Ortega y Gasset allana tautológicamente la dificultad al advertir que una de las causas de la desmoralización, origen de la rebelión de las masas, es la pérdida de la soberanía, esto es, la rebelión misma. La tautología revela el carácter unitario del fenómeno tan acertadamente caracterizado como de «dispersión de la autoridad»: la rebelión de las masas *es* la pérdida de la soberanía europea por lo mismo que la soberanía europea *era* la sumisión de las masas y la concentración de la autoridad.

La dispersión de la autoridad o pérdida de la soberanía del individuo como origen rector de la realidad, aun cuando inoperante como explicación positiva, sigue, sin embargo, siendo un concepto necesario para dar cuenta negativamente de la emergencia de su contrario. De modo que el eclipse del individuo, más que la desaparición de un concepto sustituido por otro independiente, es la pérdida de vigencia de su carácter privilegiado y su conversión en término de una pareja dialéctica.

Tanto este fenómeno de la alternante preeminencia de las multitudes o del individuo como su carácter de escición dialéctica de una misma ficción, son cuestiones especialmente pertinentes para la moderna novela del dictador latinoamericana. De la primera de ellas, *Tirano Banderas* (1926), diría su autor, Ramón del Valle-Inclán, en una entrevista, dos años después de su publicación:

> Creo que la Novela camina paralelamente con la Historia y con los movimientos políticos. En esta hora de socialismo y comunismo, no me parece que pueda ser el individuo humano héroe principal de la sociedad, sino los grupos sociales. La Historia y la Novela se inclinan con la misma curiosidad sobre el fenómeno de las multitudes (3).

Y comentaba el entrevistador, Gregorio Martínez Sierra:

> El fenómeno de las multitudes ... Ahí estamos todos los que sinceramente queremos ejercitar nuestro oficio de creadores de ficción literaria ... Valle-Inclán dice bien: la Historia y la Novela —digamos la Vida y la Ficción— van caminando paralelas, solicitadas por un mismo interés: ¡la multitud! Y no es éste mediano conflicto entre el público actual y los que para él escribimos. Porque si a nosotros ha dejado de interesarnos ya "lo particular", el público, en su mayoría, sigue reclamando la tragedia, la comedia, el sainete del individuo, y ya no puede ser, ya no se los podemos volver a contar. Véase Valle-Inclán en *Tirano Banderas*, obra, a mi parecer, de excelente suma, de interés sobreagudo (4).

Si no fuera por las anteriores observaciones, la paradoja parecería insostenible: que surja la novela del dictador, ese protagonista por excelencia, en el momento mismo en que pierden significancia las peripecias individuales y lo adquiere la vida de las multitudes. Más aún: que surja ese tipo de novela como respuesta ejemplar a ese nuevo interés: la novela del dictador como medio idóneo para reflejar una realidad hispanoamericana multipersonal o mutitudinaria.

Dado que el individuo es la otra cara de las masas reprimidas, es decir, es un concepto cuya vigencia depende de la represión de su contrario, el concepto de masa, no ha de sorprender que Valle-Inclán decidiera agravar la contradicción de *Tirano Banderas* en vez de soslayarla —por ejemplo, mediante una técnica unanimista como la que usaría en su contemporánea serie de *El ruedo ibérico*—: su plan original de novela americana incluía, en su penúltima visión, «un gran cataclismo como el terremoto de Valparaíso, y una revolución social de los indios» (5). En vez de estos fenómenos multitudinarios, el gran cataclismo queda reducido a la atmósfera enfebrecida de las ferias populares de Santos y Difuntos; y la revolución social de los indios a la venganza personal de Zacarías el Cruzado por la muerte de su hijo: la confesada curiosidad por el fenómeno de las multitudes se plasma en una novela de protagonista cuyo título incluso singulariza al individuo en cuestión, el tirano Santos Banderas.

Sin duda, Valle-Inclán tenía conciencia de que cierta presentación especial del individuo equivalía, inevitablemente, a destacar el papel de su contrario dialéctico, la masa. O, dicho de otro modo, que el camino más corto para la representación de la masa pasaba por la despersonalización, cuanto más radical más significante, del personaje individual. Los términos se daban ejemplarmente agudizados en el caso de una novela de tirano o de pueblo tiranizado puesto que el protagonista había de ser no un personaje cualquiera, sino un individuo que, en tanto que dictador, se definía por su activa represión de todo un pueblo; o, al revés, una masa que, en tanto que tiranizada, se definía por su sumisión a un solo individuo.

2. Un problema americano

Se habían escrito ya por entonces en Hispanoamérica abundantes alegatos más o menos novelescos contra sus dictadores —e incluso en defensa de ellos—, y seguirían escribiéndose. Subyacente en todos ellos, sin embargo, se encontraba la idea de la falta de representatividad popular del tirano: su carácter era más bien el de una aberración o monstruosidad social en todo distinta a su pueblo.

Por otro lado se habían de escribir también muchas novelas que, al igual que las indianistas inauguradas por *Aves sin nido* (1889), de la peruana Clorinda Matto de Turner, tratarían de la sociedad hispanoamericana, en general o por grupos particulares, bajo éste o aquel régimen tiránico o injusto. El caso de una de ellas, *El mundo es ancho y ajeno,* es sintomático de la visión que informaría a todas ellas: hacia 1938, cuando se disponía a escribir esta novela, su autor, Ciro Alegría, pensaba —según confesaría en 1960, en su conocido prólogo a la vigésima edición— que

> la intención de llevar al indio a la novela, pese a las obras que tenía ya publicadas, me hacía confrontar dos problemas difíciles. El primero: mostrar el espíritu indígena, que implicaba un tratamiento novelístico de personajes. El segundo, según el tema que me había propuesto: presentar a un pueblo entero sin que se debilitaran los personajes. Ambos problemas crecían por coexistencia. Hasta ese momento, tanto como yo conocía, la novela de tema social desestimaba a los personajes y la novela de personajes hacía lo contrario. Debía escribir yo una obra que lograra la difícil incorporación de esos dos factores (6).

Destaca en estas consideraciones la polaridad insalvable en que todavía se tenían los conceptos de personaje individual y de representación multitudinaria. Esta independencia informa tanto a unas como a otras novelas y se cifra en una misma falta de conciencia o, al menos, de interés por la relación dialéctica entre ese singular individuo que es el tirano y el pueblo al que tiraniza. Cuando surge este interés es cuando nace la novela moderna del tirano como,

187

según la caracterización de Angel Rama, «una literatura de reconocimiento de la realidad latinoamericana» (7).

El problema que este tipo de relato planteaba era doble o tenía, al menos, dos caras: por un lado, la ambigua representatividad del tirano respecto de su pueblo, esto es, la de este tipo de individuo respecto de una multitud de la que, si surge como hijo, no parece poder ser también el padre o padrastro que a ella se opone y la niega. Por otro lado, pero íntimamente ligado al anterior, el de la necesaria disolución del sujeto como condición de posibilidad para la emergencia de la masa o multitud —entendida ésta no como simple agregación de sujetos individuales, sino como negación de lo individual.

Ambas caras del problema están ya presentes en la protonovela del dictador hispanoamericano, *Civilización y barbarie: Vida de Juan Facundo Quiroga* (1845), de Domingo Sarmiento.

En cuanto a la primera, la táctica de Sarmiento está apuntada en la dicotomía del título: Facundo, el tirano, representará la barbarie —el campo y los gauchos— que se impone a la civilización ciudadana y europeizada. La representatividad de este tirano respecto de su pueblo es nula, pues éste está dividido en dos bandos, uno de los cuales queda inmediatametne eliminado: el verdadero pueblo hispanoamericano para Sarmiento es el representado por los civilizados sometidos a ese elemento alógeno de una barbarie exterior que encarna en Facundo. Con ello desaparece la contradicción inaugural de la empresa por el simple procedimiento de desplazarla de la relación pueblo-tirano a la constitución interna del pueblo mismo.

Pero ni esta división era aplicable a la muy diferente situación general hispanoamericana —tan distinta de la rioplatense— ni siquiera los esfuerzos argentinos, y particularmente los de Sarmiento mismo, por convertirla en realidad en su país mediante la inmigración masiva de «civilizados» europeos, pudieran ignorar el hecho de que esa exterioridad de la «barbarie» no era tal, sino quizás la más íntima de las interioridades hispanoamericanas. La endémica proliferación de tiranos en todas las latitudes subcontinentales a partir de la Independencia había de hacer inevitable esta conclusión, obligando a desechar las esperanzas regenerativas de Sarmiento.

De entre las distintas refutaciones expresas a esta implícita concepción contemporánea de la relación tirano-pueblo destaca la de José Martí en su famoso «Nuestra América», de 1891, en donde rechazaba por inútil la división entre bárbaros y civilizados con objeto de eliminar a los primeros de la sociedad. Partiendo del postulado: «El gobierno no es más que el equilibrio de los elementos naturales del país», concluía que todos sus gobernantes estaban en relación profunda con los elementos naturales y verdaderos del pueblo, y sugería que los «bárbaros» tenían una autenticidad nacional que era más válida para el subcontinente que las postizas finuras de los «civilizados» —que tan poco habían beneficiado a Hispanoamérica desde los tiempos de Sarmiento. Y, abordando la realidad de los proliferantes tiranos, devolvía a la cuestión de su representatividad todo su carácter contradictorio al señalar que

> por esta conformidad con los elementos naturales desdeñados han subido al poder los tiranos de América y han caído en cuanto les hicieron traición. Las repúblicas han pagado en las tiranías su incapacidad para conocer los elementos verdaderos del país, derivar de ellos la forma de gobierno y gobernar con ellos (8).

La restitución de la unidad al pueblo hispanoamericano implicaba, en efecto, problematizar contradictoriamente la relación con sus endémicos tiranos: los «elementos naturales» o «verdaderos» del país —aun cuando, para Martí, no fueran exactamente el pueblo— hacían posible, indistintamente, tanto la tiranía como una futura forma de gobierno presumiblemente no tiránica: dos productos o consecuencias mutuamente exclusivos. Quizás esta recuperación de la unidad nacional dificultara extraordinariamente el planteamiento político práctico —en efecto, ¿cómo conseguir entonces el advenimiento de ese producto natural de signo contrario a la igualmente natural tiranía?—, pero ganaba mucho también en claridad la relación entre el pueblo y sus distintos dirigentes.

Por diversas razones que no son ahora directamente del

caso, la propuesta de Martí fue inmediatamente malentendida. Y lo fue con el peor de los malentendidos posibles: tomando el rábano por las hojas, es decir, aceptándola en parte. Explica Angel Rama:

> Si el dictador no era una aberración, sino un producto de una relación profunda con la sociedad latinoamericana a la que expresaba cabalmente, en especial respecto a las vastas masas incultas que constituían la inmensa mayoría, no había entonces esperanzas de redención, vistas las características que [los] intelectuales observaban en sus pueblos. "El pueblo enfermo" fue la consigna que en César Zumeta, en Alcides Arguedas, en Octavio Bunge, obtuvo teorizaciones y llegó a determinar comportamientos personales, generando el pesimismo de los intelectuales del período que designamos como "modernista" o su secreto hermano gemelo, el "utopismo", que puso en el futuro, donde se pudiera producir la palingenesia de ese pueblo, la eventualidad de la sociedad democrática (9).

La relación dialéctica implícita en la formulación martiana volvía así a quedar desvirtuada: para los pesimistas, las sociedades hispanoamericanas enfermas no podían producir sino gobernantes enfermos, tiranos. Ante la rigidez causal, irreversible, de esta relación no quedaba más que resignarse. Para los optimistas, en cambio, se trataba de curar la enfermedad de ese organismo alopáticamente con fuertes dosis de instrucción, de modo que en el futuro, cambiando el pueblo, fuera capaz de generar gobiernos democráticos y estables. Se volvía, pues, a la división facundiana del pueblo en dos mitades independientes para luego eliminar una de ellas. Salvo que ahora la que se desechaba era la que antes aceptaba Sarmiento: el pueblo enfermo actual era ahora el de la barbarie; el civilizado sería el pueblo sano del futuro: dos pueblos distintos e irreconciliables.

Lo que en ambos casos se mantenía era un tipo de relación causal entre dos parejas independientes, tirano-pueblo enfermo y gobierno democrático-pueblo sano, que Martí había abandonado al insinuar la bipolaridad o ambivalencia esencial del pueblo, visible en sus dos posibles efectos contradictorios. Al poner en duda el «sine qua non» de la relación causal, su univocidad, había puesto en duda su pertinencia misma para describir esa realidad hispano-americana.

Lo que no lograron las palabras del patriota cubano lo iban a lograr los hechos históricos americanos. En 1910 se inició en México un fenómeno que hubo de resultar inconcebible tanto para los contemporáneos pesimistas del pueblo enfermo como para los utópicos del arielismo y el mejoramiento dirigido del pueblo: ese mismo pueblo mexicano, tal como era, esto es, enfermo, se sacudía de encima una tiranía de más de 30 años, la de Porfirio Díaz, y lo hacía no por intervención de doctrinas o elementos extraños a él, no gracias a una medicina alógena, sino desde su propio interior y con sus propias fuerzas; como si dijéramos, homeopáticamente. Esto daba al traste con aquella noción unívoca del pueblo y, por ende, con la de la representatividad popular directa de cualquiera de sus gobernantes —tanto el tirano como el democrático. Si este doble efecto contradictorio, tiranía del general Díaz y democracia de Francisco Madero, podía tener un mismo origen causal, el pueblo mexicano, no sólo se problematizaba la figura de aquéllos, sino que la de éste perdía también su carácter prediciblemente unívoco. Civilización y barbarie resultaban no ser sino alternativas maneras de ver univalentemente una realidad bivalente; ficciones instrumentales que los hechos hacían inadecuadas.

3. *La solución valle-inclaniana*

La novela del tirano de Valle-Inclán, haciéndose eco tanto del contemporáneo fenómeno de la rebelión de las masas como de su corolario, la desrealización del sujeto individual, abordó uno y otro con una fórmula narrativa que inaugura la configuración contemporánea de este subgénero novelesco.

En *Tirano Banderas* una de las claves de la relación representativa entre el tirano y su pueblo es la doble vertebración simultánea del relato de modo rectilíneo y circular: la configuración circular es la que visibiliza un centro o punto medio de la progresión lineal del relato que es al mismo tiempo cifra o ápice de la tiranía y base u origen de su caída. Gracias a ello la rectilinearidad de la intriga puede leerse, sin desvirtuar la progresión diacrónica, de dos maneras contradictorias: como encadenamiento de acciones constitutivas de la tiranía y, por ende, represivas del pueblo, y como encadenamiento de acciones, las mismas, destructoras del tirano y liberadoras del pueblo.

Cuando se recuerda el hecho central de esa doble estructura, la muerte del inocente, el hijo de un indio apellidado San José, salta a la vista cuál es el tipo de configuración estructural puesto en juego por Valle-Inclán: un mundo, este mundo, donde Dios muere por obra del Demonio; pero también, claro está, un mundo donde esa misma muerte redime al hombre del poder del Demonio, matando a éste.

Además, esa circularidad crea dos mitades narrativas mutuamente reflectantes —idénticas, pero invertidas o con el signo cambiado— que describen un sistema estático análogo al de las relaciones del tirano con su pueblo: el orden dinámico de la acción va configurando el orden jerárquico, sistemático, de una sociedad casi estamental: del tirano al indio por el intermedio de su celestinesca oligarquía nacional y extranjera; y del indio, de vuelta, al tirano mediante el criollo ranchero. En ello se atiene Valle-Inclán a la realidad histórica de la Revolución Mexicana, que fue efectivamente propiciada por la tiranía de Porfirio Díaz y por la conducta de su oligarquía; iniciada por el elemento criollo en la persona y seguidores de Francisco Madero, y llevada a cabo por el pueblo mexicano.

La representatividad del tirano respecto de su pueblo no se encuentra, pues, en la identidad o analogía de sus caracteres respectivos, sino en su contradictoria relación como inevitables reflejos mutuos o caras invertidas de un mismo proceso de victimización: el tirano es tanto el verdugo como la víctima del pueblo, lo mismo que éste tanto sufre su imposición, pasivamente, como se le enfrenta, activamente. La afirmación personal del tirano a lo largo de la novela, su protagonismo, implica su desaparición, del mismo modo que la postergación del pueblo aboca a su emergencia victoriosa. Abandona así Valle-Inclán tanto la paralizante afirmación del carácter representativo del tirano de un pueblo enfermo en su alternativa versión de inevitabilidad o de regeneración utópica de ese pueblo, como la negación de esa representatividad que estaría implícita en el carácter de aberración social del tirano. Representatividad, en cambio, ambivalente y contradictoria, autocancelante, que corresponde a un momento preciso de la tiranía: el momento de su caída o, en términos médicos, el momento en que hace crisis la «enfermedad» convirtiéndose, por su propio dinamismo, en su contrario, el principio de la salud.

Ahora bien, esta correspondencia dialéctica entre tirano y pueblo mediante la cual ambos afirman su existencia y se reflejan en su recíproca negación, no adquiere toda su fuerza más que cuando el individuo —el tirano— y la entidad supraindividual —el pueblo— han perdido autonomía ontológica, esto es, cuando en vez de referir implícita o explícitamente a sendos orígenes independientes y externos a ambos, se agotan uno en otro y se definen por su negación recíproca. La revelación de la ficticia solidez ontológica del individuo como explicación y cifra de un pueblo implica la revelación de la igualmente ficticia solidez ontológica de un pueblo que produjera a sus gobernantes a imagen y semejanza suya. Y obliga, en cambio, a aceptar la realidad de esta constitutiva alternancia ficticia.

A esta dialéctica histórica de las ficciones ontológicas de individuo y pueblo corresponde una dialéctica literaria de igual signo y fuerza. Roberto González Echevarría la señalaba ya en el *Facundo* de Sarmiento en estos términos:

> Quiroga puede ser un bárbaro, pero es una figura poderosa y atractiva que domina el libro, además de ser agente de un proceso benéfico que sólo entiende oscuramente. Existe una engañosa/atractiva ["beguiling"], analogía en este punto entre el caudillo y el autor, otro atrevido paso que Sarmiento no duda en dar, y declara al modo de Flaubert: "Yo soy Facundo Quiroga." En este momento nace la novela del dictador moderna. Sarmiento se da cuenta de que el poder de su propia conciencia en el libro, la energía que le permite interpretar la historia para escribirla, es análoga al poder de su propia criatu-

193

ra, Facundo Quiroga ... En el libro, el caudillo será una hipóstasis del autor (10).

Palabras a las que añade las muy conocidas de Unamuno en *Cómo se escribe una novela* —escritas en 1925, el 15 de julio precisamente, y no a fines de siglo, como dice González Echevarría (detalle que menciono por su significante coincidencia cronológica con la escritura de *Tirano Banderas*):

> Los grandes historiadores son también autobiógrafos. Los tiranos que ha descrito Tácito son él mismo. Por el amor y la admiración que les ha consagrado —se admira y hasta se quiere aquello a que se execra y que se combate ... ¡Ah, cómo quiso Sarmiento al tirano Rosas!— se los ha apropiado, se los ha hecho él mismo (11).

Esta ontologización del tirano por analogía implícita con el escritor, aunque ficticia, es, sin duda, inevitable y hasta necesaria: es la garantía de significancia de la escritura, esto es, el origen de su sentido como querer-decir personal de alguien. Pero la medida en que se propicia y se resalta es justamente la medida en que se impide que el tirano represente otra cosa que al autor, a su pueblo. En la medida en que se minimiza u oculta esta dependencia respecto del escritor, es decir, en la medida en que se destaca el carácter ficticio de esta dependencia, el tirano queda reducido a su valor de signo constituido por su diferencia respecto de otros signos en sus recíprocas diferencias dialécticas. Dicho de otro modo, para que el tirano pueda aparecer como padre/hijo de su pueblo, es necesario ante todo que parezca independiente de su verdadero padre, el escritor. Situación edípica en que, como señala González Echevarría, «el rey, el padre es muerto para que pueda ser contado el cuento» (12).

Valle-Inclán pone por obra la estratagema con su característica extremosidad: su narrador es un muerto, un hablante imposible que carece totalmente de voz: las únicas voces que se oyen en la novela —que constituyen la novela, toda ella— son las de unos personajes diciéndose a sí mismos como actores de su propia vida, y la de un entorno que igualmente se dice a sí mismo en tanto que decorado representativo de un entorno real. El novelista se transforma así en un ausente dramaturgo y su novela en una narración-representación: híbrido entre novela y teatro.

La ausencia del autor conseguida por esta aparente adopción del quehacer del dramaturgo libera a los personajes, pero especialmente al tirano, de la tutela o dependencia ontológica respecto del autor. Representantes de sí mismos, pierden totalmente su apariencia de realidad individual trascendental al exhibir la realidad de su carácter ficticio. Al perder fuerza esta ilusión de trascendencia, se eclipsa su supremacía para/al emerger sustitutivamente la ilusión referencial contraria, la de su realidad como puro signo dependiente de su inscripción en un sistema de signos diferenciales que lo desbordan y lo definen al mismo tiempo: el resto del mundo novelesco que le rodea. En vez de aparecer como transunto o hipóstasis por delegación implícita del escritor mismo, se presenta ilusoriamente como referente novelesco de su propia sociedad, la masa de su pueblo.

4. Cuatro ejemplos hispanoamericanos

Este tipo de significación del dictador en la sociedad hispanoamericana, entendida la cuestión como relación dialéctica del personaje con una masa a la que impone su voluntad, es la que delimita las coordenadas semánticas de la novela del dictador, a diferencia de la novela de la tiranía, del pueblo tiranizado, etc., preocupadas por otras cuestiones temáticamente afines, pero estructuralmente distintas. Se aprecian más claramente estas coordenadas al observar las modificaciones de que son objeto, sin perder su identidad, en dos novelas posteriores del mismo cuño, *El recurso del método* (1974), de Alejo Carpentier, y *El otoño del patriarca* (1974), de Gabriel García Márquez.

A modo de contraste negativo es útil considerar antes, sin embargo, en qué medida participa de estas características la primera gran novela del dictador de este siglo escrita por un hispanoamericano, *El señor presidente* (1946), de Miguel Angel Asturias.

Escrita —siete veces reescrita— durante los años 20, justamente cuando escribía Valle-Inclán su *Tirano Banderas*, *El señor presidente* utiliza, como aquél, muchas de las mismas técnicas narrativas entonces disponibles para significar la dudosa pertinencia contemporánea de la imagen individual o biográfica del tirano. Parece, en efecto, plantear la misma problemática relación entre individuo y pueblo, pero lo hace al servicio de una visión surrealista y no dialéctica del problema.

Curiosamente, para una novela así titulada, la imagen individual del tirano prácticamente desaparece: el señor presidente no es objeto del relato más que en siete breves ocasiones. En realidad, su figura no es más que la causa implícita de unos efectos visibles en sus súbditos, que son los relatados por la novela.

Esta imagen popular reactiva se presenta en clave onírica correspondiente a la cosmogonía mítica del indio maya. Configura así, como lo hacía *Tirano Banderas*, un cielo al revés, un infierno o mundo de pesadilla sin salida ni alternativa que, por su dimensión mítica, anula el tiempo de la historia. Pero, a diferencia suya, *El señor presidente* se aparta de la contradictoria disyuntiva fundacional de la novela del dictador al sustituir una realidad por otra: la ausencia del dictador anula la tensión entre masa e individuo, con lo que aquélla no se impone dialécticamente a ésta, sino que la sustituye con ilusoria autonomía. El mundo onírico popular, en vez de tener la solidez de lo declaradamente ilusorio, se presenta como una suprarealidad tan (ficticiamente) sólida y real como la más realista de las existencias: la mítica mentalidad popular no se presenta en su imposible vaivén existencial como reflejo de sí misma que simultáneamente vacía y constituye a la dictadura y al tirano, sino como substrato de la implícita realidad histórica de éstos. En otras palabras, el tirano, precisamente por su ausencia, no resulta desmitificado o reducido a su carácter de contenido del mito popular, sino que éste es una respuesta onírica, pero real, a su figura implícita, aunque igualmente real. Dos realidades cuya relación novelesca como causa y efecto no resulta verosimilizada más que por la incuestionada autoridad ilusoria del escritor: éste adopta la postura del buceador de una realidad generalmente oculta, pero sólida y fundacional, que él se encarga de rescatar para conocimiento del lector.

El mito en este caso no problematiza a su contrario, la historia, afirmando la imposible identidad entre ambos, sino que subyace a ella como nivel histórico más verdadero o profundo, como intrahistoria. Es una de las ingenuidades en que suele caer el surrealismo, capaz de poderosas desfamiliarizaciones de la realidad cotidiana, pero ignorante, en general, de su propia fictividad y, por tanto, de la de esa realidad cotidiana misma en la que se apoya y a la que no consigue, ni quizás pretende, quitar ni un ápice de su ilusoria solidez. Sustitución, pues, de una ilusión por otra sin conciencia de su recíproco carácter ilusorio.

Pero no deja de ser cierto que la sustitución expresa de la figura del tirano por la del mito popular que le rodea, aun cuando sea un intercambio sin dialéctica alguna, señala el camino que van a recorrer las dos novelas antedichas. Es el mismo camino que ya había vislumbrado, por ejemplo, *El gran Burundún Burundá ha muerto* (1952), del colombiano Jorge Zalamea, al reproducir la imagen de un tirano muerto mediante una incantatoria y obsesiva relación de los distintos elementos de su cortejo fúnebre: presencia visible en su prolongación más allá de la existencia del tirano de aquella misma atmósfera reactiva que le acompaña en vida. Tampoco en esta novela, sin embargo, se cuestiona la realidad implícita del tirano, esto es, tampoco se presenta su imagen como simultáneamente propia y ajena.

En este sentido, el barquinazo narrativo lo dan estas dos novelas recientes respondiendo a la insinuación de la surrealidad de los efectos de la tiranía y llevándola a su punto crítico, que es donde entronca con la postura genésica de Valle-Inclán: irrealización de la figura del tirano mediante su dialéctica significación social o multitudinaria. Ambas lo hacen, además, con una interesante novedad común: la de intimizar el relato presentando la «conciencia» del tirano como «locus» narrativo privilegiado. Significa ello una creación de personaje individual que sería anacrónica si no estuviera puesta al día por su autocancelante problematicidad. La intimización del relato, en efecto, no equivale en ningún caso a una subjetivización que pierda de vista la dimensión social o ajena de la figura del tirano; al contrario, es el modo de radicalizar la dialéctica del binomio individuo-masa (dictador-pueblo) al destacar, en ese reducto privilegiado que es la conciencia individual, sus características enajenadas.

Esta conciencia individual está escindida en ambas novelas en dos mitades nunca totalmente coincidentes, pero siempre contradictoria y mutuamente reflectantes. Una es la portadora de significaciones nacionales o, simplemente, transindividuales; la otra, de significaciones específicamente personales. Los títulos mismos dan ya idea de la clave elegida en cada caso para estas parejas dialécticas: en *El recurso del método* (cartesiano, por supuesto) la diada se presenta como teoría y práctica de cierta ideología unitaria en uno de sus más críticos avatares; en *El otoño del patriarca* se ofrece como alternante relación padre-hijo-padre, igualmente autorreflexiva y crítica. Esta polaridad es la que permite la atención bifocal a los dos aspectos constitutivos, tirano-pueblo, de ese fenómeno único que es la realidad hispanoamericana.

A semejanza de *Tirano Banderas*, en ambas novelas la Historia se impone referencialmente como compuesto sincrético del anecdotario de varias tiranías de principios de siglo. Pero el tratamiento narrativo difiere en una y otra. En la de Carpentier esta Historia está sometida a una diégesis recurrente de rebeliones una y otra vez sofocadas, cada vez con mayor urgencia, hasta la cuarta de ellas que envía al exilio parisino al dictador, poniendo así fin al vaivén entre Francia e Hispanoamérica, entre lo forastero y lo autóctono.

Recurrencia y vaivén son un mismo modo de destacar aquella doble dimensión valle-inclaniana de dinamismo y estatismo que ya se ha señalado: el avance es una continua repetición o desplazamiento circular que no abandona nunca su punto de partida, puesto que éste es también el de su acabamiento, significando así la duplicidad interior de la situación.

La clave temática de este movimiento quieto es el de la ideología que informa a este tirano y, por ende, a su cultura hispanoamericana: por un lado, europea, individualista, cartesiana, esto es, progresiva y lineal; por otro, americana, recurrente o atemporal, desindividualizada. El nexo entre ambas se lleva a cabo mediante una deformación de lo europeo —uso o abuso de las conclusiones o fines ideales del método cartesiano como recursos de aplicación práctica —que, por un lado, resulta no ser sino su aplicación estricta, pero, por otro, es su más violenta perversión.

Claro está que no es la revelación de la cara ilusoria de las premisas culturales europeas lo que *El recurso del método* pretende señalar, sino, a partir de su inherente falsedad, el valor catalítico que tienen respecto de una realidad americana desconocida: fecundada y ahogada por ellas.

Esta subversión del código europeo en América implica el continuo descentramiento del sujeto hispanoamericano —el tirano y el pueblo hispanoamericanos— igualmente sometidos a ese vaivén que los constituye, o visibiliza, y los destruye. La individualidad pierde carácter trascendente al (des)centrarse en la parodia: parodia de lo individual por lo transindividual que no excluye, naturalmente, el origen mismo de la escritura, pues el dictador es (inevitablemente) Carpentier mismo en sus obras anteriores y en sus gustos conocidos, tan pronto referencialmente identificables como ficcionalizados por su pertinencia narrativa.

El otoño del patriarca maneja más radicalmente aún la perspectiva histórica de la tiranía: la invierte. Aun cuando también sincretiza la Historia de varias tiranías, trabaja a partir de una base cíclica y destemporalizada, mítica, que el discurrir narrativo va puntuando linealmente. En vez de una mitificación de la Historia se da, pues, la historización de un mito postulado de antemano —bien que lo que interesa no sea tampoco el producto final de Historia mitificada o de mito historizado, sino el inevitable tranzado o hibridaje de ambos.

Este presupuesto mítico de la novela se revela en su

subyacente «historia» bíblica: el dictador como figura de Cristo rodeado de una Sagrada Familia. «Historia» que es simultáneamente concretada y subvertida, esto es, parodiada, por las anécdotas históricas en que se hace encarnar. De nuevo nos encontramos, pues, con un cielo al revés, aunque sin figura infernal, sino más bien con la de un redentor del pueblo que es también el padre cruel que controla y determina la conducta de ese pueblo.

Lo mismo que en *Tirano Banderas* y *El recurso del método,* esta porosidad simbiótica entre dictador y pueblo no es posible más que gracias a la intrascendencia del protagonista como individuo; a su conversión en una simple relación transindividual: el individuo siempre remite a otros individuos que, a su vez, no tienen más sustancia que la de reflejar a otro. En *El otoño del patriarca,* propiamente, no hablan ni el dictador ni el pueblo —ni, desde luego, un narrador individual—, sino una per-sona imposible, incoherentemente hecha de retazos de distinta procedencia pronominal: un yo y un nosotros que sólo cuajan mientras no se les exija estrictamente un origen referencial determinado. La colectividad crea al tirano para mejor negarse como tal colectividad y, a su vez, el tirano modela a esa comunidad sólo en la medida en que se afirma como espectáculo suyo. Si existe el patriarca no es más que como hijo de una comunidad que él mismo ha generado.

5. *La espectacularidad*

La novela del dictador, quizá la más económica, aunque no la única, de las perspectivas globales sobre la realidad hispanoamericana, es quintaesencialmente la novela de la problematicidad del personaje —y, por tanto, de la masa. El problema definitorio del género, el de la representatividad nacional del tirano, responde a la decadencia europea, especialmente la decadencia de la ficción occidental del sujeto, sin la cual no hubiera sido posible abordarlo. La vieja estrategia consistente en entender la realidad social a través del concepto o enrejado de conceptos llamado sujeto individual, resulta en ella puesta a prueba y, en última instancia, reafirmada sólo como ficción consciente de su mentiroso carácter. Y es que esta ficción utilitaria no sólo funciona en la medida en que, como antaño, no parezca ser ficticia, sino que lo hace todavía más eficazmente cuando exhibe y se limita a su carácter ficticio. Permite entonces el vaivén dialéctico entre la identidad individual y su pérdida gracias al cual surge a la vista lo radicalmente otro: los demás como masa en que se funda lo individual.

Si el arte moderno o, ejemplarmente, el cubismo consiste, como sentía Ortega y Gasset, en la proyección de ideas sobre la realidad, en la expresión del sujeto como fuente o proyector de realidades en vez de como receptor o sumidero de ellas, entonces, era inevitable que, pasado el primer momento de ingenuidad, se empezara a dudar de la realidad autonómica del sujeto, esto es, de la capacidad de esas ideas como expresión de lo íntimo e intransferiblemente personal. De esa duda surge el individuo convertido en pantalla, a la vez receptor y emisor de una realidad que, aunque ajena a él, sin él no existiría.

Esto quizás no esté más que potenciado en *Tirano Banderas,* mientras que en las otras dos novelas actuales del dictador, en cambio, es su premisa de base. Pero es que si la primera correspondía a un momento de crisis inaugural del individuo, las segundas pertenecen a una época en que aquella crisis ha pasado a ser la naturaleza misma de la existencia contemporánea: la espectacularidad, que podía no parecer a principios de siglo más que un momento pasajero y de transición, se ha revelado ser la base constitutiva misma de las nociones de individuo y de sociedad actuales como reflejos mutuos que se identifican y se niegan al mismo tiempo.

Retrospectivamente, no deja de parecer inevitable que haya sido Valle-Inclán quien primero abordara esta cuestión: hombre histórico y atemporal al mismo tiempo, encontró su identidad en una continua actualización paródica de la historia; español periférico de nacimiento y mexicano por vocación, nunca participó de la nuclearidad castellana más que en lo que ésta tenía de problemático y contradictorio; nítidamente individualizado en su tiempo, dependía para ello, sin embargo, de su carácter histriónico de personaje sostenido por el reconocimiento público, esto es, por su espectacularidad a los ojos de los demás. Tenía, pues, mucho en común con ese hombre hispanoamericano condenado a verse representado/deformado por unos dictadores y una historia que, aunque le reflejan esperpénticamente en un espejo cóncavo, no dejan de darle, al fin y al cabo, su única imagen posible.

Si Valle-Inclán vivió la disolución del sujeto, Carpentier y García Márquez nacieron ya como sujetos disueltos, descentrados, como personajes para otros. La espectacularidad no ha sido para ellos una momentánea solución de urgencia, sino una condición de existencia. De modo que si en época de Valle-Inclán todavía se podía afirmar que cuando se confunde la Novela con la Vida es que no se entiende ni la Novela ni la Vida, hoy, y en Hispanoamérica, habría que decir, más radicalmente, que cuando se cree que son dos cosas distintas es que no se conocen ni una ni otra.

NOTAS

(1)   José Ortega y Gasset, *La rebelión de las masas* (1930) (Madrid: Espasa-Calpe, 1956), p. 136.

(2)   *Ibídem*, p. 179.

(3)   Gregorio Martínez Sierra, «Hablando con Valle-Inclán de él y de su obra», *ABC* (7 de diciembre de 1928), en José Esteban, *Valle-Inclán visto por...* (Madrid: Gráficas Espejo, 1973), p. 299.

(4)   *Ibídem*, pp. 299-300.

(5)   Carta de Valle-Inclán a Alfonso Reyes el 14 de noviembre de 1923. Reproducida en Emma Susana Speratti-Piñero, *De «Sonata de otoño» al esperpento (Aspectos del arte de Valle-Inclán)* (London: Támesis Books Limited, 1968), p. 201.

(6)   Ciro Alegría, «Prólogo a la vigésima edición» de *El mundo es ancho y ajeno* (Buenos Aires: Losada, 1968), p. 11.

(7)   Angel Rama, «Los dictadores latinoamericanos en la novela», en *La novela en América Latina. Panoramas 1920-1980* (Instituto Colombiano de Cultura, 1982), p. 367.

(8)   José Martí, «Nuestra América», en José Martí, *Nuestra América* (Sucre, Venezuela: Biblioteca Ayacucho, 1977), p. 28.

(9)   Angel Rama, *Obra citada*, pp. 364-365.

(10)   Roberto González Echevarría, «The Dictatorship of Rhetoric: The Rhetoric of Dictatorship: Carpentier, García Márquez, and Roa Bastos,» *Latin American Research Review*, XIV, 3 (1980), página 207. (La traducción del inglés es mía.)

(11)   *Ibídem*, p. 208.

(12)   *Ibídem*, p. 210.

TERCERA PARTE

UNA AMERICANA MEXICANA

—Quel observateur! s'écriait Bouvard.

—Moi je le trouve chimérique, finit par dire Péchuchet.

(Gustave Flaubert.)

CAPITULO I

MEXICANOFILIA Y PSEUDO-HISTORIA

El carácter panhispánico del mundo de *Tirano Banderas* a todos los niveles —sucesos, individuos, paisajes, hablas— haría pensar en un aprovechamiento de la realidad americana sin distinción de épocas ni de fronteras: una y otra historia nacional; una y otra región; unos y otros tipos, costumbres y leyendas hispanoamericanas, sin primacía de ninguno de ellos en particular: la síntesis debería arrancar de un acopio equilibrado de materiales hispanos. Esta es, quizás, la impresión que pretende dar la novela. No es, sin embargo, la realidad de su composición: una desproporcionada mayoría de las referencias apunta a México, a su historia, a sus personajes, a su paisaje, a su habla y sus costumbres. El hispanismo total de Valle-Inclán tiene una base sobre todo mexicana. En este sentido, *Tirano Banderas* logra una aparente cuadratura del círculo: convertir alusiones a la realidad mexicana en rasgos definitorios de la esencia hispanoamericana.

La tensión entre estos dos polos, México e Hispanoamérica, fue inmediatamente reconocida por todos los reseñadores de la novela. El mexicano Martín Luis Guzmán la expresaba así en febrero de 1927:

La última novela de don Ramón del Valle-Inclán —*Tirano Banderas*— será juzgada probablemente según dos criterios diversos y, en parte, inconciliables: uno será el criterio español; otro, el hispanoamericano. Conforme al primero, habrá quienes descubran en esta "novela de Tierra Caliente" —con plena justicia— una síntesis admi-

207

rable de la América esencial, en el sentido en que hay una esencia última de España en *Luces de Bohemia* o en la *Farsa y licencia de la reina castiza*. Conforme al segundo, habrá los que perciban allí, en vez de la esencia, la caricatura. A propósito de este segundo modo de ver, conviene detenerse en unas cuantas observaciones.

Santa Fe de Tierra Firme, a no dudarlo, no es un México disfrazado, como no es tampoco, en particular, ningún otro de los países de la América hispana. También parece evidente que la época del relato novelesco ... no corresponde de hecho con ningún momento de la historia americana. Mas aun cuando esto sea así, los lectores hispanoamericanos de *Tirano Banderas* —por lo menos en ciertos países, como México— difícilmente resistirán al impulso de referir la ficción del libro a las realidades vernáculas que han visto vivir o que están viviendo. Y como la realidad nuestra no produce, bajo el implacable ojo estilizador y refinador de don Ramón, cuadros muy gratos para nuestras ínfulas vanidosas, los hispanoamericanos aludidos seguiremos el trazo, atentos de preferencia a la exageración que haya en él, al exacerbamiento, a la caricatura —no a la revelación esencial. Los mexicanos, de seguro, seremos los primeros en bajar por esa pendiente (1).

De hecho, en lo que respecta a la «lectura mexicana», esta profecía no se ha cumplido sino muy infrecuentemente. En lo que sí ha resultado cabalmente cierta es en el mantenimiento del carácter inconciliable de ambas visiones: quienes se inclinan al «criterio español», que son la mayoría, hacen caso omiso de la importancia de la mexicanidad de *Tirano Banderas*; y hasta aconsejan descartarla por completo. Valgan como ejemplo las palabras de Enrique Díez-Canedo en la «Revista de Libros» de *El Sol* de 3 de febrero de 1927:

Empecemos por desechar la idea de una novela de clave. Santa Fe de Tierra Firme no es México. A *Tirano Banderas* no se le puede poner un nombre determinado. Como no se le puede poner a don Roque Cepeda, ni a Filomeno Cuevas, por más que en uno y otro haya rasgos de esta o aquella personalidad histórica; de cuáles, los enterados, en seguida lo advierten; a los no enterados no les importa (2).

En realidad, la alternativa o no existe o está mal planteada, porque la reconocible predominancia de lo mexicano en la novela —predominancia atestiguada por Guzmán y, negativamente, por Díez-Canedo mismo, puesto que la considera un peligro contra el que hay que alertar al lector— no quita nada a su valor sintético panhispánico. Ni su reconocimiento obliga a ver en *Tirano Banderas* una novela de clave sobre México.

Ambos criterios son perfectamente conciliables con sólo pensar que lo mexicano está concebido y utilizado como la quintaesencia de lo hispanoamericano: toda América, sí, pero en la medida en que se refleja en México; y sólo o sobre todo México, pero en la medida en que participa de lo americano.

En efecto, México, y muy especialmente la Revolución Mexicana, no fueron para Valle-Inclán un país y una revolución más en Hispanoamérica, sino el país y la revolución hispanoamericanos por excelencia. Tanto la temprana y constante mexicanofilia a lo largo de toda su vida, como sus amplios conocimientos sobre este país, una y otros alimentándose mutuamente, le llevaban por este camino.

La primera de sus estancias en México fue, ya se sabe, profundamente fantaseada por Valle-Inclán. Le decidió a ella el hecho de que «México se escribe con X», como él decía; así como el que uno de los antepasados que se atribuía, Gonzalo de Sandoval, hubiera sido fundador en aquellas tierras del reino de Nueva Galicia, lo cual, afirmaba, le hacía sentirse llamado a seguir sus pasos «en la vastedad del viejo imperio azteca» donde «soñaba realizar altas empresas, como un aventurero de otros tiempos» (3).

En otras ocasiones, más sincero o más generoso, confesaba:

> La verdad es que fui a México con el propósito de conquistarlo. Pero en vez de luchar contra México, luché por México, a favor de México ... Y es lo que seguiré haciendo (4).

Dio muestras, en efecto, desde sus primeros años profesionales, de su cariño y su interés por México. Comenzando por la veta mexicana de su producción literaria que se inicia con «Bajo los trópicos (Recuerdos de México): 1: En el mar», de 1892, continúa en «La niña Chole», de *Femeninas* (1895), dos fragmentos titulados «Tierra Caliente», de 1899 y 1901, y culmina en su *Sonata de estío*, de 1904.

En 1921 recordaría, con ocasión de su segunda visita,

> Hace veinticinco años ... que estuve por primera vez en México. Y usted no sabe cuán grato a mi espíritu es regresar de nuevo a este país, donde encontré mi propia libertad de vocación ... Aquí, en este país, yo me llegué a connaturalizar, no obstante el poco tiempo que estuve, con sus costumbres. Aparte de esto, el palpitante espectáculo de su pasado, que se encuentra en las piedras de las iglesias, en los edificios coloniales, etc., me hicieron amar este suelo, en donde encontré mudas, pero significativas enseñanzas de arte y de belleza (5).

Esta segunda visita había sido consecuencia de la invitación que, a través de Alfonso Reyes, le hicieran la Universidad de México y el presidente Obregón para que asistiera a la conmemoración del centenario de la Independencia nacional. Invitación que Valle-Inclán aceptó inmediata y entusiastamente:

> Al recibir dicha invitación ... no vacilé en aceptarla, no obstante algunos compromisos que tenía con uno de mis editores. Ella venía a llenar una necesidad interior que experimentaba desde hacía muchos años: volver a México. ¡Imagínese, pues, la alegría que sentí! (6).

Días antes de emprender este viaje se había reunido con Alfonso Reyes, quien recordaría así la conversación:

> —Y si volviera usted a México, y lo encontrara igual, ¿lo amaría usted aún?
>
> —Sí.
>
> —¿Y si lo encontrara completamente cambiado?...
>
> —También lo amaría, también.
>
> —Usted, don Ramón, es a toda hora el mejor amigo de México. Lo ama usted en sus cualidades y comprende (y quizás los ama también un poco) sus defectos ... Usted, por el simple hecho de aceptar la invitación de México, ha devuelto —en nombre de España— el equilibrio a la balanza moral. Séanle gratos el cielo y el suelo de Anáhuac (7).

Durante esta visita sorprendió a todos con su apasionada toma de posición a favor del espíritu y los hechos revolucionarios, creando un no pequeño escándalo en la colonia española de aquel país y en círculos oficiales de España. Escándalo que colmó con unos incendiarios versos de despedida al indio mexicano, ya citados. Al volver a España no cejó en su partidismo. Semanas después de su vuelta, por ejemplo, el 19 de febrero de 1922, dio en el Ateneo madrileño una conferencia titulada «Obligación cristiana de España en América», en la que volvió a denunciar

> la confabulación entre los gachupines y los Estados Unidos para evitar el reparto de las tierras en México, con lo cual quedarían redimidos los indios (8).

Y a todo el que quería oírle le intentaba adoctrinar incontinenti con afirmaciones como ésta:

> La Revolución Mexicana tiene un aire redentorista que le da parecido con la rusa ... La Revolución Mexicana la han hecho los hombres libres del tipo de Madero y Obregón, que sintieron la necesidad de redimirse ... La posición de España es estar al lado de esos hombres. Con esto España no hará más que seguir una tradición nacional iniciada en el siglo XVI por el padre Las Casas. Y Hernán Cortés en su testamento dispuso que le enterraran en el Hospital de Jesús, que él había fundado para asilo de indios desvalidos. El conquistador quería ser enterrado en el seno popular y no en el panteón de la catedral, entre encomenderos y prelados. Este es el ejemplo que debemos seguir (9).

O como éstas:

> México es el pueblo de América más fuerte y el de porvenir más glorioso, dejando aparte la isla de Cuba ... Las feroces luchas mexicanas son pregoneras de la noble exaltación y de la inquietud de un pueblo que se conmoverá constantemente con terribles revoluciones; pero que constantemente también irá contra su propios vicios para destruirlos (10).

O como estas otras:

> A mí México me parece un pueblo destinado a hacer cosas que maravillen. Tiene una capacidad que las gentes no saben admirar en toda su grandeza: la revolucionaria. Por ella avanzará y evolucionará (11).

A quienes mantenían opiniones distintas, por ejemplo, a quienes defendían la postura oficial de no reconocimiento del gobierno del presidente Obregón hasta tanto no se hubieran pagado varios millones de indemnización a los españoles residentes en México, como lo hizo un artículo del semanario *España* bajo el título «Méjico, los Estados Unidos y España», el 6 de octubre de 1923, les contestaría inmediatamente con una carta abierta del 20 de octubre, ya citada en parte, que acaba con estas palabras:

> La Colonia Española en México, olvidada de toda obligación espiritual, ha conspirado durante este tiempo, de acuerdo con los petroleros yanquis. Y aun cuando ahora, perdido el pleito, alguno se rasgue las vestiduras y se arañe la cara, nadie podrá negar que ha sido imposición de aquellos troglodítas avarientos, la política de España en México. Hora es ya de que nuestros diplomáticos logren una visión menos cicatera que la del emigrante que tiene un bochinche en América (12).

Los mexicanos correspondieron siempre generosamente a Valle-Inclán. Cuando en noviembre de 1923 se lamentaba a Alfonso Reyes de su difícil situación personal, sin una peseta y enfermo de gravedad, éste informó al presidente Obregón, quien envió cierta cantidad de dinero a Valle-Inclán:

> Cómo decirle —le contesta éste—, cuánto le agradezco el generoso y delicado ofrecimiento del presidente Obregón y la amistosa intervención de usted en este asunto. Acepto muy reconocido, si bien con la íntima pena de que mi amistad por México no haya podido mostrarse con todo el desinterés que yo hubiera deseado. Pero mi situación es bastante angustiosa y la enfermedad larga y de cura difícil (13).

Años más tarde, en 1932, estando otra vez en situación económicamente angustiosa, vuelve a ser México quien le ofrece un puesto seguro y bien remunerado. Sólo la concesión, poco después, de la dirección de la Escuela Española en Roma, por la II República, frustró este exilio de Valle-Inclán y evitó que muriera en América.

Valle-Inclán seguía los acontecimientos en México con tanto interés y esperanzas como si fuera, más que un español, un mexicano fuera de su tierra. Escribe a Alfonso Reyes el 20 de diciembre de 1923:

> … Me aparto del ánimo primero que me movía para escribirle. Ya usted adivina que es la revolución de México. Si he de ser franco le diré que esperaba ese intento de los latifundistas. No pueden hacerse revoluciones a medias. Los gachupines poseen el setenta por ciento de la propiedad territorial: —Son el extracto de la barbarie íbera. —La tierra en manos de esos extranjeros es la más nociva forma de poseer. Peor mil veces que las manos muertas. Nuestro México para acabar con las revoluciones tiene que nacionalizar la propiedad de la tierra, y al encomendero. Las noticias de los periódicos son harto confusas, pero a través de este caos presiento el triunfo del Gobierno Federal. El General Obregón está llamado a grandes cosas en América. Su valor, su ánimo sereno, su conocimiento del tablero militar, su intuitiva estrategia y su buena estrella de predestinado, le aseguran el triunfo. A más que la Revolución de México, es la revolución latente en toda la América Latina. La revolución por la independencia, que no puede reducirse a un cambio de visorreyes, sino a la superación cultural de la raza india, a la plenitud de sus derechos, y a la expulsión de judíos y moriscos gachupines. Mejor, claro está, sería el degüellen (14).

No sentía lo mismo, en cambio, por otros países hispanoamericanos que había conocido, especialmente Argentina, visitada en 1910. A su vuelta a España entonces, el carlista *El Debate,* de Madrid, publicaba estas declaraciones:

> —¿Qué le ha parecido a usted todo aquello?

> —Muy aburrido, sobre todo. Es una población fenicia, entregada al comercio, sin tradición, sin costumbres peculiares. Una mundana de París con ojos de piel roja.

> —¿El paisaje?

> —Horrendo; de Buenos Aires a Mendoza, treinta horas consecutivas de llanura interminable. Un campo triste, sin la dulce tristeza del ocaso, triste en su soledad ígnea (15).

En la escandalosa entrevista con el periodista cubano Ruy Lugo Viña, publicada en *El Universal* de México el 14 de noviembre de 1921, le preguntó éste por la Argentina y los argentinos.

Y he aquí su respuesta, que fue fulminante:

—¿La Argentina? ¡Una barbaridad! ¿Los argentinos? ¡Unos bárbaros!... ¿Qué le diré de la Argentina? Todo país es grande por cuatro factores: su suelo, su subsuelo, su industria y sus hombres, sus pobladores. De esos cuatro elementos, la Argentina no tiene más que uno: un suelo. No obstante. Por lo tanto, es un país llamado a desaparecer. Cuando la emigración europea se oriente hacia México, el Brasil y las Antillas, perdido ya su miedo a la fiebre amarilla, la Argentina dejará de tener la apariencia de un país rico. Y entonces habrá que reírse de su famosa preponderancia.

Pregunto en seco:

—¿No piensa usted volver a la Argentina?

A lo que responde, más en seco aún:

—¡Jamás!

Y añade entre dientes:

—¡Bah! Entre México y la Argentina no hay comparación... (16).

Las declaraciones causaron gran revuelo. Años más tarde, Valle-Inclán intentaría quitarles hierro, pero aun así no dejan de indicar, cuando menos, que ningún otro país hispanoamericano suscitaba en él pasión tan cordial como lo hacía México:

Nunca he tenido por costumbre rectificar lo que me hayan hecho decir los periodistas. ¿Para qué? Aunque se desmientan las declaraciones, siempre hay lectores que creen que se han dicho y que por temor se rectifican ... Pero, recuerdo que una vez en México, cierto periodista cubano y malintencionado me metió en un lío con la Argentina por unas declaraciones mías que interpretó torcidamente. No me gusta generalizar. Mi obra está llena de cuidado en este sentido. Hablé de la Argentina como un argentino más. Ni la Argentina, ni España, ni México, ni ninguna nación del mundo tiene una sola cara. Hay de todo como en la viña del Señor, bueno y malo. Conviene resaltar lo bueno, pero no está de más hablar de lo malo. Siempre que he oído a un americano criticar a

España me he dicho: —¡He aquí a un español más! Y ahí está mi *Tirano Banderas* para señalar con cuánto desprecio trato a mis paisanos, encomenderos y ricachones, explotadores y diplomáticos viciosos y rijosos que merodean por América, y con cuánta emoción me acerco a mis hermanos americanos, los explotados y los humildes, los perseguidos y los necesitados ... Burlarme de los ginjoístas argentinos no es atacar al país; escarnecer a los explotadores y a los pedantes no es despreciar al pueblo argentino ... Después de mi regreso he dejado en mi obra exaltaciones sobre la Argentina y su futura grandeza espiritual —que es la que vale— en el arte y en el idioma, sin pasar recibo por ministerios y embajadas. Pero aquellas declaraciones me valieron no sé cuántas cartas de protesta. Hasta el ministro plenipotenciario protestó (17).

Había, pues, razones más que sobradas para que la visión americana de Valle-Inclán pasara por un filtro personal casi exclusivamente mexicano. A ellas hay que añadir, además, que la idea de una novela de Tierra Caliente, una novela centrada en México, era muy antigua en Valle-Inclán. Por lo menos desde 1905, fecha en que la lista de publicaciones que acompaña a su *Sonata de invierno* anuncia la próxima aparición de un *Hernán Cortés*. No aparecerá, ni se escribirá quizás, tal novela, pero sí dará lugar, en fecha indeterminada, a que Valle-Inclán se documente prolijamente —como solía— sobre todo en los cronistas de Indias.

Todavía en 1921 —o de nuevo en esa fecha—, con ocasión del segundo viaje a México, sigue pensando en ello. En una entrevista dice entonces que piensa escribir algo sobre este país, pero no una novela: «No; creo que será como narración de diario» (18). Y en otra, en cambio,

nos habla ... del proyecto suyo de escribir un libro en el que figuren algunos motivos mexicanos. El cree que hay muchas cosas que decir, que revelar respecto a nuestra alma nacional, y que un observador, si reúne además la condición de ser artista, es decir, de reflejar por medio del verbo humano lo que ha visto, lo que ha sentido, lo que ha amado, puede adquirir una personalidad más vigorosa por el solo hecho de haber escrito sobre tales cosas (19).

Y en otra ocasión aún, es más explícito sobre el proyecto de 1905 —aunque quizás se trate de otro nuevo:

> Nos habla de su *Hernán Cortés* con un deslumbramiento de sabiduría y dice que piensa escribir una obra sobre la conquista de América, pero sin esclavizarla a la historia conocida. ¡Que para eso no había más que leer a Bernal Díaz! Una obra, asegura el Maestro, sintetizada en la acción de cuatro o cinco personajes, encabezados por el Gran Capitán don Hernando Cortés. Así como se escribió la historia más admirable del Renacimiento con los hechos del Aretino, de Maquiavelo, de Savonarola y de los Borgia. Todo esto entre los rosales de la fantasía, entre los perfumes amables de la belleza ...: "Al escribir *Hernán Cortés,* haré la relación entre el Hombre y el Paisaje. ¿No se explica usted la emoción de estos hombres de hierro, bajo este sol de trópico, frente a las montañas nevadas, el agua tumultuosa, los frutos jugosos, la carne morena...?" (20).

Los planes, indecisos, como se ve, habían tomado una u otras formas —imposible saber cuáles— hasta que vino a decidirlos un acontecimiento ocurrido en España: el golpe de Estado del general Primo de Rivera el 13 de septiembre de 1923. La dictadura casera dio a Valle-Inclán el tema de su novela extranjera. El 14 de noviembre de ese mismo año, dos meses después, anuncia a Alfonso Reyes su *Tirano Banderas* —que se sepa, la primera noticia de la decisión de Valle-Inclán:

> Estos tiempos trabajaba en una novela americana: *Tirano Banderas.* La novela de un tirano con rasgos del doctor Francia, de Melgarejo, de López y de don Porfirio. Una síntesis, el héroe, y el lenguaje una suma de modismos americanos de todos los países de lengua española, desde el modo lépero al modo gaucho. La República de Santa Trinidad de Tierra Firme es un país imaginario, como esas cortes europeas que pinta en algún libro Abel Hermant. Para este libro mío me faltan datos, y usted podría darme algunos, querido Reyes. Frente al tirano presento y trazo la figura de un apóstol con más de Savonarola que de don Francisco Madero, aun cuando algo tiene de este santo iluminado. ¿Dónde ver una vida del Bendito don Pancho? Trazo un gran cataclismo como el terremoto de Valparaíso, y una revolución social de los indios. Para este último necesitaba algunas noticias de

Teresa Utrera [sic], la Santa del ranchito de Cavora. Mi memoria ya no me sirve y quisiera refrescarla. ¿Hay algo escrito sobre la Santa? (21).

Esta descripción todavía no cuadra enteramente con lo que había de ser *Tirano Banderas* —aunque tampoco se abandonan completamente en la novela los personajes y situaciones aquí aludidos, lo mismo que no se abandonará la información recogida para el *Hernán Cortés*—, pero ya están en ella los dos ingredientes o, mejor dicho, los dos polos de lo que será *Tirano Banderas*: su origen mexicano y su meta panhispánica.

Meses más tarde, en mayo de 1924, se ha precisado más el trabajo. En una carta a C. Rivas Cheriff, que éste publica parcialmente en *España,* le dice Valle-Inclán:

> De mí poco tengo que contarle. He recobrado un poco de salud. Trabajo en una novela americana de caudillaje y avaricia gachupinesca. Se titula *Tirano Banderas.* No es en diálogo, sino en una prosa expresiva y poco académica. Tiene, como mis libros, algo de libro de principiante y, como siempre, procuro huir de la pedantería. Yo y mis personajes no sabemos que hay enciclopedias (22).

Dos años después comienzan a aparecer fragmentos de la novela en *El Estudiante,* número de junio-julio de 1925, revista salmantina que en su segunda época se publicó en Madrid, donde siguió apareciendo parte de la novela, números de diciembre de 1925 y enero-febrero de 1926. Luego, el 3 de septiembre de 1926, aparece en la colección de *La novela de hoy,* número 225, toda la Parte IV bajo el título *Zacarías el Cruzado o Agüero Nigromante.* Meses más tarde, el 15 de diciembre de 1926, se publica, con bastantes cambios respecto de lo ya conocido, la primera edición completa; y al año siguiente, el 10 de diciembre de 1927, la segunda edición con la versión definitiva.

Con estas credenciales no es sorprendente que la novela americana de Valle-Inclán preste una atención muy particular a lo mexicano. Lo que esta actitud personal no indica, naturalmente, es cómo lo lleva a cabo en *Tirano Banderas*. No permite, por ejemplo, contestar a algunas preguntas fundamentales para el lector de la novela: ¿es útil o necesario reconocer las alusiones mexicanas o, al contrario, conviene desconocerlas para permitir una más libre alusividad a toda Hispanoamérica? O, desde otra perspectiva, ¿cómo hace la novela para convencer al lector de lo acertado de las opiniones que sobre México e Hispanoamérica sabemos —lo acabamos de ver— que mantenía Valle-Inclán? ¿Cómo confirma *Tirano Banderas*, por ejemplo, esa esencialidad de lo mexicano en lo hispanoamericano que su autor mantenía?

En cuanto se plantea así la cuestión se echa de ver que la novela en vez de ajustarse a esquemas previos sobre lo que son o deben ser la esencia hispanoamericana y la esencia mexicana y sobre la medida en que coinciden o se desemejan, lo que hace es crear su propio esquema de esencia y accidente hispanoamericanos con objeto de conseguir una presentación congruente con las declaraciones extranovelescas de Valle-Inclán. Es decir, la novela es, a su modo, y con su propia estrategia, tanto la confirmación o prueba de aquellas ideas como su creación original o presentación ejemplar.

Tirano Banderas destaca no accidental e inevitablemente, sino con toda voluntariedad, la particularidad mexicana de sus alusiones para con ello alcanzar una idiosincrática versión de lo general hispanoamericano. Particularidad que en la novela se convierte en generalidad no porque tenga un valor esencial según patrones historiográficos previos, sino porque así es como quiere presentarse en ella: Valle-Inclán esencializa ciertos detalles de la historia mexicana al atribuirles un valor total para toda Hispanoamérica —lo tengan o no fuera del contexto creado por la novela misma. Esto viene a significar que no es que la presencia de esos detalles se deba a su carácter esencial para México ni para Hispanoamérica, sino que su existencia novelesca es, por sí sola, la que crea esta sustancialidad nuclear.

Ahora bien, para que esta esencialización existencial sea posible es necesario que esos detalles individuales destaquen su particularidad, se exhiban como datos aislados o seleccionados como esenciales de entre la masa de lo históricamente accidental. Por un lado, pues, deben significar una heterogeneidad suficiente respecto de la homogeneidad nacional o temporal de cualquier Historia. Por otro, esta cualidad heterogénea ha de quedar homogeneizada a un nivel distinto del de la Historia o Historias particulares, esto es, al nivel novelesco.

Lo mismo que ocurría con el lenguaje ficticio o con la naturaleza teatral de los personajes y su entorno —y congruentemente con ello—, la homogeneidad o realidad «histórica» de la novela se basa en una evidente negación de la homogeneidad alternativa de la Historia habitual. Se trata, otra vez, del mecanismo metafórico: autocancelación recíproca de varios elementos de lo real para imponer la pertinencia exclusiva de lo irreal, esto es, la irrealidad como tal. Una historia ficticia, pues, cuya ficción depende de su evidente imposibilidad de ser historia real.

Esta imposibilidad, es claro, no se advierte más que reconociendo esa historia real por debajo de la relatada; dándose cuenta, pues, de su impertinencia. Esta es la que impide automáticamente una lectura realista o en clave de la novela. Así como en la metáfora es necesario reconocer el valor literal de sus términos —puesto que su imposibilidad literal es la garantía de su validez figurada—, el valor histórico esencial de *Tirano Banderas* necesita el reconocimiento de su imposibilidad como realidad histórica.

La Historia de donde Valle-Inclán extrae sus materiales es doble. Por un lado, la de México, entre 1876 y 1920, casi el medio siglo aproximado de su propia vida por entonces. Estos casi cincuenta años de vida mexicana abarcan desde la subida al poder de Porfirio Díaz hasta la inminente subida al poder de Alvaro Obregón. Los sucesos y personajes de este amplio segmento histórico están desarticulados analíticamente y sólo unos pocos vuelven a reensamblarse en una nueva unidad de dos días y medio —1, 2 y 3 de noviembre de 1892, año del primer viaje de Valle-Inclán a México— y un único hecho crítico: la caída de cierta dictadura.

Por otro lado, toda la Historia hispanoamericana desde sus orígenes coloniales, pero sobre todo desde los años de la Independencia. De esta vasta materia es de donde salen los pocos elementos que hispanoamericanizan la visión histórica de origen mexicano. Valle-Inclán incrusta estos detalles no mexicanos según un procedimiento no del todo distinto del que había confesado años antes al contestar a las acusaciones de plagio que le hiciera Julio Casares:

> Si aproveché algunas páginas de las *Memorias* del caballero Casanova en mi *Sonata de primavera* fue para poner a prueba el ambiente de la obra. Porque de no haber conseguido éste, la interpolación desentonaría terriblemente (23).

Más que una justificación «ad hoc», se advierte aquí un método de trabajo. La interpolación de lo histórico —o de lo por otras razones ajeno al material principal— funciona como recordatorio de la impertinencia de la historia habitual y de la pertinencia alternativa de la pseudohistoria ficticia, capaz de acoger a la otra. La presencia de realidades históricas panhispánicas en un relato de base predominantemente mexicana, todo ello homogéneamente conjuntado, «prueba» la americanidad de lo mexicano en el acto mismo de constituirla o crearla.

La identificación del origen de cada elemento y detalle históricos de *Tirano Banderas* resulta, pues, obligada. Es el modo de comprender la naturaleza ficticia o ideal de la visión histórica de la novela, el modo de comprender el alcance de lo que niega Valle-Inclán con objeto de hacer su afirmación alternativa.

NOTAS

(1) Martín Luis Guzmán, «*Tirano Banderas*», *El Universal* (México, D.F.), reproducido en *Repertorio Americano* (San José, Costa Rica), vol. XIV, núm. 13 (2 de abril de 1927), p. 196.

(2) Enrique Díez-Canedo, «*Tirano Banderas*», «Revista de libros», *El Sol* (Madrid), 3 de febrero de 1927, p. 2.

(3) Ramón del Valle-Inclán, «Autobiografía», *Alma Española*, número 8, año I (27 de diciembre de 1903).

(4) Citado por Francisco Madrid, *La vida altiva de Valle-Inclán* (Buenos Aires: Poseidón, 1943), p. 161.

(5) Entrevista con Roberto Barrios, *El Universal* (México, D.F.), reproducida en *Repertorio Americano* (28 de noviembre de 1921), p. 173.

(6) *Ibídem*.

(7) Alfonso Reyes, «Valle-Inclán a México», reproducido en José Esteban, *Valle Inclán visto por...* (Madrid: Gráficas Espejo, 1973), pp. 89-90.

(8) Citado por F. Madrid, *Obra citada*, p. 161.

(9) *Ibídem*, p. 162.

(10) *Ibídem*, pp. 163-164.

(11) *Ibídem*, p. 159.

(12) *España (Semanario de la vida nacional)* (Madrid), reproducido por Dru Dougherty, «El segundo viaje de Valle-Inclán a México: Una embajada intelectual olvidada», *Cuadernos Americanos*, vol. 223, núm. 2 (marzo-abril de 1979), pp. 149-150, nota 18.

(13) Reproducido en E. S. Speratti-Piñero, *De «Sonata de otoño» al esperpento. Aspectos del arte de Valle-Inclán* (London: Támesis Books Limited, 1968), p. 66.

(14) *Ibídem*, pp. 203-204.

(15) Entrevista con Luis Antón del Olmet en *El Debate* (Madrid), 27 de diciembre de 1910.

(16) Entrevista con Ruy de Lugo Viña, *El Universal* (México, D.F.), 14 de noviembre de 1921, reproducida en D. Dougherty, *Obra citada*, pp. 171-172.

(17) Madrid, *Obra citada*, pp. 207-208).

(18) Entrevista con Esperanza Velázquez Bringas, *El Heraldo de México* (México, D.F.), reproducido en *Repertorio Americano*, página 171.

(19) Entrevista con Roberto Barrios, *Obra citada*, p. 173.

(20) Entrevista con Manuel Horta, *El Heraldo de México* (México, D.F.), reproducido en *Repertorio Americano*, p. 172.

(21) Reproducida en Speratti-Piñero, *Obra citada*, pp. 201-202.

(22) Reproducida en J. Esteban, *Obra citada*, pp. 101-102.

(23) Citado por Melchor Fernández Almagro, *Vida y literatura de Valle-Inclán* (Madrid: Taurus, 2.ª edición, 1966), p. 198.

EL TRASMUNDO DE *TIRANO BANDERAS*, POR ALFABETO

La unidad textual que permite la más económica y ordenada exploración de la Historia o Historias tras la ficción novelesca es el nombre propio. Varias de sus características lo convierten en un signo privilegiado del texto a este respecto: su naturaleza esencial —al no designar más que un solo referente; su valor de cita textual —puesto que al proferirlo se apela simultáneamente a todo el contexto que encierra; su carácter paradigmático —pues permite una infinidad de despliegues o repeticiones por sinonimia entre contexto y referente. El nombre propio, incialmente específico, es más generalizable que el nombre común, que funciona justamente al revés: originalmente general, sólo puede particularizarse sintagmáticamente en el texto, por agregación de detalles. Lo que interesa a Valle-Inclán es justamente ese movimiento que va de lo específico y concreto de la Historia habitual a lo general e ideal de la Historia esencial.

El nombre propio tiene además la ventaja de permitir una ordenación alfabética de la información contenida en la novela que, por su neutralidad, respeta la organización específica de ésta sin parafrasearla ni, por ello, traicionarla.

A continuación incluyo entre los nombres propios —todos los de la novela— algunos nombres comunes textualmente especificados como designaciones de un referente histórico particular. En la mayoría de los casos cito además el contexto inmediato en que aparece cada nombre y,

cuando lo hace en varios, el que me parece ser más central-
mente significativo —salvo en el caso de los personajes
principales cuyo contexto es demasiado amplio y variado
para privilegiar acertadamente cualquiera de ellos.

En algunos —demasiados —casos no he podido descubrir referente histórico pertinente detrás del nombre novelesco. No todos lo tienen, sin duda. Es también probable
que en otros casos haya hecho lo contrario, atiborrar el
nombre desmesuradamente con material histórico imperti-
nente. En cualquier caso, no creo que esta cuestión de la
pertinencia sea dirimible con el criterio de los conocimientos o intenciones conscientes de Valle-Inclán. No sólo
porque éstos son en su casi totalidad desconocidos e inve-
rificables, sino porque en este sentido la autonomía textual
no tiene más cortapisa que la que le impone su propia
estructura.

No presento, pues, esta información ni como homogé-
nea, ni como definitiva, ni como taxativamente aplicable
a la novela. Basta, quizás, con que sea un depósito de
donde cada lector pueda elegir los datos que su particular
comprensión de la novela le sugiera.

ARACO, Don Teodosio del: «Don Teodosio del Araco,
ibérico granítico, perpetuaba la tradición colonial del enco-
mendero» (II, 1, iv). Miembro de la Colonia Española en
Santa Fe, contertulio de don Celestino Galindo y Míster
Contum.

En la versión de *Tirano Banderas* aparecida parcialmente en la revista *El Estudiante,* este personaje se llamaba
Iñigo del Araco, lo cual transparentaba la alusión a *Iñigo
Noriega* (1853-1923), español muy rico, amigo personal del
presidente Porfirio Díaz y con mucha influencia política,
que fue especialmente notable por su brutalidad en el trato
de sus subordinados.

Dan idea de su riqueza, su influencia y lo cuestionable
de sus negocios las siguientes referencias históricas: en
1884, siendo presidente de México el testaferro de Porfirio
Díaz, general Manuel González,

para dar de ganar a sus amigos una fortuna, que en ese particular nunca tenía tasa, prohijó la malaventurada idea de mandar poner en circulación una nueva moneda de níquel hecha en el Extranjero sin valor intrínseco ninguno, y como la emisión fue de millones se vio en ello una trampa, una especie de fraude, el público rechazó la moneda y en poco estuvo que no fuera causa de que se produjera una revuelta. Se dijo luego que don Iñigo Noriega había ganado algunos millones en este negocio (1).

Hacia fines de febrero de 1911 tuvieron lugar unas pláticas con los Madero en Corpus Christi, Estados Unidos ... A esas pláticas concurrieron, a más de los miembros masculinos de la familia Madero, ... Iñigo Noriega, español influente e íntimo amigo del Presidente Díaz, cuya intervención no podía explicarse satisfactoriamente, dado su carácter de extranjero, a menos que, de acuerdo con sus íntimos designios, Porfirio Díaz lo haya enviado bien para vigilar a los Madero, ora para aprovechar la influencia que pudieran darle sus relaciones con la familia del jefe rebelde, si estas relaciones existían (2).

Finalmente, para indicar que no sólo seguía en pie su poder después de la caída de Porfirio Díaz, sino que era acostumbrado tomar a este español como ejemplo de usurpadores, estas palabras del «Memorial del Bloque Liberal Renovador» al presidente Madero en febrero de 1913:

No quiero mencionar ejemplos de personas porque no deseo lastimar a nadie; pero si me permitís voy a mencionar uno. Para no salirme del círculo y dominio feudal de Iñigo Noriega, mencionaré a Xochimilco. Chalco y sus diversos pueblos no han podido obtener absolutamente que les sean devueltas las tierras usurpadas por los medios más inicuos y hasta por la fuerza de los batallones. La autoridad sigue prestando garantías a Iñigo Noriega para la defensa de sus enormes latifundios, hechos por medio del despojo de los pueblos (3).

Es de notar, además, que la colonia vasca —el personaje es alavés— fue notable por sus empresas agrícolas e industriales de gran fuste en México. (Véase también bajo «PEREDA, Quintín».)

ARIAS, Bernardino: «Un espectro vestido con flácido saco de dril que le colgaba como de una escarpia» (V, 3, i).

Jugador vecino de Nachito Veguillas, con quien éste va a la parte en sus apuestas contra Chucho el Roto, en la prisión de Santa Mónica.

BALSAMO, José: «¡Estamos en un folletín de Alejandro Dumas! Ese doctor que magnetiza y desenvuelve la visión profética en las niñas de los congales es un descendiente venido a menos de José Bálsamo» (VII, 3, ii). Se trata de uno de los nombres del novelesco aventurero italiano que se hacía llamar *Conde Alejandro Cagliostro.*

BANDERAS, Santos: Presidente de la República de Santa Fe de Tierra Firme. Se le conoce o interpela de todas las siguientes maneras: Tirano Banderas, General o Generalito Banderas, Glorioso Pacificador de Zamalpoa, Don Santos, Señor Presidente, Chingado Banderas o Banderitas y Niño Banderas.

Las alusiones a personajes reales mediante sus patronímicos son varias, pero lejanas y sin demasiadas resonancias significativas, salvo en el caso de *Juan Banderas.* Fue éste un medio revolucionario, medio bandido, que asumió el mando de las fuerzas maderistas en el estado de Sinaloa y llegó al grado de general. Tuvo muy mala fama como indisciplinado y sanguinario y murió asesinado en una cafetería de la capital mexicana en 1918. Asimismo recuerda al jefe insurrecto cubano *Quintín Banderas* (1845-1906), que murió en el campo de batalla.

El nombre del tirano es claramente significativo, en cambio, por su evidente combinación connotativa: religión y milicia, en todas sus acepciones, sobre todo las peyorativas y despóticas. Pero es en sus rasgos personales, físicos y de carácter, así como en sus circunstancias, conducta y acciones, en los que prolifera la multiplicidad alusiva de este personaje.

Ante todo, las ya citadas manifestaciones de Valle-Inclán en carta a Alfonso Reyes: «un tirano con rasgos del doctor Francia, de Rosas, de Melgarejo, de López y de don Porfirio. Una síntesis, el héroe».

El doctor Francia, *José Gaspar de Francia,* Supremo Dictador Perpetuo de la República del Paraguay durante veintiséis años (1814-1840), es, en la galería de dictadores de todos los tiempos, uno de los más curiosos. Sus rasgos más singulares han pasado casi íntegramente a Santos Banderas: doctor en Teología y maestro de Latín en sus primeros años —entre clérigo y dómine, pues, como dice la novela—, vivió en la antigua residencia de los gobernadores coloniales, anteriormente retiro de ejercicios espirituales para los famosos jesuitas paraguayos, a cuya vista se extendía toda la ciudad-capital de Asunción. De costumbres frugales y metódicas, se levantaba antes del alba y no se hacía acompañar más que de tres sirvientes indígenas. Solitario en todo, no tenía amigos, ni parientes con quienes se tratase, ni amantes, consejeros o confidentes. Ni siquiera tenía verdaderos colaboradores en el gobierno del país, pues todo lo despachaba él personalmente mediante grises secretarios, a los que trataba como a párvulos.

Hijo espiritual de la ilustración,

> en las noches claras observaba el luminoso cielo de la patria con un pequeño telescopio; la astronomía constituía su "hobby". Tenía en el pueblo fama de estrellero y muchos creían que leía en las estrellas el pensamiento humano (4).

En general, en toda conversación propendía a lucir pedantemente su sabiduría y su dialéctica habilidad. Políticamente, su distintivo fue el nacionalismo a ultranza: consolidó la precaria independencia del Paraguay contra sus vecinos, especialmente la Argentina y el Brasil, pero a costa de convertir al país en una prisión de la que nadie salía sin su personal consentimiento. A sus enemigos, un grupo de cerca de cien familias paraguayas distinguidas de abolengo colonial, los persiguió sañuda e incansablemente hasta verlos a todos muertos o en prisión. Su carácter vengativo y cruel era proverbial, así como su misantropía y su neurastenia. La atmósfera de terror que creó a su alrededor hacía que no se le nombrase sino poniéndose en pie y descubriéndose, e incluso muerto, los campesinos paraguayos durante muchos años se descubrirán reverencialmente al referirse no al muerto, sino al «finado».

Encarnó la esencia del dictador ilustrado y solitario,

distanciado de su pueblo, inhumanamente cruel e insensible, mitad monje, mitad estadista.

El argentino *Juan Manuel Ortiz de Rosas* o *Rozas,* el «Grande Americano», casi contemporáneo del Dr. Francia, era en casi todo su opuesto. Criollo ranchero, bien parecido y popularísimo entre los gauchos, se convirtió en líder de los federales en su lucha contra los «inmundos salvajes unitarios» en los primeros años de la independencia argentina. Fue llamado al Poder en 1835 con atribuciones sin límite y se mantuvo en él hasta 1852, al perder la batalla de Caseros, exiliándose entonces a Inglaterra, donde vivió veinticinco años más, olvidado y quejoso.

Creó la infame «mazorca» («más-horca» es una de las etimologías), grupo de gauchos, militares y forajidos que tenían completa dispensa para matar a todo bonaerense que les viniera en gana al grito de «¡Mueran los salvajes unitarios!»

Los rasgos que han pasado a Santos Banderas son pocos, pero señalados, muy especialmente en cuanto a sus circunstancias domésticas: su única hija, Manuelita Rosas, que estuvo sometida a él durante toda su dictadura; su constante acompañamiento de varios bufones, retrasados mentales más que payasos cortesanos, a los que llamaba sus «monitores» y a quienes, para divertirse, castigaba «soplándolos» como los chicos suelen hacer para reventar ranas y sapos (recuérdese el «¡Cua! ¡Cua!» de Nachito Veguillas). Eran también famosas sus «tías» o mucamas: la tía Joaquina, alias Federación, negra que fabricaba y vendía «chicha» y que por su familiaridad con el tirano tenía en sus labios la vida de amigos y enemigos; «Ña» Angela, despensera, mujer de uno de los soldados que acompañaron a Rosas a la expedición del Sud, que también tenía con él mucha vara alta, y doña Romana, negra vieja que era la única autorizada para cebarle el mate que trasegaba continuamente.

Amigo de burlas, pero violento, sádicamente cruel y sanguinario, se decía de él que no podía hacer reír sin hacer llorar, ni hacer llorar sin hacer reír (5).

Mariano Melgarejo, «Gran Ciudadano de Bolivia» y su dictador de 1864 a 1871, era un soldadote mestizo de cabeza diminuta y puntiaguda que, sin duda, contribuye a la síntesis del tirano por su especialidad en revueltas cuarteleras o, en Bolivia, «melgarejadas». Existen de él cientos de anécdotas en las que destaca siempre como romanticoide bandolero del Poder: hombre de acción, arrojado hasta la locura, salvaje hijo del pueblo, aficionado a las letras y a la música y apasionadamente enamorado de una mujer a la que impuso socialmente como concubina oficial. Curiosamente, según su biógrafo Pablo Subieta, que le conoció y trató personalmente, «una espuma verdosa bañaba sus labios» constantemente, lo mismo que ocurre con Santos Banderas por efecto de la coca que mastica.

El López a que se refiere Valle-Inclán puede ser tanto *Carlos Antonio López,* sucesor del doctor Francia entre 1844 y 1862, autócrata más templado que su antecesor, o su hijo, *Francisco Solano López,* que en la larga campaña (1865-1870) que mantuvo contra la Triple Alianza (de la Argentina, Uruguay y el Brasil) fanatizó a su pueblo y murió derrotado después de que perecieran dos tercios de la población paraguaya, prácticamente todos sus varones.

De cualquiera de estos dos caudillos lo más notable a efectos de la síntesis del tirano es su heroico tesón nacionalista guerrero hasta el sacrificio, así como el hecho de dirigir un pequeño país de población casi totalmente india —guaraní— que, a consecuencia de la avaricia de los terratenientes españoles y de las revueltas indígenas posteriores, ha tenido una historia turbulenta y desafortunada y ha permanecido uno de los más primitivos de Hispanoamérica.

También puede aludir el López, y casi más probablemente lo hace, al mexicano *Antonio López de Santa Anna,* más conocido, sin embargo, como Santa Anna, primer dictador del México independiente (1795-1876). Fue él quien proclamó la libertad y la República en Veracruz para su país haciendo caer el trono de Iturbide en 1824.

El general *Porfirio Díaz* es figura muy principal entre los distintos modelos de la síntesis novelesca. En 1878 se sublevó contra el presidente Lerdo de Tejada invocando el principio de «no reelección» para después hacerse elegir presidente de su país siete veces, hasta 1911, mediante elecciones amañadas —con una interrupción pro forma de cuatro años a favor de su testaferro el general Manuel González—. Contra él es contra quien se rebela el pueblo mexicano el 20 de noviembre de 1910, dando así comienzo la Revolución Mexicana.

Además de corresponder a su época de gobierno la acción novelesca en la medida en que ésta es fechable, la mayor parte de las alusiones a acontecimientos y personajes históricos se sitúa también entre 1876 y 1911. Valle-Inclán vivió cerca de un año en el país, en 1892-93, siendo Porfirio Díaz presidente. De ahí le venían sus conocimientos y experiencias directas y esos son los años en los que se concentra el mayor número de alusiones.

Quienes se han ocupado de esta cuestión (6) coinciden en ver en Porfirio Díaz el modelo más directo de Santos Banderas. Señalan la casi completa coincidencia en ambos tiranos de ser «indios por las cuatro ramas» —casi solamente, poque Porfirio Díaz era mestizo de sangre española—; su también coincidente pasado como seminaristas, así como sus luchas de juventud contra los extranjeros: los españoles y en el Perú, en el caso de Santos Banderas; los franceses de Maximiliano, en el caso de Porfirio Díaz. Asimismo coinciden en que después de estos orígenes sean ambos los más activos despreciadores de su propia raza y protectores a ultranza de los intereses de las clases privilegiadas y compañías extranjeras, bien que aquí haya que señalar que Santos Banderas, algo menos xenófilo que Porfirio Díaz, dice en una ocasión:

> ... el industrialismo yanqui y las monas de la diplomacia europea. Su negocio está en hacerle la capa a los bucaneros de la revolución, para arruinar nuestros valores y alzarse concesionarios de minas, ferrocarriles y aduanas ... ¡Vamos a pelearles el gallo ...! (VI, 1, iv).

Porfirio Díaz había hecho unas sonadísimas manifestaciones en 1908 al periodista norteamericano J. Creelman, que marcaron el principio de la oposición a su régimen, en las que, a semejanza de Santos Banderas, afirma estar dispuesto a abandonar la presidencia y favorecer la existencia de un partido de oposición, al que «miraría yo como una bendición y no como un mal», para consagrarse a «la inauguración feliz de un gobierno completamente democrático». En esa misma entrevista habló Porfirio Díaz de la poca capacidad del indio mexicano para la política y de la necesidad de la mano dura en el gobierno para asegurar la existencia y el progreso de la nación. A esta estrategia, característica de Díaz, se la conocía como la política de «pan y palo».

Sin duda, Valle-Inclán sabía que esa entrevista muy probablemente no había tenido lugar y que sus manifestaciones no sólo eran transparentemente falsas, como en el caso de Santos Banderas, sino que eran una falsificación consciente y calculada. Se podía haber informado de ello en la biografía medio novelada que de Porfirio Díaz había hecho uno de sus colaboradores —luego víctima—, Ireneo Paz, publicada en 1911:

—¿Fue verdadera la entrevista que publicaron los periódicos hace unos meses —le preguntan—, que según dijeron había celebrado usted con un tal Creeman, periodista americano?

—Lo que me sorprende es que hombres sagaces como usted hayan podido dar crédito a semejante paparrucha ... ¡Qué entrevista ni qué niño muerto! Usted me conoce y sabe muy bien que no pude estarme paseando horas y horas en la terraza de Chapultepec, poniendo los ojos en blanco y abriendo desmesuradamente las ventanas de la nariz [Acompañaba a la entrevista una serie de fotografías que, efectivamente, así es cómo muestran a Porfirio Díaz —sin duda para confirmar la imagen del mexicano indio para el lector norteamericano.] para proporcionar al repórter yanqui la manera de dar vuelos a su fantasía. Lo que pasó fue esto: un amigo mío, un miembro de mi gabinete, vino a leerme un artículo que estaba ya confeccionado para una publicación americana. No me pareció malo, antes bien, lo encontré muy bueno, porque sin comprometerme mucho venía a dar realce a mis antecedentes y a ponerme en buenas condiciones para el porvenir, de tal modo que me daba todas las facilidades que yo deseaba o para seguir sacrificándome por la Patria si era conveniente o para zafarme a tiempo si las cosas llegaban a ponerse turbias. Confieso a usted que encontré el escrito tan bien condimentado, tan conforme con los que no son, pero que debían ser, mis pensamientos más profundos, tan halagador para nuestras infelices muchedumbres, que lo acepté sin vacilar, como si hubiera sido inspirado por mí mismo, no haciéndole sino muy pequeñas modificaciones sobre puntos de vista enteramente yanquis que a mí me hubieran puesto en ridículo, de manera que di mi autorización para dos cosas: para que se publicara en inglés y en español y para que se pagara ampliamente.

—¿Cuánto costó ese trabajo?

—Creo que unos cincuenta mil pesos.

—¿De manera que todo lo que está allí usted lo aprobó: que es usted un artífice de naciones, misterioso enigma, la figura más importante de todo el Hemisferio Americano?

—¿A quién le dan pan que llore? Me echan elogios, pues que me vengan elogios ... ¡Qué esperanzas que hubiera yo dicho semejantes barbaridades que de seguro no hubiera tenido boca con que decirlas! En primer lugar, el tal Creelman no era un imbécil para creer lo contrario de lo que estaba viendo, y luego mis gobernados, aunque por lo general son bastante estúpidos, no lo son tanto que me crean a mí ahora ni siquiera con un adarme de democracia en el cuerpo. ¡Qué democracia voy a tener yo, ni para qué la necesito! ...

—Y por eso, seguramente, creyó usted, señor general, que lo mejor era gobernar con el garrote.

—O con la matona, como llaman los periódicos de caricaturas a la espada que suelo ceñirme.

Al decir esto fulguró bajo las cejas del general una de esas miradas llenas de lumbre que tanto impresionaron a Mr. Creelman (7).

Además del detalle de la «matona», nombre con que Valle-Inclán designa a la espada del tirano y con que era universalmente conocida la de Porfirio Díaz; además también de algunos pasajes cuya fraseología concuerda con la de la novela; por ejemplo, «la figura más importante de todo el Hemisferio Americano»; podía muy bien haber leído Valle-Inclán estas explicaciones, pues la duplicidad que revelan en Porfirio Díaz le viene pintiparada a Santos Banderas, quien precisamente con esa actitud hace sus declaraciones a don Roque Cepeda.

No se limita a estas palabras la coincidencia entre el

presidente mexicano histórico y el tirano novelesco. También Porfirio Díaz en su «Manifiesto a la Nación» de 1911, cuando la oposición electoral de F. Madero arreciaba, se quejaba de los «amargos sinsabores e inmensas responsabilidades» que le agobiaban y a pesar de los cuales consideraba su deber seguir en el Poder para no entregar el país a la anarquía. Pero ¿qué autócrata no dice esto en una u otra ocasión? Recuérdense las famosas lamentaciones de De Gaulle hace unos pocos años.

Incluso coinciden ambos en la trillada e irónica comparación con *Lucio Quinto Cincinato*, patricio romano del siglo V a.C., célebre por la sencillez de sus costumbres y su desinterés, que le hizo retirarse a la vida campesina después de acabado el peligro para el que fue llamado dos veces como tirano de Roma. Así motejaba por escrito Ignacio Alatorre —que se mantenía fiel a Benito Juárez— a Porfirio Díaz: «Cincinato mexicano, parodiador del general Santa Anna», cuando Díaz se retiró a su finca de «La Noria» después de la caída del Imperio. Y así se califica a sí mismo, como ya se sabe, Santos Banderas.

Las alusiones a este modelo son demasiado frecuentes, aunque a veces difusas, para intentar señalarlas todas. Han sido, además, objeto preferente de la atención de otros comentaristas. Pero aún hay otro tirano mexicano cuyos rasgos han sido aprovechados para la confección de Santos Banderas. De éste nada dijo Valle-Inclán y, sin embargo, por varios conductos es el que más se parece a don Santos. Ha sido señalado en varias ocasiones, pero sólo de pasada y sin explayarse sobre la materia, por buen número de lectores (8). Se trata del general *Victoriano Huerta,* El Chacal, El Judas Mexicano, El Pelón —que de todas estas maneras se le conocía—, acusado de haber ordenado el asesinato del presidente Madero, de su hermano Gustavo Madero y del vicepresidente Pino Suárez. Una de las figuras más unánimemente aborrecidas de la reciente historia mexicana.

Aprovechándose de la rebelión del general Reyes y del sobrino de Porfirio Díaz, el general Félix Díaz, en la Ciudadela, que dio lugar a la llamada Decena Trágica de febrero de 1913, se hizo Huerta con el Poder ese mismo mes y lo detentó hasta el 15 de julio del año siguiente. Durante ese año largo México vivió uno de los períodos de que más vergüenza tienen los mexicanos.

El desbarajuste político y social, la arbitrariedad sanguinaria del general Huerta y la lucha armada de los rebeldes constitucionalistas en casi todo el país, son algunas de las características de este momento. Algo muy parecido a la situación tierrafirmeña.

Especialmente significativa es la vergonzosa actitud del embajador norteamericano, *Henry Lane Wilson,* en esta coyuntura, a cuyo odio contra Madero debió Huerta su encumbramiento. Así como el hecho de que los Estados Unidos desembarcaran tropas en el puerto de Veracruz el 21 de abril de 1914, dando pretexto al general Huerta para que invocara el patriotismo en defensa del territorio nacional y suya propia —tal como hace Santos Banderas.

Valle-Inclán, que, se sabe, se informó a fondo acerca de la Revolución Mexicana, especialmente durante su visita de 1921, no podía dejar de interesarse por este monstruo político. Y quizás haya tenido en las manos una curiosa autobiografía de Victoriano Huerta, muy difundida a partir de 1915, *Memorias del General Victoriano Huerta,* impresa en la Librería de Quiroga, en San Antonio, Texas. Son unas memorias dignas del personaje, aun cuando, sin duda, apócrifas, que en muchos aspectos concuerdan con el retrato de Santos Banderas. En ellas se puede leer, por ejemplo:

> Indio de pura raza, tengo las virtudes de los de mi estirpe y muy pocos de sus defectos ... Algunos de mis defectos como hombre eran cualidades como gobernante. El egoísmo y la desconfianza, especialmente ... Yo era egoísta como Napoleón y desconfiado como una rata, porque había necesitado matar y traicionar para mi prosperidad. Por eso temía infidencias y traiciones de cada uno de los hombres que me rodeaban (9).

Y continúa en esta misma cínica vena confesional acumulando detalles coincidentes con los del tirano novelesco:

> Mis biógrafos han hablado mucho de mi niñez, de mi vida de colegio, de mis estudios de ingeniería. Hasta ha

habido algunos que han asegurado en letras de molde que soy una notabilidad como astrónomo ...

Yo siempre tuve fe en mi destino. No creo que pueda ocurrirme nada que no esté previamente señalado por los hechos anteriores. Soy fatalista como todos los indios (10).

Incluso está aquí —con las perspectivas cambiadas, pues el tirano está explicando su encumbramiento a la tiranía y no su caída, es decir, su victoria contra su opositor, el presidente constitucional Madero— la estratagema de Santos Banderas con Roque Cepeda:

Me faltaba un apoyo moral, algo en que fundar un movimiento armado contra don Francisco Madero. Y empezó a desarrollarse el drama más sangriento en nuestra historia, señores; el drama del que fui yo autor y cuyos secretos hoy paso al papel para darlos como testimonio a la verdad. Lo que más me ayudó fue el temor que abrigaban en mi país todos los gobernantes a una intervención armada de parte de los Estados Unidos ... El señor embajador de los Estados Unidos hizo, pues, sus gestiones encaminadas a hacer creer que el gobierno de los Estados Unidos intervendría en México si no cesaba la lucha en la capital (11).

Aquí están también esas consultas que Santos Banderas hace a sus subordinados más que nada por ponerles en un brete y complicarles en su propia decisión:

Yo no quería que Madero desapareciera porque temiese que un día me derrocara. Ya he dicho que yo siempre desprecié las revoluciones.

Mis Ministros sí temían a Madero. Creían que si quedaba en libertad, organizaría una nueva revolución. Le temían y le odiaban ... Consulté lo que debía hacer con ellos para sondear sus opiniones. Los más inteligentes me decían que dejaban a mi elección la forma de resolver aquel pequeño problema; otros opinaron por que se ejecutara a los dos prisioneros (12).

Pero dirá luego:

Yo fui mi Ministro en todos los ramos y quise ser también el director de la campaña militar en toda la Repú-

> blica. Salvo las épocas muy breves en que autorizaba a mis hombres para que obraran en tal o cual sentido, yo obraba por mi cuenta y escogiendo los medios que me parecían más apropiados (13).

No queda sino señalar que quien haya visto una fotografía o una caricatura de Victoriano Huerta no puede dejar de pensar que, efectivamente, «parece una calavera con antiparras negras», como la novela describe a Santos Banderas: cabeza redonda y pelada a tijera, de pómulos muy salientes; dos círculos oscuros en el lugar de los ojos, a causa de las gafas ahumadas verdosas a que le obligaban sus ojos enfermos; una mandíbula cuadrada rasgada por un boca grande inmovilizada en un rictus de mal agüero. La portada, especialmente, de sus apócrifas *Memorias* está ilustrada con una caricatura en la que su cabeza, ya estilizada hacia el parecido con una calavera, está festoneada de pequeñas calaveras. Baste decir que Gerardo Murillo, el doctor Atl —o Atle, en la novela—, con quien Valle-Inclán trató en México y su informante en cuestiones de la Revolución Mexicana —como ya se verá—, refería la siguiente anécdota: estando él en París en 1914 y tratando de impedir que el Gobierno francés hiciera un préstamo de 130 millones de francos al usurpador Huerta, cuyos agentes hacían una muy eficaz propaganda para ello, se dio cuenta de que

> nadie creía que nosotros los revolucionarios teníamos la razón contra Huerta. Pero un día recibí por correo una estupenda fotografía del general, que era toda una revelación de su temperamento y una muestra evidente de que había algo terrible en el hombre que detentaba el poder en la vieja tierra azteca. La llevé inmediatamente a una revista que, además de tener una grande circulación, era reputada como una de las más serias de Francia: *Les Hommes du Jour.* Cuando los redactores la vieron, me dijeron: "No hay argumento mejor contra el gobierno usurpador de México; es un troglodita elevado al poder; la publicamos con los comentarios que usted quiera." Y la publicaron. La gente se quedó estupefacta. Es ése el presidente asesino de México, decían. No hay que darle ni un franco. Y no se lo dieron (14).

Un último tirano está presente en la figura de Santos Banderas: el primer tirano —o libertador, o rebelde—

hispanoamericano, *Lope de Aguirre*, el loco, quien, declarando la guerra a Felipe II al frente de sus Marañones, se autotituló «La ira de Dios, príncipe de la libertad, del reino de la Tierra Firme y de las provincias de Chile».

Son varios los rasgos y circunstancias relativos al loco Aguirre aprovechados en *Tirano Banderas*. Sobre ello existen tres trabajos principales que estudian en detalle las coincidencias (15). Baste aquí con señalar, siguiendo esencialmente lo dicho en ellos, que es sobre todo en el epílogo de la novela donde más evidente es la presencia del antiguo tirano, cuyos momentos finales y muerte inspiran los de Santos Banderas. Todos los demás tiranos citados, en efecto, murieron después de retirados del poder, salvo Antonio Solano López, que murió en lucha contra los invasores de su país.

> Acosado por los hombres del Rey, Lope de Aguirre es abandonado por los hombres en quienes más confianza tenía; enfurecido, trama nuevas crueldades; decide huir, y espera, por consejo de los que todavía le rodean; finalmente, cuando sólo le acompaña un grupo insignificante, resuelve eliminar a su hija para que no caiga viva en manos de sus enemigos; muere arcabuceado por los propios rebeldes y es despedazado como escarmiento (16).

Este es el resumen que de la muerte de Lope de Aguirre, según un par de crónicas del siglo XVI, hace S. E. Speratti-Piñero. La concordancia de circunstancias con las de los últimos capitulillos de la novela está fuera de duda. Se extiende incluso a la repetición de frases e improperios atribuidos a Aguirre.

Desde el Inca Garcilaso de la Vega, pasando por seis cronistas de Indias, hasta R. Palma, Unamuno y Pío Baroja, en tiempo de Valle-Inclán, y después, Elías de Amézaga, J. M. Moreno Echevarría, A. Posse, G. Papini, A. Uslar-Pietri, R. Sender y, ya muy recientemente, M. Otero Silva, no ha sido escaso el tratamiento literario de que ha sido objeto Lope de Aguirre; e incluso, hace unos pocos años, la popular película de W. Herzog, *Aguirre o la ira de Dios*.

Valle-Inclán conoció algunas de las crónicas históricas, sin duda, con ocasión de su preparación del inédito *Her-*

nán Cortés que planeaba. En cualquier caso, se habían publicado dos de ellas a principios de siglo en España. Pero tampoco hay que olvidar que el novelista tenía costumbres de ratón de biblioteca y consultaba viejos manuscritos e impresos con sorprendente asiduidad.

Sin embargo, no parece ser de ellas de las que sacó el fruto más directo para su novela, sino de la versión sintetizada y amenizada que de las andanzas de Lope de Aguirre publicó en 1913 Bayo y Segurola bajo el título de *Los Marañones*. Este curioso escritor y aventurero fue gran amigo de Valle-Inclán, que respetaba grandemente sus conocimientos e imaginación. Con todo detalle y covincentemente lo señaló J. Silverman en 1960 (17). Muy probablemente, todas las investigaciones americanas de Valle-Inclán en España hayan pasado por el cedazo de los recuerdos, conversaciones y libros de Ciro Bayo, que viajó y vivió en toda Hispanoamérica muchos años y escribió prolijamente sobre ello como historiador, folklorista y novelista.

CARRILLO, Licenciado Sóstenes: «Se insinuó con la mueca de zorro propia del buen curial» (II, 3, iii). Secretario de Tribunales, encargado de sustanciar el pleito de doña Lupita contra el coronel de la Gándara y quien pasa a la firma del tirano los edictos y sentencias de éste.

El insólito nombre de Sóstenes hace pensar en el general *Sóstenes Rocha,* de cuya amistad en 1892 se preciaba mucho Valle-Inclán, famoso como guerrero sobre todo por su victoria contra los insurrectos de la Ciudadela, el 1 de octubre de 1871, cuyo pronunciamiento ahogó en sangre. Este no fue nunca, sin embargo, secretario de Tribunales. Carrillo, en cambio, nombre más común, puede referirse, entre otros muchos, al general *Hermenegildo Carrillo,* amigo del anterior, que tuvo varios cargos gubernamentales bajo Porfirio Díaz. Y más probablemente al general *Lauro Carrillo,* que dirigió la matanza de Tomóchic en 1892.

CARULLA, El Padre: *José María de Carulla y Estrada* escritor español sobre temas religiosos y traductor de *El Génesis, El Exodo, El libro de Tobías* y *El libro de Judit* al castellano ¡en verso!: lo que familiar y jocosamente se dice «¡La Biblia en verso!».

CASTAÑON, Coronel Irineo; alias Pata de Palo: «Aparece en las relaciones de aquel tiempo como uno de los más crueles sicarios de la Tiranía» (V, 1, ii). Alcaide de Santa Mónica, que había sido antes cabecilla de bandoleros. (Véase «PLATEADOS».)

CASTELAR, Emilio: «El elocuente tribuno» (V, 2, iv). Político español levantino, último jefe de Gobierno de la efímera I República Española, famoso por su oratoria y su oposición a Isabel II, que inicialmente fue miembro del Partido Republicano y durante la Restauración se convirtió en el mentor espiritual del Partido Liberal de Práxedes Sagasta. Murió en 1899 en su Murcia natal. (Véase «POSIBILISMO».)

CEPEDA, Roque: Líder de la oposición electoral contra Santos Banderas. Valle-Inclán indicó expresamente a A. Reyes que se inspiraba un poco este personaje en el «bendito don Pancho», esto es, *Francisco I. Madero,* y sobre todo en *Savonarola.* Pero, lo mismo que varió grandemente la versión novelesca en otros respectos de lo anunciado en esa carta, varió en cuanto a la proporción de los modelos, pues Madero pasó a primerísimo plano y el revolucionario dominico italiano del siglo XV contribuye sólo accesoriamente y de manera muy general.

Además de su connotación mística —recuérdese a Teresa de Cepeda—, el nombre parece ser un compuesto de los de dos de los más íntimos colaboradores de Madero, el doctor *Rafael Cepeda* y el licenciado *Roque Estrada,* este último buen orador y autor de *La Revolución y Francisco Madero,* que le acompañó desde el principio de su campaña electoral y fue encarcelado con él por Porfirio Díaz en junio de 1910. Uno y otro, Cepeda y Estrada, fueron los primeros en unirse a Madero cuando éste escapó de San Luis Potosí a San Antonio, Texas, lugar donde permanecería hasta febrero de 1911, ya declarada la revolución armada, de la que se hizo cargo.

De Francisco Madero parece haberse aprovechado gran cantidad de rasgos. Desde la frecuente referencia a él por parte de sus enemigos como loco, hasta su detención durante un mitin político al principio de su campaña electoral contra el dictador. En ambos casos, Historia y novela, se trata de un criollo adinerado que se erige en líder de la oposición y redentor del indio. En realidad, también fue él quien decidió oponerse con las armas al dictador con su *Plan de San Luis Potosí,* de octubre de 1910, después de las elecciones trucadas, en que salió de nuevo reelegido Porfirio Díaz. En ese plan se fija la fecha del comienzo de la Revolución para el domingo 20 de noviembre de 1910, a las seis de la tarde, hora y fecha en que efectivamente comenzó.

Salvo en lo relativo al «sufragio efectivo» y a la «no reelección» presidencial, el programa político de Madero careció de concreción. Algo que Valle-Inclán no pasó por alto y vio muy bien al destacar el aspecto carismático, pero esencialmente vacuo, del personaje. El idealismo exaltado, con cierta dosis de creencias espiritistas, el desinterés y la cualidad de santo laico de Roque Cepeda, fueron efectivamente características definitorias de Francisco Madero —y también, naturalmente, del fraile G. Savonarola. Se dedicó Madero, en efecto, al espiritismo, y en 1906 figura como

> delegado por el Centro de Estudios Psicológicos de San Pedro de las Colinas en el *Primer Congreso Nacional Espírita,* y en una de las sesiones en que los debates cobran animación, pide la palabra y talla una síntesis de su moral, en la Tierra, para el progreso de las almas, ascendiendo a la perfección, de mundo en mundo, camino de la dicha. El es ya un discípulo entusiasta de Allán Kardec, un sacerdote del credo que contiene *El Libro de los Espíritus* (18).

El 16 de abril de 1910 Madero mantuvo una entrevista con Porfirio Díaz, arreglada por el gobernador de Veracruz, Teodoro de la Dehesa, en la que el dictador «manifestó que entregaría el poder a quien el pueblo designase». Entre las cartas que se cruzaron entonces entre ambos hombres, una, contestación de Porfirio Díaz, afirma textualmente «que en la observación de la ley encontrarán, tanto las autoridades como los ciudadanos, el camino seguro para ejercitar sus derechos», palabras que recuerdan a las de Santos Banderas con Roque Cepeda.

CIRCO HARRIS: Lugar donde se celebra el mitin político organizado por las Juventudes Democráticas. Efectivamente, uno de los mítines durante la primera campaña electoral de F. Madero y R. Estrada se celebró, a falta de otro lugar, bajo la carpa del circo Atayde, en Mazatlán, el 2 de enero de 1910.

COMETA que anuncian los astrónomos europeos, El (II, 3, vii): Sabiendo que la acción ocurre durante las ferias de Santos y Difuntos, 1 y 2 de noviembre, la afirmación del tirano de que faltan «cinco fechas para que sea visible el cometa...», indicaría un 6 de noviembre de año indeterminado. Seis de noviembre mexicano que sea digno de recordación a finales o principios de siglo no hay más que el de 1911, que fue el día de la inauguración oficial de Madero como presidente de la República. Si se entiende, en cambio, la referencia a esas cinco fechas como a cinco meses, puede, con relativa exactitud, pensarse que alude a la primavera de 1910, fecha en que «llegó» el *cometa Halley* a México. Mas son varios los cometas visibles en México entre los años 1876 y 1910. Uno en 1888, otro en 1899 y el más famoso de todos ellos, el ya citado de 1910.

El cometa Halley ya tenía, desde sus primeras apariciones observadas, una abundante historia universal como anunciador de desgracias inminentes. Fue, además, el primer cometa cuya órbita y reapariciones fueron conocidas y previsibles. Se consideró decisiva su aparición, por ejemplo, en la batalla de Hastings de 1066, en la que se creyó que guiaba a Guillermo el Conquistador, y luego, en 1456, también se entendió como de mal agüero su aparición tanto por parte de los turcos como de los cristianos, entonces en guerra.

En 1910 su aparición hizo pensar en un próximo fin del mundo al pasar la Tierra por la cola del cometa. Fue visible a simple vista en México sólo en enero de 1910, y más brillante en abril de ese mismo año. En este país se asoció, y se asocia todavía, con la caída de Porfirio Díaz y el comienzo de la Revolución. Así, por ejemplo, en la famosa novela *Al filo del agua*, de Agustín Yáñez.

El 30 de mayo de 1910 un semanario satírico, *El diablito rojo*, de la capital de México, entre otros muchos, publicaba en primera página un grabado de J. G. Posada y unos versos con este título: «La llegada del cometa». En la cabeza del cometa está enmarcado el busto de Francisco Madero y en la cola el de Porfirio Díaz, y reza así el texto:

> Llegó el cometa por fin,
> y en la región alta y sola,
> con su inmensidad de cola
> armó la de San Quintín;
> y al tender por el confín
> su regia cauda de pavo,
> deja ver, al fin y al cabo,
> cuando la noche destella,
> una cabeza en la estrella
> y una cabeza en el rabo.
> Y unos dicen que es la paz,
> y otros dicen que es la guerra,
> y otros que tal cosa encierra
> una evolución fugaz.
> Y el pueblo, que ya es *capaz,*
> y *El Diablito,* que es su amigo,
> no más ven, como un testigo,
> tanta bola y algarada,
> y a ver si de chiripada
> meten su burrito al trigo! (19).

J. G. Posada le dedicó varios grabados que, además del ya citado, se publicaron en las hojas volantes de a centavo típicas de esta época mexicana, salidas de la imprenta de A. Vanegas Arroyo. (Véase «SANTOS Y DIFUNTOS».) Lo que comenzó siendo un buen augurio, al coincidir con las fiestas que Porfirio Díaz dio para celebrar los cien años del grito de Hidalgo, se convirtió, al estallar la Revolución en noviembre, en augurio nefasto de la caída del dictador.

CONTUM, Míster: «Aventurero yanqui con negocios de minería» (II, 1, iv). Contertulio que comenta con Teodosio del Araco y Celestino Galindo la situación política de Santa Fe de Tierra Firme en la terraza del Casino Español. Es cierto que los capitalistas norteamericanos tuvieron una marcada preferencia por las inversiones mineras en México durante los años de Porfirio Díaz.

CRITERIO ESPAÑOL, El: Periódico de la Colonia Española en Santa Fe. En los capítulos publicados en *El Estudiante* llevaba el nombre de *El Criterio Latino*. Durante su primera estancia en México, de abril de 1892 a principios de 1893, Valle-Inclán colaboró en *El Correo Español,* vocero periódico de los españoles en México, que siguió publicándose muchos años en la capital mexicana. El más difundido durante su visita de 1921 era *El Día Español*. En éste fue donde se dio indignada respuesta a sus declaraciones contra los gachupines y sobre el equivocado papel de España en México.

CRUZ, Don: «Era un negro de alambre, amacacado y vejete, con el crespo vellón griseante. Nacido en la esclavitud, tenía la mirada húmeda y deprimida de los perros castigados» (VII, 1, ii). Fámulo barbero al servicio del tirano que, por sus funciones y su carácter hablador y chismoso, recuerda al barbero del Dr. Francia, también encargado de estos menesteres, además de ser espía o correveidile del tirano paraguayo. En cambio, por las palabras de Santos Banderas cuando sus soldados le abandonan: «Don Cruz, ¡tú vas a salir profeta! Eran tales dichos porque el fámulo rapabarbas le soplaba frecuentemente en la oreja cuentos de traiciones» (Epílogo, iii), recuerda también a un muchacho llamado *Antoñico Llamoso* que hacía lo mismo con Lope de Aguirre y a quien éste interpela en iguales términos y circunstancias: Santos Banderas encarga a don Cruz que mate al licenciado Nacho Veguillas y así mismo solía hacer Lope de Aguirre con Llamoso cuando trataba de eliminar a sus enemigos.

CUCARACHITA LA TARACENA: Dueña y regente gaditana del prostíbulo que lleva su nombre. Recuerda éste inmediatamente el título de la famosa canción *La cucaracha,* inseparablemente ligada a la época de la Revolución Mexicana. Fue la canción favorita de los partidarios de Pancho Villa, aunque también la cantaron con distintas letras los de V. Carranza y los de E. Zapata al enemistarse unos con otros. Sin embargo, su origen, según F. Rodríguez Marín, es español, y según A. de María y Campos existía incluso una *La cucaracha* carlista de origen asturiano contra el rey Amadeo (20). En México ya era popular este «sonesito» como canción guerrera de los «chinacos» o patriotas que combatieron la intervención francesa.

CUEVAS, Filomeno: Criollo ranchero que encabeza e inicia el ataque armado contra Santos Banderas en la capital de la República. Para el modo de preparar su insurrección, Valle-Inclán se apoyó en las circunstancias de la rebelión que contra el tirano Aguirre llevó a cabo el capitán *Pedro Monguía.* Así lo señaló detalladamente E. S. Speratti-Piñero: Monguía convence a varios compañeros durante una comida de la necesidad de matar a Lope de Aguirre; éstos lanzan mueras al tirano y se embarcan, con un piloto indio y varios indios flecheros, rumbo a Punta de las Piedras en la Tierra Firme, donde han de encontrar al tirano. Los textos de consulta de Valle-Inclán hubieron de ser las crónicas publicadas por Serrano y Sanz, porque la novelización de Ciro Bayo excluye todos estos pormenores. (Véase BANDERAS, Santos.)

Es en relación con la historia mexicana, sin embargo, cómo la figura de Filomeno Cuevas adquiere toda su resonancia. Su nombre de pila recuerda al valiente periodista antiporfirista *Filomeno Mata,* director de *El Diario del Hogar,* muchas veces encarcelado por sus escritos, que tenían gran fuerza en la opinión pública. El apellido Cuevas, en cambio, era uno de los más conocidos como de familias españolas pudientes de la época en México. Las demás circunstancias del personaje apuntan todas a la figura histórica de *Alvaro Obregón.*

La admiración que Valle-Inclán sintió por este hombre tuvo algo que ver, sin duda, con el hecho de acercarse mucho a su propio ideal de hombre de acción y de principios, esto es, a haber sido Obregón lo que Valle-Inclán mismo hubiera querido ser, en parte al menos. Comenzando por su común ascendencia celta: gallega para uno e irlandesa para Obregón —cuyo nombre era hispanización del O'Brien irlandés de su antecesor, guardaespaldas de un virrey español— y culminando en su coincidente manquedad: Obregón perdió el brazo derecho en su más sonada batalla, la de Celaya, contra las tropas de Pancho Villa, a las que derrotó.

Fue Obregón de origen humilde y en su juventud hizo distintos oficios para acabar dedicándose con éxito al cultivo y exportación de garbanzos en su rancho de Huatabampo, en el estado norteño de Sonora. Su notoria participación en la Revolución Mexicana —particularizada en sus Memorias, *Ocho mil kilómetros de campaña* (1917), que Obregón regaló, personalmente dedicado, a Valle-Inclán en 1921— arranca de sus simpatías maderistas. Las palabras con que relata Obregón esta parte de su vida en esas Memorias recuerdan a las del ranchero en la novela:

Corrían los últimos años de la dictadura del general Díaz. Esta había extendido sus ramificaciones en todo el país, y automáticamente comenzaron a formarse dos partidos: el que explotaba y apoyaba el Gobierno de la Dictadura y el de oposición ... Cada espíritu de oposición que surgía era para nuestro partido una esperanza ... Después de un período de decepciones y angustias políticas, surgió Madero, quien con valor y abnegación sin límites, empezó su labor antirreeleccionista, enfrentándose al tirano ... El tirano y su corte dijeron: "Dejemos a este loco, que se burlen de él en todo el país" ... Aprehendido Madero, arbitrariamente, por un supuesto delito que le inventara uno de los cachorros de Ramón Corral, el licenciado Juan R. Ocrí; perseguidos sus principales colaboradores, no quedaba más recurso que la guerra. Así lo comprendió la generalidad, pero no todos nos resolvíamos a empeñarla ... La revolución estalla ... Entonces el partido maderista o antirreeleccionista se dividió en dos clases: una compuesta de hombres sumisos al mandato del Deber, que abandonaban sus hogares y rompían toda liga de familia y de intereses para empuñar el fusil, la escopeta o la primera arma que encontraban; la otra, de hombres atentos al mandato del miedo, que no encontraban armas, que tenían hijos, los cuales quedarían en la orfandad si perecían ellos en la lucha, y con mil ligas

245

más, que el Deber no puede suprimir cuando el espectro del miedo se apodera de los hombres.
A la segunda de estas clases tuve la pena de pertenecer yo (21).

Pasan los meses y en abril de 1911, con la revolución ya en marcha desde el 20 de noviembre del año anterior,

> hicieron su entrada a Huatabampo los rebeldes [maderistas]... Todos sus partidarios nos apresuramos a recibirlos. La impresión que yo recibí al verlos no se borrará jamás de mi memoria: eran como cien; de ellos, setenta armados; de los armados, más de treinta sin cartuchos, y los que llevaban parque lo contaban en reducidísima cantidad ... Empecé a sentirme poseído de una impresión intensa, la que poco a poco fue declinando en vergüenza, cuando llegué al convencimiento de que para defender los sagrados intereses de la Patria, sólo se necesita ser ciudadano, y para esto, desoír cualquier voz que no sea la del Deber. Encontraba superior a mí a cada uno de aquellos hombres (22).

Finalmente, el presidente Díaz dimite y Madero es elegido nuevo presidente. Sigue Obregón en sus Memorias:

> ¡El triunfo de la Revolución era ya un hecho! De pie en mi conciencia quedó la falta: yo en nada había contribuido al glorioso triunfo de la Revolución y, sin embargo, me consideraba maderista (23).

Es al rebelarse contra Madero el general Pascual Orozco cuando entra en la lucha Obregón y, acabada la campaña victoriosamente, se retira a su rancho como teniente coronel. Pero se produce poco después la Decena Trágica o Cuartelazo de la Ciudadela, que llevará al Poder a Huerta y ocasionará la muerte de Madero. Al recibir la noticia,

> todos los en aquellos instantes reunidos sentimos la indeclinable obligación de salvar al país de la usurpación artera encabezada por Victoriano Huerta (24).

En esta campaña es donde Obregón se reveló como formidable estratega y militar victorioso. Ascendido .a general y nombrado, al cabo de la lucha, ministro de la Guerra en el gabinete de Venustiano Carranza, renunció de nuevo al cargo para volver a su rancho. Había de sublevarse luego él mismo contra Carranza a finales de 1919 y, de nuevo victorioso, y el más reputado de los generales revolucionarios, presentarse como candidato a la Presidencia de México, interinamente asumida por su protegido, y más tarde enemigo, Adolfo de la Huerta. Fue elegido por 1.131.751 votos contra 47.442 para su oponente, para el término presidencial de 1920-24.

Fue durante su gestión cuando se inició la verdadera transformación de México en todos los aspectos. Realista ante todo, Obregón atendió a las causas básicas del descontento y la injusticia que alimentaron los diez años anteriores de lucha revolucionaria, sin desbaratar la frágil situación política y económica mexicana. Durante sus cuatro años en el cargo, por ejemplo, distribuyó tres millones de acres a 624 comunidades en régimen de ejido. Una cifra que no es espectacular y que superaría con mucho en 1934 el presidente Cárdenas, el más arrojado de los reformadores, pero ya siete veces mayor de lo que había hecho su predecesor, V. Carranza.

Desde la perspectiva de 1921 a 1926 —visita de Valle-Inclán a México y escritura de *Tirano Banderas*— no cabía duda de los logros de la Revolución Mexicana ni de quién había sido su máximo artífice práctico: Alvaro Obregón era quien merecía ese título entonces con tanta o más justicia que cualquier otro.

CURRO MI-ALMA: «Se ha dado luneta de sombra al guarango andaluz, entre buja y torero, al que dicen Currito Mi-Alma ... Es el niño bonito que entra y sale como perro faldero en la Legación de España» (II, 3, ii). Amante del embajador español, barón de Benicarlés.

CHINO VIEJO: «Indio de piocha canosa, gran sombrero y camisote de lienzo» (IV, 3, i). Capataz del rancho de Ticomaipú, perteneciente a Filomeno Cuevas.

CHRISPI, Conde: Ministro de Austria-Hungría: «azafranado ... severo y calvo» (VI, 3, iv).

CHUCHO EL ROTO: «Bigardo famoso por muchos robos cuatreros, plagios de ricos hacendados, asaltos de diligencias, crímenes, desacatos, estropicios, majezas, amores y celos sangrientos» (V, 3, i). Con él juega a las cartas en la prisión de Santa Mónica el licenciado Nacho Veguillas. Célebre bandido mexicano de la segunda mitad del siglo pasado que, según Manuel Gutiérrez Nájera, fue «una variedad de Cartouche, Diego Corrientes y Mandrin. Como Cartouche, se evade de las cárceles; como Diego Corrientes, da limosna; como Mandrin, es hábil, galanteador y astuto» (25). Su fama se extendió a España, donde Pío Baroja, en *Aventuras, inventos y mixtificaciones de Silvestre Paradox,* pone su nombre en boca del bohemio Pérez del Corral, clave de Valle-Inclán mismo. Su verdadero nombre fue *Jesús Arriaga,* de donde le viene Chucho, y «en el mundo del delito se le había bautizado con el mote de El Roto, que se pone a los hombres de humilde condición que gustan de vestir el traje de las clases acomodadas» (25 bis). Hacia 1880 y tantos fue capturado y preso en el castillo de San Juan de Ulúa (Santa Mónica, en la novela), donde en 1885 muere, apaleado durante un castigo disciplinario, según unos; de una disentería, según otros.

DOCTOR ATLE: «El doctor Atle aún trazó algunas líneas en su cuaderno y luego recostóse en la hamaca con los ojos cerrados y el lápiz sobre la boca, que sellaba un gesto amargo» (V, 3, ii). Ligeramente modificado el nombre, se trata del conocido *Dr. Atl* («agua» en náhuatl), pseudónimo de *Gerardo Murillo,* pintor, escritor, folklorista, aventurero, político y cien cosas más. Sin duda el mexicano de la época más digno del fantasioso y extravagante Valle-Inclán. Se trataron en 1921 y quizás se conocieran desde antes, durante los viajes de Murillo a Europa. Según E. S. Speratti-Piñero, que habló con Murillo antes de su muerte en 1956, éste habría entregado al novelista varios escritos relacionados con la Revolución Mexicana a instancias de éste (26).

Fue Gerardo Murillo el padre y el animador del renacimiento de la pintura mexicana en esos primeros años de los veinte en que Valle-Inclán le trató. Diego Rivera, uno de los grandes de esta pintura, resumió así al Dr. Atl en 1942:

> El Dr. Atl es uno de los personajes más curiosos que ha nacido en la modernidad del continente americano. Tiene la historia más pintoresca de todos los pintores; imposible ensayar de relatarla sin emplear varios tomos.
>
> Cuando Atl volvió de Europa revolvió inmediatamente el agua de todos los pantanos de la antigua Tenochtitlán, se echó azul de metileno en los ojos, que decía enfermos de tracoma, predicó teorías estéticas, pintó con pinceles increíbles finas sensaciones de color, acaudilló huelgas, escribió críticas que echaban chispas, agitó al pueblo, estafó a una porción de bobos, empeñó las cámaras fotográficas de todos sus amigos y conocidos, organizó expediciones y, sin tener un centavo, dio de comer peroles enteros de excelentes macarrones y protegió con dinero a docenas de artistas jóvenes, campeonó el divisionismo del color neoimpresionista, reinventó con copal nacional los colores al óleo sólido de Rafael, y planeó negocios, formuló programas de gobierno, hizo vender todos los cuadros de una exposición mía para que pudiera irme a Europa, se apoderó del ánimo de los letrados, hasta de don Justo Sierra, le perdió el respeto a Fabrés, Ruelas y Gedovius, enseñó a insolentes a todos los jóvenes, se demostró prosista y poeta, vulcanólogo, botánico, cocinero, yerbero, astrólogo, hechicero, materialista, anarquista, totalitarista, todo cuanto un hombre puede avanzar con una velocidad mayor que con la que, entonces en auge, Frégoli, cambiaba de traje. Antes de acompañar a don Venustiano a la última derrota, editó periódicos, organizó batallones rojos, saqueó iglesias, invitó a tés en las sacristías a bellas damas, y reunió alrededor de él un grupo de los jóvenes artistas de mayor valer de aquel tiempo. Entre ellos estaban José Clemente Orozco y David Alfaro Siqueiros (27)

No es difícil comprender las buenas migas que hubieron de hacer Murillo y Valle-Inclán, no muy distintos de edad —cincuenta y cinco éste y cuarenta y seis aquél—, teniendo tantas aficiones en común y, sobre todo, un espíritu tan parejo. Es, sin duda, una de las conexiones más firmes del Valle-Inclán escritor de *Tirano Banderas* con México y lo mexicano. El carácter «pictórico» de la novela está incluso en consonancia con lo que D. Alfaro Siqueiros dice que, entre otras cosas, se debe, como importantísima aportación, al Dr. Atl:

un sentido cosmogónico, panorámico, si caben los términos, del paisaje, que es consecuencia directa de la captación del novísimo ángulo poético que da el avión, por ejemplo, en un mundo de académicos y modernos inmovilizados, por igual, en la contemplación uniocular del espacio circunscrito que da la ventana o ventanita abierta al campo ... O mejor aun, al trozo parcial del campo, al trozo parcial de un agrupamiento de árboles, a la vaca ... y cuando mucho al pequeño y propio corral. Esto es, una ruta —la señalada ruta del Dr. Atl que conduce indiscutiblemente hacia la modernidad verdadera en la contemplación poético-plástica del Universo (28).

Comenzaba entonces la pintura de los muralistas mexicanos, que trabajaban en equipos en la Escuela Preparatoria Nacional, la misma en la que dio Valle-Inclán sus cuatro escandalosas conferencias mexicanas. (Véase además «SANTANA, Indalecio».)

DIAZ DEL RIVERO, Don Nicolás: «Personaje cauteloso y bronco, disfrazaba su falsía con el rudo acento del Ebro: en España habíase titulado carlista, hasta que estafó la caja del Séptimo de Navarra: En ultramar exaltaba la causa de la Monarquía restaurada: Tenía dos grandes cruces, un título flamante de conde, un banco sobre prendas y ninguna de hombre honesto» (II, 1, v). Periodista director de *El Criterio Español*.

Es de recordar el interés predominante de Valle-Inclán a lo largo de toda su vida por los sucesos y la historia españoles de la segunda mitad del siglo XIX, especialmente centrado en la Revolución de 1868; así como el hecho de que estaba escribiendo el primer volumen de *El ruedo ibérico* simultáneamente con *Tirano Banderas*. Tratándose de personajes españoles es casi siempre en estas fechas y en la historia de España donde hay que ir a buscar las referencias.

Los individuos históricos a que puede aludir este personaje son varios, pero destaca, por el nombre, *Nicolás María Rivero*, alcalde de Madrid, ministro de Gobernación y presidente del Gobierno al renunciar al trono Amadeo de Saboya, que fue revolucionario hasta 1868, pero sobre todo monárquico y demócrata de derechas a partir de entonces. De él dice Valle-Inclán el 16 de agosto de 1935, en las crónicas históricas que empezó a publicar en *Ahora,* con palabras muy parecidas a las de la novela:

> Don Nicolás María Rivero, les predicaba (a los ilusos demócratas republicanos) con el ejemplo, y desde lejos, con su bronco ceceo, les aconsejaba la conveniencia de hacerse monárquicos para alcanzar algún hueso de la Gloriosa (29).

Como es característico en Valle-Inclán, la alusión remite siempre a, por lo menos, dos figuras históricas y no a una sola. La otra aquí pudiera ser el general carlista *Eustaquio Díaz de Rada,* destituido por don Carlos a raíz de la derrota de Orquieta el 7 de mayo de 1872, y que cambió de casaca dos veces, militando primero con los carlistas en la primera guerra, luego con Isabel II, vuelta al bando de don Carlos y, finalmente, abandonando a éste en seguimiento del general Cabrera, que reconoció en 1875 a Alfonso XII.

ECO AVILESINO, El: «Periodiquín que le mandaban de su villa asturiana» (IV, 2, iii) al empeñista Quintín Pereda.

ESPARZA, Dr. Carlos: «Calvo, miope, elegante, se incrustaba en la órbita el monóculo de concha rubia» (VII, 2, i). Ministro del Uruguay en Santa Fe. Parece que la novela le designara incongruentemente como «El Cisne de Nicaragua», esto es, Rubén Darío, cuando pocas líneas antes se ha afirmado, sin embargo, que es el embajador del Uruguay. Aunque Darío fue efectivamente embajador, no lo fue nunca de ese país, sino del suyo, Nicaragua. Pero no se trata en realidad de llamar «Cisne de Nicaragua» a Carlos Esparza, sino que éste cita, ligeramente tergiversado, un verso de Rubén Darío, indicando a su autor con este conocido apodo. Se debería, pues, corregir el texto de la novela para evitar el equívoco y el consiguiente absurdo, imprimiéndolo así: «"¡Lírico, sentimental, sensitivo, sensible!", exclamaba el Cisne de Nicaragua. Por eso no lográs vos…», es decir, poniendo todo en boca del ministro uruguayo. Se refiere, claro está, al verso «Sentimental, sensible, sensitiva» de la primera composición de *Cantos de vida y esperanza*.

ESTRUG, von: «Ministro de Alemania, semita de casta, enriquecido en las regiones bolivianas del caucho» (VI, 3, iv). En la publicación de *El Estudiante* este personaje se llamaba von Bronweg en vez de von Estrug. En el momento de la caída de Madero, marzo de 1913 —momento a que se refiere la cábala diplomática—, el embajador alemán era el almirante *Paul von Hintze*, uno de los colegas favoritos del embajador norteamericano Wilson. (Véase «SCOTT, Sir Jonnes».)

EVASIONES CELEBRES: «Siempre con las *Evasiones Célebres* ...» (V, 2, ii), pregunta Roque Cepeda a un compañero preso. Se trata del libro *Evasions Célèbres d'après les récits des historiens, les mémoires et la correspondance de Benvenuto Cellini, Caumont de la Force, le cardinal de Retz, le chevalier de Forbin, Duguay-Trouin, etc.* Publicado en París en 1902 y 1910, pero sin traducción española.

FERNANDO EL EMPLAZADO: «¿Vos conocés la obra que representó anoche Pepe Valero? *Fernando el Emplazado*» (II, 3, vi). Se trata del drama romántico, el único, de Bretón de los Herreros, de 1837.

FRAY MOCHO: «Un viejales con mugre de chupatintas, picado de viruelas y gran nariz colgante, que acogió al compañero con una bocanada vinosa» (II, 2, ii). Periodista de *El Criterio Español*, que asiste al mitin de las Juventudes Democráticas como corresponsal. El apodo es el que usaba el periodista argentino *José S. Alvarez*, fundador de la revista *Caras y Caretas*. La alusión mexicana se aclara si se recuerda que «mocho» es expresión peyorativa en este país para designar a los conservadores, especialmente en sus inclinaciones religiosas.

GALINDO, Don Celestino: También llamado don Celes: Gachupín «orondo, redondo, pedante» (I, 1, v), «una de las personalidades financieras, intelectuales y sociales más remarcables de la Colonia [Española]» (I, 2, iii). Inicialmente, en la versión de *El Estudiante*, este personaje se llamaba Telesforo Galindo, don Teles, pues, lo cual señalaba inambiguamente a *Telesforo García*, también abreviado en don Teles por sus conocidos, uno de los españoles más destacados de los tiempos de Porfirio Díaz. En 1899, por ejemplo, estuvo a la cabeza de

> los ricos españoles residentes en la Capital, quienes visitaron al General Díaz para rogarle que permaneciera en el poder, evitando así los males que acarrearía al país si desistía de continuar gobernando (30).

Y ese mismo año, el periodista español en Cuba José E. Triay decía, después de una visita a México:

> al hablar de la Colonia Española de México hay que hablar en primer término de don Telesforo García, la poderosa inteligencia que la guía, la palabra sosegada y abundosa que lleva su representación en todos los actos de resonancia ... Ha intervenido con sus ideas ... en el desarrollo de los asuntos financieros [de México]. Sus ideas, sus principios económicos, sus planes financieros, puede decirse que se hallan encarnados en el cuerpo de leyes económicas por que se rige esta nación y que tan alta la han colocado. Ministros, diputados, senadores, periodistas, le han oído con atención, le han consultado» (31).

Abogado, fundador y director de varios periódicos —especialmente los de la Colonia Española: *La Libertad, El centinela español*— y financiero influyente, de él dice Ireneo Paz en su biografía de Porfirio Díaz que

> también se criticó a Don Manuel González que ... a don Telesforo García, español, ... lo convirtiera en su favorito y por consiguiente también en dueño de la situación política y financiera de la República. Eso se decía por lo menos: que el señor García era una especie de ministro sin cartera, cuyo ascendiente era decisivo aun en los negocios más delicados (32).

Es de recordar que, económica y políticamente, los últimos quince a veinte años del Porfiriato fueron la época álgida de los ministros «científicos», positivistas económicos con entrañas sociales bastante duras, pero muy exitosos en cuanto al desarrollo de la alta finanza.

Curiosamente, como último detalle, Telesforo García tuvo «por maestro y amigo del alma al primer orador de nuestros días, … Castelar», afirma José Triay. Se recordará que el embajador español engaña a don Celes anunciándole que Castelar le ofrecerá, al subir al Poder, la cartera de Hacienda en España.

GANDARA, Coronel Domiciano de la: «Era un negrote membrudo, rizoso, vestido con sudada guayabera y calzones mamelucos, sujetos por un cincho de gran broche de plata … nunca estaba sin cuatro candiles y como arrastraba su vida por bochinches y congales, era propenso a las tremolinas y escandoloso al final de las farras» (III, 1, iii).

Las peripecias de este personaje en la novela remiten o se apoyan, como ha demostrado S. E. Speratti-Piñero, en las dos crónicas americanas tantas veces citadas, *Jornada del río Marañón,* de Toribio de Ortiguera, y *Relación verdadera de todo lo que sucedió en la jornada de Omagua y dorado,* de Francisco Vázquez o de Pedrarias —no se sabe de quién—, soldados rebeldes al tirano Lope de Aguirre (como dice el texto de la novela: «un memorial de los rebeldes…»). El coronelito es resultado de la mezcla de dos individuos ahí mencionados: un tal *Enríquez de Orellana,* cuya muerte ordenó Lope de Aguirre «porque estaba mal con él y porque decían que se había emborrachado», y un tal *Pedro Antonio González o Galeas,* que huyó de la furia del tirano en una piragua conducida por varios indios. Este último se pasó al bando de los perseguidores del tirano, que no quedaron del todo convencidos de su sinceridad. En el momento del ataque final a Aguirre por las tropas reales, éste imprecara a Antonio González, a quien llama «traidor fementido», en términos muy semejantes a los que usa Santos Banderas con el coronelito.

El no demasiado frecuente apellido de la Gándara trae a las mientes resonancias militares americanas en la persona del general español de igual nombre, *José de la Gándara* y *Navarro*, que sofocó la rebelión de la isla de Santo Domingo a finales del siglo pasado.

En cuanto a las alusiones mexicanas, los coroneles abundaban tanto en la época y cambiaban de campo con tanta frecuencia que puede tratarse de un simple arquetipo de militar levantisco, bravucón y borrachín. Sin embargo, dado el emparejamiento del coronelito con el ranchero Filomeno Cuevas —cuyo indiscutible modelo es el general Obregón— y dado también que parecen disputarse por un momento la jefatura de los rebeldes, hace pensar en el general *Pablo González*, jefe de la división del Nordeste bajo el mando militar de Obregón mismo. Pablo González fue además brevemente candidato a la presidencia en competencia con Alvaro Obregón en 1920, después de rebelarse ambos contra su antiguo jefe el presidente Venustiano Carranza.

Apodado «El Peludo», Pablo González tenía fama, en el momento en que le encarga Carranza las fuerzas constitucionalistas contra Victoriano Huerta, de ser un general que nunca ganaba batallas. Se hizo famoso durante la presidencia de Carranza por ser uno de los más descarados ladrones del erario público, recibiendo, además de su paga, cierta cantidad diaria y extraoficial que el secretario de Guerra, el mismo Obregón, aprobaba indicando escrupulosamente al margen «Por orden especial del Primer Jefe».

Fue el encargado de «pacificar» a las tropas zapatistas, lo cual llevó a cabo en una sanguinaria campaña de guerra sin cuartel y asolación del territorio enemigo, que culminó con la celada con que uno de sus oficiales engañó a Zapata, asesinándole.

Las caricaturas de la época le representan durante la campaña presidencial de 1920 prometiendo: «Ni robaré, ni asesinaré.»

JUVENTUDES DEMOCRATICAS, Círculo de: Organización a cuyo cargo corre el mitin político en que han de hablar Roque Cepeda y Sánchez Ocaña. A finales de 1908, Juan Sánchez Azcona, luego secretario particular de Madero, fundó el Club Central del Partido Democrático, que luego se uniría al Partido Antirreeleccionista, órgano oficial de Madero.

JARIFA: «¡Bésame, Jarifa! ¡Bésame, impúdica inocente! ¡Dame un ósculo casto y virginal! ¡Caminaba solo por el desierto de la vida y se me aparece un oasis de amor donde reposar la frente!» (III, 2, v), dice Nachito Veguillas a Lupita la Romántica. Si no la cita textual, sí está aquí el tono y el contexto —a lo esperpéntico— de *A Jarifa en una orgía,* de Espronceda. Líneas antes la alusión era más fiel: «¡Posa tu mano en mi frente, que en un mar de lava ardiente mi cerebro siento arder!», en vez de «Trae, Jarifa, trae tu mano, ven y pósala en mi frente, que en un mar de lava hirviente mi cabeza siento arder.» La conversación toda es un potpourri esproncediano en el que no falta ni *El canto a Teresa* ni *El estudiante de Salamanca:* «Angel puro de amor que amor inspira.»

También es Espronceda quien provee la materia para el «lírico floripondio de ceceles [del] negro catedrático» que conduce a los rebeldes a Punta de las Serpientes: una estrofa de la *Canción del pirata* pasada por el filtro de este personaje clásico de la ópera bufa cubana y debidamente adaptada a su peculiar pronunciación: «Navega velelo mío, sin temol, / que ni enemigo navío / ni tolmenta, ni bonanza / a tolcel tu lumbo alcanza / ni a sujetal tu valol.» (Prólogo, iv.) Entre bromas y veras Valle-Inclán gustaba de la poesía de Espronceda y Zorrilla, y en general de los románticos, que sabía de memoria y solía recitar exagerando lo melodramático de ellas.

KARDEC, Allán: Pseudónimo del escritor espiritista *Hipólito León Denizard* o *Rivail* (1803-1869).

LARRAÑAGA, El Vate: «Joven flaco, lampiño, macilento, guedeja romántica, chalina flotante, anillos en las manos enlutadas: Una expresión dulce y novicia de alma apasionada» (II, 1, vi). Periodista que trabaja para *El Criterio Español.* La alusión histórica es doble. Por un lado, al poeta romántico de segunda fila, representante típico de «otros vates de aquellos tiempos bobos·, en palabras de B. Pérez Galdós en su *Misericordia, Gregorio Romero Larrañaga* (1814-1872), a quien su biógrafo describe a los veintidós años como «muchacho tímido y pálido, alfeñicado y melancólico, melenudo y fúnebre». Por otro lado, a *Manuel Larrañaga Portugal,* periodista mexicano colaborado de *El Correo Español,* que en 1892 fue uno de los padrinos designados por Valle-Inclán para terciar en el duelo a que desafió a Victoriano Agüeros, director de *El Tiempo,* que había publicado una carta firmada por un tal «Oscar» injuriosa de los españoles radicados en México. Curiosamente, las mismas razones contenidas en la carta, e incluso parte de las mismas palabras, que tanto molestaron a Valle-Inclán en 1892, son las que se atribuyen condenatoriamente a los españoles de la novela en 1926 (33).

LAURITA: «La niña ranchera», esposa de Filomeno Cuevas.

LOPEZ DE SALAMANCA: «El coronel-licenciado López de Salamanca, inspector de Policía, pasaba de los treinta años: Era hombre agudo, con letras universitarias y jocoso platicar: Nieto de encomenderos españoles, arrastraba una herencia sentimental y absurda de orgullo y premáticas de casta» (II, 3, ii).

El jefe de Policía de México, D.F., fue durante muchos años Félix Díaz, sobrino del dictador, que más tarde habría de sublevarse varias veces contra F. Madero.

LUGIN, Michaelis, Dr. Polaco: «Alto, patilludo, gran frente, melena de sabio, vestía de fraque con dos bandas al pecho y una roseta en la solapa (VII, 3, iii). Doctor por la Universidad del Cairo, iniciado en la ciencia secreta de los brahmanes de Bengala, Hermano Perfecto del Club Habanero de la Estrella Teosófica y viajero por medio mundo. El es quien hipnotiza a Lupita la Romántica y se ofrece a ella como tutor para presentarla en público.

Para Valle-Inclán, y para los españoles en general, Polonia y más ampliamente Europa Oriental tienen una connotación exótica entre mágica y espiritual. El Dr. Polaco de *Tirano Banderas* recuerda además al Conde Polaco de *Divinas Palabras* y a la Princesa Polaca de *Viva mi dueño*.

El tirano ordena a su barbero que castigue la charlatanería del doctor Polaco rapándole sólo media cabeza: «¡Don Cruz! Por lo lindo que platica le harés, no más, la rasura de media cabeza» (VII, 3, iv). Ello recuerda la supuesta broma o castigo que Porfirio Díaz quiso hacer a Valle-Inclán durante su primera estancia en México ordenando que le rapasen las barbas, que se estaba dejando crecer para presentarse de vuelta en España abundantemente hirsuto.

LUPITA, Doña: «Mulata entrecana, descalza, temblona de pechos» (I, 1, vi). Antigua rabona o soldadera del Séptimo Ligero en el que sirvió Santos Banderas y ahora criada del tirano. Recuerda a una de las fámulas de que estaba rodeado el tirano Rosas, Ña Angela, por ejemplo, su despensera, mujer de uno de los soldados que le acompañaron a la expedición del Sud; o doña Romana, negra vieja encargada de tenerle listo el mate a todas horas, así como de probarlo.

Tanto el nombre, Guadalupe, como el diminutivo, hacen pensar ante todo en México, donde ambos son muy comunes. Asimismo su pasado como soldadera, esposa o mujer del soldado mexicano de la Revolución que lo acompañaba a todas partes, incluso en las campañas armadas: la famosa Adelita de la canción, que se ha convertido en uno de los símbolos más conocidos de la Revolución Mexicana.

LUPITA LA ROMANTICA: Pupila del prostíbulo de Cucarachita la Taracena, compañera nocturna del licenciado Nacho Veguillas y médium dotada de poderes telepáticos con la que experimenta el Dr. Polaco. Su sedicente romanticismo —dice ella: «¡Nachito, somos espíritu y materia! ¡Donde me ves con estas carnes, pues una romántica!» (III, 2, i)— da pie a que éste la llame Jarifa, parafraseando a Espronceda.

MALAGUEÑA, La: Una de las pupilas del prostíbulo de Cucarachita la Taracena. Española, sin duda, por el apodo y porque de ella aprende la hija del ciego Velones la castiza expresión española «estar mochales», que éste no comprende. En México fue famoso a finales del siglo el asesinato de la Malagueña, amante muerta a tiros por una esposa celosa, que mereció los honores de un grabado de Posada.

MANOLITA: «Hija de Tirano Banderas: joven, lozana, de pulido bronce, casi una niña, con la expresión inmóvil, sellaba un enigma cruel su máscara de ídolo» (II, 3, viii). En la novela, la hija está loca y a ello debe el estar recluida y a la guarda de dos criados, de los que se escapa en una ocasión. La hija del tirano Lope de Aguirre, que sufre el mismo destino, morir acuchillada por su padre, es el recuerdo más fuertemente sugerido. Pero el cambio de nombre, de Elvira, como era aquélla, a Manolita, hace pensar en otra famosa hija de tirano así llamada, *Manolita Rosas*. Fue famosa esta mujer, sobre ser la hija de quien era, por el contraste de bondad que ofrecía con su padre y porque a la muerte de su madre aquél le obligó a prometer que no se casaría ella si no lo hacía él en segundas nupcias, acompañándole siempre. Lo cierto es que tan pronto como el padre fue expulsado de la Argentina, doña Manolita se casó y se fue a vivir por su cuenta, abandonando al padre.

Por la edad, este personaje hace pensar también en la segunda esposa de Porfirio Díaz, *Carmelita Romero Rubio*, que podía haber sido no ya su hija, sino casi su nieta, pues tenía dieciocho años cuando él tenía cincuenta y uno.

MARCO AURELIO: «El joven, pálido de lecturas, que medita sobre los libros abiertos, de codos en la mesa» (III, 3, ii). Estudiante, hijo de doña Rosita Pintado y del difunto doctor Rosales, a quien llevan preso a Santa Mónica por supuesta complicidad en la fuga del coronel de la Gándara. Por la juventud y por el patronímico recuerda a *Marco Aurelio González*, revolucionario maderista nacido en 1891, esto es, de diecinueve años al comenzar la Revolución, que es señalado por J. Sánchez Azcona en sus *Memorias* como

> benemérito del Partido [Antirreeleccionista]. Fue perseguido y encarcelado. Ignoro aún los detalles de su muerte, pero estoy a punto de conocerlos. Tengo entendido de que aquélla no fue natural; en todo caso me consta que Marcos González no llegó a ver el triunfo de la Causa (34).

Históricamente, se trataba de un obrero y no de un estudiante, pero, sin duda, el nombre del emperador romano obligaba a esta otra caracterización.

MELQUIADES: «Dependiente y sobrino del gachupín. Chaparrote, con la jeta tozuda del emigrante que prospera y ahorra caudales» (IV, 2, iv). Siendo el tío, Quintín Pereda, de origen asturiano, la combinación del origen regional y del nombre del sobrino recuerdan, humorísticamente, al político asturiano *Melquiades Alvarez,* diputado en el último Parlamento de la Regencia y defensor, ante todo, de los intereses de la burguesía comercial.

MENDEZ, Lauro: Secretario de Relaciones del tirano, antiguo amigo de don Roque Cepeda. Quizás *Teodoro de la Dehesa,* gobernador del estado de Veracruz, que fue quien arregló la entrevista de Madero con Porfirio Díaz en 1910.

MERLIN: Perrillo faldero del barón de Benicarlés.

MORCILLO, Teniente: Ayudante del tirano a quien éste encarga que tramite «las órdenes oportunas para la pronta captura del coronel Domiciano de la Gándara» (VI, i, ii).

PALMIERI, Atilio: Primo de la niña ranchera. Rubio, chaparro, petulante» (Prólogo, II). Uno de los cabecillas que acompañan al ranchero Filomeno Cuevas en el ataque al tirano. Entre los revolucionarios norteños contra Porfirio Díaz se encontraba el coronel *Garibaldi,* hijo del liberador italiano, que formaba parte del grupo inicial de Madero.

PANAMEÑA, La: Pupila recientemente llegada al prostíbulo de la Cucarachita.

PEDERNALES, Diego:

> Era Diego Pedernales
> de noble generación,
> pero las obligaciones
> de su sangre no siguió (I, 1, viii).
> ......
>
> Era Diego Pedernales
> de buena generación (III, 1, i).
> ......
>
> Preso le llevan los guardias,
> sobre caballo pelón,
> que en los ranchos de Valdivia
> le tomaron a traición.
> Celos de niña ranchera
> hicieron la delación (III, 1, iii).
> ......
>
> En borrico de justicia
> le sacan con un pregón,
> hizo mamola al verdugo
> al revestirle al jopón,
> y al Cristo que le presentan,
> una seña de masón (III, 2, i).

La calificación que hace la novela de estos versos como de corrido indica inmediatamente su mexicanismo, siendo el corrido una de las más típicas y características formas de literatura popular de este país.

La referencia nominal es múltiple. Un famoso bandolero llamado Diego recuerda, ineludiblemente, a *Diego Corrientes,* el más conocido de ese nombre, generoso bandolero andaluz de fines del siglo XVIII. Fue, efectivamente, apresado en 1781 en una huerta de Olivenza, en la raya de Portugal, delatado por una mujer, y ajusticiado poco después. El apellido o apodo de Pedernales, en cambio, apunta en otra dirección, hacia otro bandolero andaluz igualmente famoso, el Pernales —deformación cordobesa de Pedernales, que Valle-Inclán subsana por razones métricas y sin duda también etimológicas. Este, *Francisco Ríos* de nombre, natural de Estepa, murió en una emboscada el 31 de agosto de 1907, joven como todos estos personajes. Pero, curiosamente,

> sugestionada tal vez por el episodio de la visita que hizo alguna vez el bandido al famoso torero Antonio Fuentes en el cortijo de éste, ... la leyenda pretende que Pernales marchó a México, confundido entre la cuadrilla del matador (35),

lo cual daría pie para que Valle-Inclán lo imaginara realizando nuevas hazañas en América cantadas en el corrido que transcribe parcialmente.

El bandido mexicano que fue objeto de mayor número de corridos —18— fue *Heraclio Bernal,* muerto en 1888, a los treinta y tres años, después de varios años de reino indiscutido en los estados de Sinaloa y Durango, de los que llegó a considerarse jefe absoluto, dictando incluso una breve constitución política proclamada en la sierra de Conitaca en 1887.

PERAL, Isaac: Gritan los miembros del Casino Español: «¡Viva Isaac Peral!» (II, 1, iii). El nombre de *Isaac Peral,* oficial de la Marina española inventor del prototipo del submarino, no parecería venir a cuento más que como una exagerada muestra del chovinismo de estos emigrados españoles si no fuera porque, efectivamente,

> el 10 de agosto de 1890, cuando el inventor estaba en la cúspide luminosa de su popularidad, acordó el Casino Español en México por unanimidad dirigir al insigne D. Isaac Peral, orgullo de nuestra Armada y legítima gloria de España, una felicitación por su portentoso invento (36).

Poco después de esa fecha se emitió un dictamen oficial desfavorable sobre el invento que obligó a Peral a interrumpir sus trabajos. Todo ello fue motivo de entusiasmo y luego de revuelos populares. Dio lugar a una polémica en la que tomó partido por el inventor el *Diario de la Marina Española* de los españoles radicados en Cuba, pues entre los españoles residentes en América el caso Peral fue efectivamente seguido con apasionamiento.

PEREDA, Quintín: «El honrado gachupín: un viejales maligno, que al hablar entreveraba insidias y mieles, con falsedades y reservas. Había salido mocín de su tierra, y al rejo nativo juntaba las suspicacias de su arte y la dulzaina criolla de los mameyes» (IV, 2, i). Empeñista que causa la muerte del hijo de Zacarías el Cruzado, y cifra de los demás gachupines en Santa Fe de Tierra Firme.

Para darse una idea, sin ser mexicano o vivir en México en aquella época, de lo que representaba y en cierta medida todavía representa, el gachupín o español afincado en ese país, basta con una caricatura sobre el tema, de entre las muchas existentes, publicada en el periódico satírico *El hijo del ahuizote* en enero de 1898. Lleva por título «El coloso de la plata en México (Para los estudios de Mr. Bryam)» y bajo el dibujo reza

Mr. Bryam: —¡Oh, soberbio negociante! ¿Y todo este plata aplicarse progreso of México?

El hijo del ahuizote: —No, míster. Todas estas talegas forman la remesa mensual que se hace para España.

Mr. Bryam: —¿Entonces producir mucho capital mexicano y obrero mexicano?

El hijo del ahuizote: —Míster, aquí el capital se hace Grande de España y se marcha para allá; el obrero se hace ratero por falta de trabajo, y marcha para el Valle Nacional.

La explicación del compilador de este volumen de caricaturas es la siguiente:

[El caricaturista] Cabrera pone aquí una enorme figura vestida de torero sentada sobre el tapete mexicano y recargada sobre nueve bolsas de oro, que representan: librerías, lavanderías, carnicerías, panaderías, industria tabaquera, industria agrícola, negocios con el Gobierno, bancos, abarrotes y agio. Esta figura es un gachupín que tiene un rosario en las manos, lleva un bonete de fraile

263

que dice: Clericalismo. En su faja tiene el letrero: El Gran Duque Gachupín. Al fondo se ven tres cuadros: uno de una virgen, otro de toros y otro de una tiple de Jacalón del Tarasquillo. Esta figura está sobre el *filón mexicano*. En primer término se ve a un obrero mexicano sin trabajo, Mr. Bryam y El hijo del ahuizote. Bryam fue por tres veces candidato a la Presidencia de los Estados Unidos por el Partido Demócrata en aquel entonces siempre derrotado; empero organizó a los propietarios de minas argentíferas norteamericanas prometiéndoles establecer el "talón plata" para que se revaluase este metal, cuya cotización había descendido mucho, porque todos los países adoptaron el "talón oro". La protesta del caricaturista contra la explotación y el enriquecimiento de los gachupines es debida a que el dictador [Porfirio Díaz] protegió inconsideradamente, en perjuicio de los mexicanos, a estos elementos, que adquirieron en los treinta y cinco años de la dictadura su antiguo predominio sobre los indios, a los cuales despojaban de sus tierras esclavizándolos como antes de la independencia. El Valle Nacional era un feudo de españoles enclavado en los límites de Oaxaca y Veracruz; allí cultivaban tabaco, con sistemas esclavistas, comprando por años o por vida a los trabajadores generalmente indígenas o desheredados de las ciudades; también había obreros sin trabajo que a través de "contratos" simulados, eran vendidos por las autoridades del "cientifismo" a los cada vez más odiosos gachupines. Tarasquillo era un callejón de la ciudad de México, en donde se alojaban las prostitutas de ínfima categoría (37).

A lo antedicho cabe añadir que en uno de los libros de principios de siglo que más detallada y apasionadamente descubrió al mundo la cara oculta y pavorosamente inhumana de la brillante dictadura de Porfirio Díaz, *Barbarous Mexico,* de John K. Turner (38), el plato fuerte del alegato era justamente el Valle Nacional y sus propietarios españoles, entre los que menciona a un *Juan Pereda* que, con su socio Juan Robles, tuvo plantaciones de tabaco en el Valle Nacional, volvió rico a España y dejó cientos de cadáveres de trabajadores muertos en un pantano cercano por no molestarse siquiera en enterrarlos.

Cabría aducir muchas más expresiones de injusticia y de opresión por parte de los españoles en México —así como de inquina y de venganzas contra ellos por parte del pueblo mexicano. Sin duda sería posible hacer también lo contrario, una lista de las contribuciones positivas de los españoles —así como de que su actuación no fue muy diferente de la de otros grupos de extranjeros en México. Pero eso sería enzarzarse en una de las polémicas favoritas en este país. Una polémica que todavía hoy está lo suficientemente viva como para herir a unos y a otros. Esta perennidad del problema es lo que seguramente interesó a Valle-Inclán y le llevó, con gran sorpresa incluso de algunos mexicanos, a destacar el nefasto papel de los gachupines en la novela.

Por una parte, éstos no son sino el símbolo, si no el verdadero instrumento, de la falta de independencia real y de la postergación del pueblo mexicano a manos de extranjeros en general, contra la que luchaban los revolucionarios. Pero, por otra parte, no deja de ser verdad que por la común historia de España y México; por todos los lazos que existen entre ellas; por el contacto directo e íntimo de los españoles en la vida mexicana —mucho mayor que el de otras colonias extranjeras, naturalmente—, y por la abundancia de sus prácticas abusivas, la elección de los gachupines en ese odioso papel está más que justificada: su opresión fue distinta, por todas aquellas razones, de la de los demás extranjeros: más cruel, más injusta, más dolorosa y más visible.

Finalmente, para españolizar más aún la alusión hecha con el nombre del empeñista, es de recordar que Pereda es el apellido del novelista santanderino *José María de Pereda,* antiguo carlista, constante tradicionalista, regionalista, conservador y católico a machamartillo.

PINTADO, Doña Rosita: «Una gigantona descalza, en enaguas y pañoleta. La greña aleonada, ojos y cejas de tan intensos negros, que, con ser muy morena la cara, parecen en ella tiznes y lumbres: Una poderosa figura de vieja bíblica: Sus brazos, de acusados tendones, tenían un pathos barroco y estatuario» (III, 3, v). Madre del estudiante Marco Aurelio y viuda del doctor Laurencio Rosales, antiguo compañero del tirano.

PLATEADOS: El empeñista Quintín Pereda denuncia

a Zacarías el Cruzado identificándole como «uno de los plateados que se acogieron a indulto tiempo atrás, cuando se pactó con los jefes, reconociéndoles grados en el Ejército» (IV, 4, ii). Se trata, en efecto, de los bandidos mexicanos, salteadores de caminos en su mayoría y producto de las muchas guerras y guerrillas que continuamente se dieron en el país, así llamados por la cantidad de objetos de plata con que adornaban su vestimenta y arreos. Ya antes de Porfirio Díaz se había decidido neutralizarlos incorporándolos a las fuerzas de orden regulares. Porfirio Díaz, sin embargo, tuvo especial importancia en este arreglo, porque a él se debe la reorganización de su más eficaz, temible y disciplinada fuerza policíaca, los «Rurales», en gran parte compuesta de estos antiguos bandidos.

PORFIRIO: Nombre del perro de Zacarías el Cruzado (IV, 6, ii).

POSIBILISMO: El barón de Benicarlés engaña a don Celes anunciándole que en España el Posibilismo ha entrado en Palacio (VI, 2, iv). Se trata del Partido Posibilista, creado en 1875 por *Emilio Castelar,* a la caída de la I República, como rama desgajada y conservadora del partido republicano, cuyo lema era «Fines radicales y procedimientos conservadores». A partir de esa fecha empieza a colaborar Castelar con el partido liberal de Práxedes Sagasta —turnante con el conservador de Cánovas—, de quien se convierte en mentor espiritual, especialmente a partir de la Regencia de María Cristina en 1885. Alcanza el punto álgido esta colaboración con el gobierno liberal cuando éste vuelve al Poder en diciembre de 1892, momento en que Castelar disuelve el partido posibilista al considerar que el liberal ha cumplido esencialmente los propósitos de aquél, y se declara candidato ministerial. Inmediatamente después decaerá su entusiasmo respecto del Gobierno y morirá el orador en 1899, alejado de él.

La afirmación de la novela, sin ser estrictamente verdad nunca —a menos que se entienda como participación individual, y no del partido, en el Gobierno mediante carteras ministeriales— refiere a esos años alrededor de 1892, los únicos en que tenía sentido como mentira.

QUERALT Y ROCA DE TOGORES, Mariano Isabel Cristino: barón de Benicarlés y Caballero Maestrante de Ronda; Ministro plenipotenciario de su Majestad Católica: «Lucio, grandote, abobalicado, muy propicio al cuchicheo y al chismorreo, rezumaba falsas melosidades» (I, 2, i).

Consigue Valle-Inclán con este personaje una de las síntesis alusivas más logradas de la novela. Por un lado, recaen en él los rasgos más eficazmente grotescos y consonantes con su papel y el ambiente de la novela: decadentismo europeo en una perdida república tropical americana —pero decadentismo trasnochado y de segunda mano: importado de Francia; hipocresía e inepcia profesional al servicio de los intereses de las grandes potencias; antigua nobleza de sangre española y pésima catadura moral: un embajador español pintiparado como comparsa esperpéntica de la grotescamente trágica situación en Santa Fe de Tierra Firme.

Al mismo tiempo, el personaje consigue mantenerse fiel a las realidades históricas: es una muestra fidedigna, según la visión de Valle-Inclán, del estamento político español de la segunda mitad del siglo XIX. Por eso es por lo que recuerda certeramente a la misma Isabel II de *El ruedo ibérico* y de *Farsa y licencia de la reina castiza*: misma apariencia crasa y fondona; mismas proclividades sentimentales y sexuales hacia jóvenes achulados, llevadas hasta el exceso escandaloso; misma actitud ante los negocios públicos: una molestia; las cuestiones económicas: despreocupada insolvencia, y los asuntos privados: chismorrería, indiscreción personal y chantaje con cartas amorosas. Por si todas estas coincidencias no fueran suficientes, la residencia del embajador es la de una antigua virreina que llevaba «como un ensueño de lujuria en la frente», y el barón incorpora en sus nombres de pila los de la realeza femenina española de la época: Isabel y María Cristina (39).

El hallazgo o el logro de Valle-Inclán está —y es típico— en que este personaje tan novelescamente pertinente tan directa y económicamente alusivo a la realidad española, tenga también un modelo, al menos uno, que no se oculta más que lo suficiente para evitar responsabilidades penales. Existió, en efecto, un *Mariano Roca de Togores,* noble, embajador y literato, en la segunda mitad del siglo XIX español. La alusión es innegable y basta para probarla con recordar al individuo histórico tal como es descrito en la *Enciclopedia heráldica y genealógica hispanoamericana*:

> Mariano Roca de Togores y Carrasco, nacido en Albacete el 17 de agosto de 1812, creado primer marqués de Molíns el 15 de septiembre de 1848, con Grandeza de España. Fue Ministro de Estado, Marina y Comercio, Instrucción y Obras Públicas, enviado extraordinario en Inglaterra, Diputado y Senador vitalicio, Caballero del Toisón de Oro, Presidente de la Asamblea Española de la Orden de San Juan, Caballero de la de Calatrava, Gran Cruz y Collar de Carlos III, Maestrante de Valencia, Académico Director de la Española de la Lengua, Académico de número de las de la Historia, Ciencias Morales y Políticas y San Fernando, Presidente del Ateneo de Madrid, gentilhombre de cámara con ejercicio y servidumbre, y uno de los varones más ilustres del siglo XIX (40).

Desde sus orígenes levantinos hasta esa ristra de títulos y dignidades («condecorado con más lilaicos que borrico cañí» es el resumen de Valle-Inclán) todo coincide. Añádase a ello que en su apariencia física resaltaba precisamente la mitad inferior de la cara, de abundante papada y labios «belfones»; que era «de aquellos —dice un cronista de la época— que, según cierto crítico, se miran de pies a cabeza como una coqueta, que lisonjean con una mirada la vanidad de otros para que inciensen la suya»; que fue discípulo de Martínez de la Rosa, amigo de Bretón de los Herreros y de Larra, romanticoide tardío y autor de olvidables composiciones; que militó en el partido conservador y, cuando embajador en París, era el enlace con España de la exiliada Isabel II, y que además tuvo sus más y sus menos con cierta cuestión de residentes españoles a los que consiguió hacer expulsar de Francia. Sumado todo ello a la descripción anterior y cotejado con los detalles descriptivos de la novela, se impone la evidencia de la alusión del personaje al individuo histórico.

Unicamente quedan en el aire las atribuciones de sus extraños gustos sexuales, materia que naturalmente no es fácil encontrar historiada —por pudor y por mor de sus herederos actuales (uno de los cuales, el que llevaba en los años 30 de este siglo el título de Marqués de Molíns, tuvo todavía destacada actuación en la «política» española, pues fue en su casa donde se gestaron las primeras tramas de los militares contra la II República, que habían de causar la guerra civil del 36).

Siendo las dos épocas pivote de la acción novelesca, 1892 —año de la primera estancia de Valle-Inclán en México y año de los primeros disturbios antiporfiristas serios— y los años que van de 1910 a 1913 —caída de Porfirio Díaz, subida al Poder de Madero, caída de éste y usurpación del general Huerta—, son de notar los nombres de los embajadores españoles entonces en funciones: en la primera de las épocas mencionadas, *Pedro de Carrere y Lembeye,* encargado de Negocios de 1890 a 1893; en la segunda, *Bernardo J. de Cólogan y de Cólogan,* Marqués de Torre Hermosa, de 1908 a 1914. Sobre ellos y su posible contribución al personaje novelesco no he podido encontrar gran cosa, pero en relación con el último véase bajo «SCOTT, Sir Jonnes H.».

ROA, Crisanto: Ultimo cabecilla a quien el ranchero llama al pasar lista durante la preparación para el ataque a la capital (Prólogo, ii).

ROJAS, Doroteo: Jefe de la partida de rebeldes en la que militaba el soldado Indalecio Santana, que cuenta su huida al doctor Atle en la cárcel de Santa Mónica (V, 3, ii). Doroteo Arango era el verdadero nombre que, como hijo natural no reconocido por el padre, correspondía a *Pancho Villa,* caudillo revolucionario del Norte de México, quien se lo cambió luego a éste para escapar a los Rurales, que habían puesto precio a su cabeza, y por reivindicar el apellido de su padre.

ROMERO, Manuel: Primer cabecilla rebelde en la lista del ranchero Filomeno Cuevas (Prólogo, ii).

RONCALI, Aníbal: «Un criollo muy cargado de electricidad, rizos prietos, ojos ardientes, figura gentil, con cierta emoción fina en endrina de sombra chinesca» (VI, 3, iv). Ministro del Ecuador con quien flirtea el embajador español.

ROSALES, Dr. Laurencio: Difunto padre del estudiante Marco Aurelio y marido de doña Rosita Pintado, que había sido amigo del dictador Santos Banderas.

SANCHEZ OCAÑA, Doctor o Licenciado Alfredo: «Famoso tribuno revolucionario» (V, 1, iv). Por su acompañamiento al líder Roque Cepeda y sus dotes de orador recuerda al abogado y periodista Roque Estrada, que fue quien hizo con Madero las dos giras electorales por el país en 1909 y 1910. La segunda de ellas terminó con el arresto de ambos hombres en Monterrey el 15 de junio de 1910 —luego fueron trasladados, el 19 de junio, a San Luis Potosí, que es donde se fecharía el Plan Revolucionario— que culminó la campaña gubernamental de impedimentos y dificultades puestas a la oposición.

Habiendo ya aprovechado el nombre de este importante maderista, junto con el de otro, el doctor Rafael Cepeda, para la denominación del líder, quizás haya recurrido Valle-Inclán al de un tercero, el secretario particular de Madero, *Juan Sánchez Azcona,* también uno de sus más afectos y señalados defensores, para el del orador novelesco.

Los conceptos que vierte en su discurso son tópicos oratorios de la época que se encuentran repetidos en los de publicistas como Justo Sierra, Gerardo Murillo, Andrés Molina Enríquez y esos mismos Roque Estrada y Juan Sánchez Azcona.

SAN JOSE, Zacarías: «A causa de un chirlo que le rajaba la cara, era más conocido por Zacarías el Cruzado» (IV, 1, ii).

El apellido San José, como ya se ha indicado, hace posible la significancia novelesca del sacrificio de su hijo; y a ella se debe, sin duda. En cambio, el nombre de Zacarías tiene un origen menos evidente, pero igualmente interesante. La pista la da el hecho de ser Zacarías alfarero de profesión: «Zacarías trabajaba el barro, estilizando las fúnebres bichas de chiromayos y chiromecas. ... el alfarero, sentado sobre los talones, la chupalla en la cabeza, por todo vestido un camisote, decoraba con prolijas pinturas jícaras y guejas» (IV, 1, ii).

Producto de la amistad y trato que tuvo Valle-Inclán con el Dr. Atl durante su estancia en México en 1921, fue la entrega a aquél de varios papeles y publicaciones relacionados con la Revolución Mexicana y con las costumbres del país, incluidos, sin duda, algunos de los trabajos del Dr. Atl mismo sobre ambas materias. Entre estos últimos el más importante de los que Murillo tenían entonces entre manos era una publicación en dos volúmenes sobre *Las artes populares en México* —aparecida al año siguiente— en la que se daba especial importancia a la alfarería nacional. Se sabe que Valle-Inclán conoció esta publicación, al menos en su estadio preparatorio. Pues bien, en ella, y bajo el epígrafe «Los grandes decoradores de vasijas de Tonatla», Murillo muy especialmente señala a un tal *Zacarías Jimón* como «el más fuerte y personal de todos», como una especie de genio desconocido del arte popular mexicano. A la reproducción gráfica de su obra dedica varias docenas de páginas, además de una fotografía del alfarero y una página entera de biografía artística. Dice Murillo de él:

> Es un hombre enjuto de carnes, de grande hosamenta [sic], de fuertes manos y robusta mandíbula. Su boca es grande y enérgica, y su faz revela una constante concentración. Habla poco, trabaja despacio, con grande firmeza.

> Las decoraciones de sus vasijas son sumamente fantásticas —creadas por un espíritu inquieto, están constantemente sujetas a un ritmo geométrico organizado siempre dentro de grandes masas.

> Creo que no es posible encontrar nada más bello ni más original en el arte de la alfarería que las decoraciones de este artista (41).

De ese mismo libro es, como ejemplo «del estilo narrativo de nuestro pueblo», una narración que Valle-Inclán incorpora casi «verbatim» a su novela *La juída* —una, dice

Murillo, de «entre muchas que coleccioné»— transcrita usando una ortografía fonética. Otra narración producto de las andanzas floklóricas del Dr. Atl, no incluida en este libro sino más tarde, en 1930, junto con *La juída* y otras cuatro más, en sus *Cuentos bárbaros,* pero sin duda ya existente en 1921, lleva por título «El niño quíandaba por ai». Su parte final es la siguiente:

> Lejanos y tenues lamentos llamaron mi atención. Alguna criatura lloraba sofocadamente. —"Algún niño se ha caído", dije.
>
> —"A de ser 'el niño quíandaba por ai' ", dijo una de las mujeres.
>
> Pero a mí no me pareció suficiente la explicación. Había en aquellos lamentos algo de desesperadamente impotente, algo como un llamado de polluelo amenazado, eran lamentos sofocados por golpes, chillidos de criatura apagados bruscamente. No pude contenerme y salí de la choza en dirección al rumor alarmante.
>
> Pero los quejidos habían cesado, y no sabiendo por dónde encontrar la causa de mi preocupación, volvía hacia la choza cuando miré, entre unos matorrales, un cerdo inmundo que devoraba a un niñito —al "niño quíandaba por ai". Me arrojé sobre el animal y a patadas lo aparté del cuerpo destrozado, revolcado, lleno de sangre y de lodo, con el vientre abierto y las entrañas roídas. Sus ojos horriblemente espantados miraban al cielo y su boca abierta estaba llena de tierra y de espuma.
>
> El cerdo, parado a corta distancia, gruñendo, me miraba hostil, bestial, esperando volver sobre su víctima.
>
> A pedradas aparté al animal. Me quité la camisa, extendí sobre ella los restos de aquel inocente, y envolviéndolos cuidadosamente, volví a la choza. Desde la puerta miré a aquellas pobres gentes con profunda conmiseración. Allí estaban los padres de la criatura, sentados sobre un petate, adormilados por la miseria, el calor, por la incuria —inconscientes, embrutecidos. Extendiendo la camisa sobre el suelo, dije, sin saber bien lo que decía: —"Aquí está el niño quíandaba por ai" (42).

Evidentemente, de aquí le vino a Valle-Inclán la idea para la muerte del hijo de Zacarías, aunque él se guardó de reproducir los espeluznantes detalles de Murillo.

SAN JUAN, Benito: Uno de los cabecillas rebeldes a los que pasa lista el ranchero en sus preparativos para el ataque al tirano (Prólogo, ii).

SANTA FE DE TIERRA FIRME, y demás toponímicos: La toponimia de la novela, incluyendo en ella los nombres de las calles y edificios, se inicia con la ambigüedad relativa a la localización geográfica del país. Por un lado, éste se encuentra en el subcontinente americano, en América del Sur —«Una figura en el Continente del Sur» (VII, 1, v), se autodenomina el tirano—, lo cual excluiría, en sentido estricto, a México y a Centro América. Por otro, se trata de un país con mar a ambos lados —«de mar a mar» se reparten los restos del tirano. El único país sudamericano con estas características es Colombia en su porción norte.

Es una equivocación, desde luego, pedir este tipo de precisión a la novela. Pero, como ya se ha dicho, es preciso tomarle las medidas a esta «equivocación» para que destaque claramente la irrealidad novelesca y su capacidad omnicomprensiva americana.

La segunda ambigüedad toponímica es la relativa al nombre del país en cuestión: ¿Tierra Caliente, Santa Fe de Tierra Firme o Tierra Firme? No cabe duda de que la capital se llama Santa Fe de Tierra Firme, pero ¿es éste también el nombre del país? Así lo indica el tirano al hablar de «la república de Santa Fe» (VII, 1, iv). En cambio, el coronelito dice, quizás en términos genéricos y no refiriéndose a su país, que «en Tierra Caliente cuenta con pocos amigos la Revolución» (Prólogo, iii).

Tierra Caliente es el término genérico, en efecto, con que se denomina, desde México hasta Venezuela, Colombia y El Ecuador, a las regiones bajas, generalmente costeras y semitropicales, de los respectivos países. El término, sin embargo, es sobre todo mexicano y se aplica a la franja costera del Golfo de México separada del resto del país por la Sierra Madre Oriental.

Tierra Firme, a su vez, es el antiguo nombre dado en los siglos XVI y XVII a la costa continental de Venezuela a diferencia de las islas antillanas, y, más generalmente, a toda la costa continental norte hispanoamericana.

Santa Fe recuerda el nombre de Bogotá, así llamada antiguamente, pero también el de la ciudad de Santa Fe, en lo que hoy es el estado norteamericano de Nuevo México, y el de Santa Fe en la provincia argentina del mismo nombre. Ninguna de las tres está en costa alguna, sino tierra adentro.

Otro modo de intentar precisar la imposibilidad de la localización del imaginario país es dejándose guiar por los términos que marcan sus ciudades diametralmente opuestas: de frontera a frontera, *Zamalpoa* y *Nueva Cartagena;* de mar a mar, *Puerto Colorado* y *Santa Rosa del Titipay.* Zamalpoa tanto puede remitir a la zona veracruzano-oaxaqueña de México, donde abundan nombres parecidos a éste, como al estado de Sinaloa, al norte del país, donde tampoco son infrecuentes. Por tanto, Nueva Cartagena correspondería al sur: la ciudad costera colombiana de Cartagena, de tanta tradición colonial, parece ser un buen candidato. En un mar estaría Santa Rosa del Titipay, que recuerda a Santa Rosa de Lima, cerca del Pacífico, con lo que Puerto Colorado correspondería necesariamente al Atlántico, quizás al este venezolano.

La zona así delimitada es extensísima y cubre, desde el norte de México al sur del Perú, todo el territorio entre ambos mares; prácticamente todos los países de Hispanoamérica. Con esa amplitud omnicomprehensiva es claro que todos los tipos de paisaje, de fauna y de flora del subcontinente resultan congruentes —aunque es de advertir que basta la variedad climática de México para abarcar todos los mencionados en la novela.

Los nombres locales, los cercanos a la capital novelesca, son también de bastante variedad alusiva: la cercana *Playa de Punta Serpientes* recuerda la de Punta Piedras de la Isla Margarita, cerca de la costa venezolana, mencionada frecuentemente en las crónicas sobre Lope de Aguirre y efectivamente orientada hacia poniente, como señala la novela.

En las afueras de la capital se encuentra el *Campo del Perulero,* que es donde vive Zacarías el Cruzado, unido por «una gran acequia» a la laguna de *Ticomaipú,* desde su embarcadero en el *Pozo del Soldado* hasta el de *Potrero Negrete,* en el rancho de Filomeno Cuevas. Los antiguos canales y lagunas de la ciudad México vienen inevitablemente a la memoria.

Otros dos ranchos mencionados son el de *Talapachi,* donde vivió la madre del estudiante Marco Aurelio, doña Rosita Pintado, tal como dice recordarla el tirano; y la hacienda de *Chamulpo,* donde nació el indio Indalecio Santana.

Las calles de la ciudad refieren a tres zonas principales de la misma: la colina donde se encuentra la residencia del tirano, unida a la ciudad por la *Cuesta de los Mostenses;* el lugar en que se encuentra la Legación Española, *Calzada de la Virreina,* y el centro de la ciudad, con su *Plaza de Armas* tradicional alrededor de la que se extienden *Monotombo, Arquillos* y *Rinconada de las Madres Portuguesas* y *Portalitos de Penitentes.*

Los edificios más notables son la *Ciudadela,* en donde están acuarteladas las tropas del Gobierno. El recuerdo inmediato es para la Ciudadela de la capital mexicana, tan famosa en la historia del país y lugar alrededor del cual se centró la «Decena Trágica» que ocasionó la caída de Madero.

El convento-palacio de *San Martín de los Mostenses,* «aquel desmantelado convento de donde una lejana revolución había expulsado a los frailes, era, por mudanzas del tiempo, Cuartel del Presidente don Santos Banderas» (I, 1, ii). Las resonancias mexicanas remiten al castillo de Chapultepec, residencia presidencial mexicana, situada sobre una loma que domina la ciudad de México. No fue nunca convento, sino residencia de los virreyes, y antes, en el mismo emplazamiento, de los emperadores aztecas. La «lejana revolución [que] había expulsado a los frailes» no puede ser sino la Guerra de Reforma o de los Tres Años, en 1860, que cambió el destino de cientos de edificios eclesiásticos. El carácter mixto de convento y fortaleza, tan común en las antiguas construcciones de los religiosos en Hispanoamérica, y la consiguiente utilización con fines militares o residenciales, ayudan también a generalizar la alusión panamericana.

En cuanto al nombre de la residencia del tirano, al menos parcialmente, recuerda la residencia-campamento del tirano Rosas argentino, de 1840 a 1852, llamada Crujía de Santos Lugares en el pueblo del general San Martín, antigua casa y capilla de los Padres Franciscanos, que hoy se ha vuelto a convertir en edificio religioso. Los Mostenses, Premonstratenses o Norbertinos son, por cierto, una orden casi extinta, cuyas últimas 15 casas fueron cerradas en España en 1833.

La Legación Española, «caserón con portada de azulejos y salomónicos miradores de madera», con su estanque y su jardín virreinales (I, 2 i); el Casino Español, «floripondios, doradas lámparas, rimbombantes moldurones» (II, 1, iii), tan importante en la vida mexicana, especialmente durante el Porfiriato, en que se convirtió en unos de los centros sociales más elegantes de la capital; el Círculo de Armas (VII, 2) —todos recuerdan sobre todo un ambiente mexicano.

Sobre todos ellos destaca el *Fuerte de Santa Mónica* —«castillote teatral con defensas del tiempo de los virreyes, erguíase sobre los arrecifes de la costa, frente al vasto mar ecuatorial» (V, 1, iii)— con su calabozo número 3 y su lugar de ejecuciones, Foso-Palmitos. Las prisiones mexicanas más conocidas eran durante el Porfiriato las de Belén, en la ciudad de México, y la de San Juan de Ulúa, en Veracruz. Ambas fueron ampliamente utilizadas por el dictador.

Los detalles que ofrece la novela corresponden, sin duda, a la antigua fortaleza colonial veracruzana, situada en un islote frente al puerto. Su calabozo número 3 parece señalar al conocido como «El infierno» —también había otro llamado «El purgatorio»—: la connotación infernal queda reforzada además por la pata de palo de su alcaide, que se asemeja al cojo dios de los infiernos, Plutón.

El resto de las características de Santa Mónica lo distingue también de otros fuertes convertidos en prisiones. La notable abundancia de zopilotes, por ejemplo, era típica de Veracruz y se debía a la insalubridad de esta ciudad semitropical y a la cantidad de desperdicios en ella existente, que sólo la abundancia de estas aves de carroña mantenía a raya. La mención de los tiburones a los que arrojan los cadáveres de los ejecutados era una creencia que también circulaba respecto de San Juan de Ulúa, desde cuyos muros algunos prisioneros se suicidaron arrojándose a un mar infestado de tiburones —como lo ilustra un grabado de Posada de 1892 (cuyo trabajo, sin duda, conoció Valle-Inclán, especialmente ese año).

SANTANA, Indalecio: «Algunos prisioneros escuchaban el relato fluido de eses y eles, que hacía un soldado tuerto» (V, 3, ii).

La mexicanidad de este pasaje es múltiple y únicamente desentonaría de ella la referencia inicial a la «derrota de las tropas revolucionarias en Curopaitito», que hace pensar en Curopayti, lugar de la derrota de las fuerzas de la Triple Alianza contra el paraguayo Francisco Solano López en 1866. Pero incluso este detalle está mexicanizado con esa prolongación de una sílaba que recuerda el frecuentísimo diminutivo típico mexicano. Por lo demás, todo alude a México: desde el inicial Doroteo Rojas, que, ya se ha indicado, no puede ser sino Doroteo Arango, alias Pancho Villa; pasando por la mención del Dr. Atle y acabando por el nombre del narrador, en el que el Santana trae a las mientes no tanto al general Santa Ana como a *Santana Rodríguez,* alias Santanón, famoso bandido mexicano que operaba en el territorio de Veracruz y que fue muerto en una emboscada por los Rurales en octubre de 1910. Este Santanón, además, nació y vivió durante su adolescencia en San Juan Evangelista —hoy Villa Santanón— en el itsmo mexicano, en un ingenio de azúcar, en condiciones de esclavitud. Su rebeldía hizo que el cacique de turno le consignara al servicio de las armas, del que se escapó, comenzando entonces su vida de crímenes y venganzas contra los terratenientes de su región natal. Finalmente se unió a las tropas revolucionarias de Cándido Domingo Padua en Soteapán, a gran distancia de su tierra natal.

Pero lo más significativo es el hecho de que la narración toda no sea sino la adaptación a la novela de un relato de Gerardo Murillo, o, mejor dicho, del relato hecho por un soldado llamado Indalecio y recogido de sus labios por Gerardo Murillo. Este, antes de publicarlo como uno de sus *Cuentos bárbaros,* de 1932, y luego en 1936 en *Cuentos de todos los colores,* lo había dado a conocer en 1922 en su antología ilustrativa de *Las artes populares en México* como ejemplo del arte narrativo popular. El relato llevaba el siguiente prólogo:

> La manera con que un hombre del pueblo refiere un "sucedido" es siempre muy gráfica. He oído referir en muchas ocasiones a los indios de diversas comarcas las peripecias de una cacería o una batalla; la tristeza de una derrota; la huída ante un enemigo poderoso, y siempre me he encontrado una grande espontaneidad de expresión. Las narraciones de los soldados en los campamentos son siempre pintorescas. Poseo, entre muchas que coleccioné, una que aunque no es entre las más típicas, revela una de las formas del estilo narrativo de nuestro pueblo. La transcribo usando una ortografía fonética (43).

Lo que sigue no es exclusivamente la «Narración de Indalecio», como el subtítulo anuncia bajo el título «La juída», pues Gerardo Murillo añade a las palabras del soldado, que reproduce entre comillas, las suyas propias circunstanciando la escena narrativa.

Valle-Inclán se limita a adaptar las palabras textuales de Indalecio a sus propias circunstancias novelescas sin hacer uso de las de Gerardo Murillo. Este pasa a formar parte de la novela en el acto de recoger de boca del soldado la narración.

Este homenaje a Gerardo Murillo, como se ve, respetando su propiedad artística, es, sin duda, una muestra de agradecimiento al hombre que como especialista proporcionó a Valle-Inclán la mayor parte de sus datos sobre las costumbres populares mexicanas, indias sobre todo, tan profusamente aludidas en la novela.

SANTOS Y DIFUNTOS: «Santa Fe celebraba sus famosas ferias de Santos y Difuntos» (I, 1, iii).

El 1 de noviembre, día de Todos los Santos, y el 2 de noviembre, día de Difuntos, son en México los de una de las más importantes y típicas celebraciones anuales, los «Días de los Muertos». No se trata solamente de las celebraciones religiosas cristianas de estas fechas, importadas de España, sino de la mezcla de éstas con una mucho más antigua tradición autóctona mexicana cuyo sentido es distinto del cristiano. En vez de la separación tajante entre vida y muerte de las costumbres occidentales, aunque en relación con el «memento mori» de, por ejemplo, la Danza de la Muerte medieval, y con la vida de ultratumba cristiana, en México y en estas fiestas se manifiesta la intimidad de ambas con un carácter entre festivo y liberador —y al mismo tiempo profundamente fatalista— que Octavio Paz recordó en su retrato mexicano de *El laberinto de la soledad*.

Las prácticas modernas de esta celebración dan idea del espíritu que en ellas prevalece. Se trata de una fiesta popular y familiar, más que institucional, en la que básicamente se reanuda el trato con los muertos familiares que vuelven a este mundo «de visita». Se les recibe como a huéspedes para quienes se han preparado de antemano altares en cada casa con ofrendas de comidas especiales —que, una vez «olidas» por los muertos, despachan los vivos—; visitas a los cementerios, donde se adornan las tumbas, los niños juegan a La Oca y El Ancla, y se festeja a los difuntos con música de charanga.

La familiaridad y la naturalidad con que se relaciona la vida con la muerte en estas festividades, además de su carácter profundamente autóctono mexicano, hubieran sido suficiente razón para justificar la elección de estos días por Valle-Inclán para la acción de su novela. Pero es que, además, a esos rasgos hay que añadir otra costumbre propia de los días de los muertos mexicanos que se relaciona con la novela en otro sentido: la profusión de calaveras, en varias acepciones de la palabra.

Literalmente, se trata de la exhibición de verdaderas calaveras de muertos familiares con una etiqueta en la frente indicando el nombre del difunto. En otro sentido, se trata de la venta de dulces de varias clases en forma de calaveras, así como de muñecos de cartón y papel en forma de esqueletos. En otra más aún, de la publicación de hojas sueltas durante estos días llamadas «calaveras» y consistentes en dibujos de esqueletos y calaveras caricaturizando a personajes de interés actual, a los que acompañan composiciones satíricas y humorísticas en verso sobre temas también de actualidad, frecuentemente figuras o sucesos políticos, pero en general cualquier motivo de queja popular.

Estos días tienen también, pues, un aspecto popular de reivindicación y liberación congruente con la situación novelesca, además de ser un trasfondo cronológico adecuado al aspecto de calavera del tirano, por un lado, y de baile de máscaras macabras de las demás comparsas, por otro.

El más famoso de los ilustradores de «calaveras» fue *José Guadalupe Posada* (1852-1913), rescatado del limbo del arte popular, o populachero, por toda la generación de artistas mexicanos que surgió al principio de los años 20 de este siglo y con los que Valle-Inclán tuvo trato y amistad.

Posada no se dedicó solamente a estas calaveras de los días de los muertos. Hizo famosos también sus innumerables grabados en hojas sueltas ilustrando corridos, ejemplos, sucesos, cuentos y, en general, todas las publicaciones de la Imprenta de Antonio Vanegas Arroyo, para la que trabajó y cuyo anuncio, diseñado por Posada mismo, rezaba:

> En esta antigua casa se halla un variado y selecto surtido de canciones para el presente año. Colección de felicitaciones, suertes de Prestidigitación, Adivinanzas, Juegos de Estrado, Cuadernos de cocina, Dulcero, Pastelero, Brindis, Versos para Payaso, Discursos Patrióticos, comedias para niños o títeres, Bonitos cuentos. El Nuevo Oráculo o sea el Libro del Porvenir. Reglas para echar las cartas. El Nuevo Agorero Mexicano. La Magia Prieta y Blanca o sea el Libro de los Brujos (44).

Especialmente típico del trabajo de Posada era la *Gaceta Callejera,* que explicaba en su encabezamiento: «Esta hoja volante se publicará cuando los acontecimientos de sensación lo requieran.» Las hojas costaban unos pocos centavos y las repartían en las calles unos muchachos llamados «papeleros». En ellas se relataban en forma de corridos o en una prosa turgente y sensacionalista los crímenes, robos, accidentes, catástrofes o sucesos de más nota de la época, de modo que Posada se convirtió, cuando aún no estaba extendido el periodismo fotográfico, en el cronista gráfico de la vida mexicana desde su llegada a la capital, en 1888, hasta su muerte, en 1913.

Basta con ver no ya las calaveras, sino cualquier otra hoja volante de la casa de Vanegas Arroyo y los buriles de Posada, para comprender hasta qué punto entronca con su espíritu el de la novela y el de las ferias populares de Santos y Difuntos como sendas manifestaciones esperpénticas.

SCOTT, Sir Jonnes H.: «Ministro de la Graciosa Majestad Británica» (VI, 3, iv).

Uno de los problemas más serios del México independiente del siglo pasado —y aun del presente— fue la Deuda Extranjera. Ocasionó la ruptura de relaciones diplomáticas con Inglaterra y dio la necesaria excusa a Francia para imponer al emperador Maximiliano. Al caer éste en 1867, la renovación de relaciones diplomáticas con Inglaterra dependía de la solución al problema de la Deuda Inglesa, la más crecida de las extranjeras. El encargado de solucionar el problema por Inglaterra fue *Sir Spencer St. John*, quien en 1884 logró que el Gobierno del general M. González, testaferro de Porfirio Díaz, aprobase esta Deuda. Pero la aprobación causó un enorme clamor en México, manifestaciones e incluso revueltas, y hubo de cancelarse. En 1885, después de casi veinte años, se renovaron las relaciones diplomáticas entre los dos países. Sir Spencer St. John fue nombrado embajador plenipotenciario de Inglaterra en México. Ni que decir tiene que su actividad principalísima era económica y financiera, a tono con sus comienzos mexicanos, cuidando de aumentar las inversiones británicas, de protegerlas y de mantenerlas rentables y saneadas. Todo esto lo logró, con altibajos, gracias a su actitud personal de cordialidad, no escatimando fiestas y reuniones para fomentar las buenas relaciones entre los dos países. De ahí la pertinencia de la aclaración del ministro uruguayo acerca de las verdaderas intenciones de Sir Jonnes, quien «tan cordial, tan evangélico, sólo persigue una indemnización de veinte millones para la West the Lymited Compagny» (VII, 2, i).

Las palabras de Sir Jonnes en la novela, así como la

ocasión de la reunión diplomática, remiten también a otra época y a otras circunstancias de la historia de México: a las sórdidas maquinaciones del indeseable ministro de los Estados Unidos y decano, entonces, del Honorable Cuerpo Diplomático, *Henry Lane Wilson,* que tan principal papel jugó en la caída de Madero y encumbramiento del general Huerta; tan principal que el llamado Pacto de la Ciudadela, que consumó el cambio presidencial, ha sido llamado también Pacto de la Embajada (norteamericana), por haberse gestado allí.

Al comenzar la Decena Trágica, el domingo 9 de febrero de 1913, con la rebelión del general Félix Díaz, y, según un testigo presencial, el embajador cubano Manuel Márquez Sterling,

> el embajador Wilson, como Decano, citó aquella misma tarde al Cuerpo Diplomático, y la reunión se efectuó, como era natural, en la Embajada [de los Estados Unidos]… Mr. Wilson mostróse alarmadísimo y señaló la conveniencia de pedir al gobierno dos medidas esenciales: el cierre de los expendios de bebidas y el servicio de policía por los soldados regulares. Todas las cabezas hicieron, a una, signos afirmativos. Y el Embajador quedó, de su primer éxito, orgulloso (45).

La actitud y las palabras de H. L. Wilson durante los varios episodios de esta crisis gubernativa mexicana están expresamente puestas en boca del innominado embajador yanqui de la novela cuando dice:

> La república, sin duda, sufre una profunda conmoción revolucionaria, y la represión ha de ser concordante. Nosotros presenciamos las ejecuciones, sentimos el ruido de las descargas, nos tapamos los oídos, cerramos los ojos, hablamos de aconsejar … Señores, somos demasiado sentimentales. El gobierno del general Banderas, responsable y con elementos de juicio suficientes, estimará necesario todo el rigor. ¿Puede el Cuerpo Diplomático aconsejar en estas circunstancias? (VI, 3, iv).

Con palabras parecidas, desde luego con el mismo espíritu, fue con las que condonó el embajador Wilson la muerte del presidente Madero y el Vicepresidente Pino Suárez a manos de sus protegidos, los generales Huerta y Díaz, sobre todo el primero. En aquella ocasión, ante la pregunta unánime de sus colegas diplomáticos, «¿No irán estos hombres a matar al presidente?», contestó:

> "Oh, no ... A Madero lo encerrarán en un manicomio; el otro sí es un pillo, y nada se pierde con que lo maten." "No debemos permitirlo", dijo inmediatamente el ministro de Chile. "Ah", replicó el embajador, "en los asuntos interiores de México no debemos mezclarnos: allá ellos, que se arreglen solos" (46).

Resulta, además, que el trío de colegas diplomáticos a quienes confiaba el omnipotente yanqui los hilos de sus vergonzosas tramas eran los de España, Bernardo de Cólogan; de Alemania, almirante von Hintze, y de Inglaterra, Sir Reginald Tower, parecidamente a lo que ocurre en la novela.

SENDERO TEOSOFICO, El (V, 2, ii): Publicación que Roque Cepeda recomienda como lectura a uno de sus compañeros de cautiverio en Santa Mónica. Se trata de una publicación periódica de este nombre, subtitulada *Revista Internacional Ilustrada,* que comenzó a publicarse en julio de 1911 en Point Loma, California (USA), bajo la dirección de Mrs. Katherine A. (Westcott) Tingley —y menciono el nombre de soltera, entre paréntesis, porque figuraba en la revista y pudiera haber servido de inspiración a un Valle-Inclán completamente ayuno de inglés, pero conocedor de esa revista, para el nombre de la compañía inglesa que hace las reclamaciones económicas, West..., y del apellido de quien las defiende, el embajador Scott.

SOLITA: «Chicuela consumida, tristeza, desgarbo, fealdad de hospiciana» (III, 1, iv). Hija del Ciego Velones, músico ambulante. Canta una sola estrofa de un «danzón entonces popular: "No me mates, traidora ilusión. / Es tu imagen en mi pensamiento / una hoguera de casta pasión!"» (III, 1, iv), que no he logrado localizar, aunque sin duda es uno de los que fueron objeto de las publicaciones de la casa de Vanegas Arroyo; sobre la cual véase «SANTOS Y DIFUNTOS».

TRINI, Don: «Mulato, muy escueto, con automatismo de fantoche» (V, 1, ii). Cabo de Vara en la prisión de Santa Mónica.

TU-LAG-THI: «Tenía la voz flaca, de pianillos desvencijados, y una movilidad rígida, de muñeco automático, un accionar esquinado de resorte, una vida interior de alambre en espiral» (VII, 2, ii). Ministro del Japón. La mención de un embajador japonés en circunstancias revolucionarias hispanoamericanas o, más precisamente, mexicanas, además de ser consonante con la anterior mención del «peligro amarillo» —que sería más chino que japonés, sin embargo— y de los orígenes y los destinos asiáticos de la América Hispana, es particularmente sugerente al recordar los intentos de acercamiento del general Huerta con este país, así como el hecho de que haya sido el embajador japonés, *Horigoutchi,* y su familia, quien protegió en su Legación a la familia del presidente Madero.

VALDIVIA, Teniente: Uno de los ayudantes del tirano: «dos lagartijos con brillantes uniformes, cordones y plumeros» (VI, 1, ii), a quien aquél encarga que se entere de «si hay mucha caravana para audiencia».

VALERO, Pepe: Actor teatral español natural de Sevilla, muy conocido y que, efectivamente, hizo varias giras por América (1808-1891).

VALLE, Mayor Abilio del: Ayudante militar del tirano especialmente significado por su «charrasco fulminante», encargado de la captura, fallida, del coronelito de la Gándara.

VEGA, Santos: «¡Bien punteada, mi amigo! Hacés vos pendejo a Santos Vega» (IV, 5, ii), dice el ranchero encomiando al coronelito al oírle tocar la guitarra. Payador de la Pampa, cantor popular argentino, ha sido este personaje objeto de varias leyendas y tratamientos literarios.

VEGUILLAS, Licenciado Nachito: Acompañante del

tirano caracterizado particularmente por remedar su siniestro y agorero «¡Chac! ¡Chac!» con el canto de la rana: «¡Cua! ¡Cua!».

El nombre no puede dejar de traer a las mientes inmediatamente, tanta es la semejanza, el del tercer candidato a la presidencia de México en 1920, frente al general Obregón y Pablo González, *Ignacio Bonillas,* a quien se llamaba, en efecto, entre despreciativa y condescendientemente, Nachito Bonillas. En las caricaturas y sátiras de la época se le representaba como un pelele quejumbroso impuesto como candidato por Venustiano Carranza y más yanqui que mexicano, pues en Norteamérica había pasado gran parte de su vida. No es de despreciar la sugerencia nominal, pues su jefe fue el presidente —aunque constitucional y no exactamente tiránico, pero sí autoritario— contra quien se rebelaron tanto Pablo González —quizás el coronelito de la Gándara— como Alvaro Obregón —sin duda el ranchero Filomeno Cuevas.

Por lo demás, salvo su carácter de bufón y su remedo del croar de la rana, que recuerdan a los bufones que rodeaban al tirano argentino Rosas, no encuentro paralelo con ninguna otra figura de la época, a pesar de su importancia novelesca como lazo de unión entre el tirano y sus enemigos.

VELASCO, Dositeo: Uno de los cómplices del ranchero que, «por más hacendado, había sido de primeras el menos propicio para aventurarse en aquellos azares» (IV, 5, i). Este papel correspondió en la vida de Alvaro Obregón al gobernador de Sonora, también de nombre vasco, *Maytorena,* quien dudó y pospuso su adhesión a la revolución hasta el último momento.

VELONES, El Ciego: «Ciego lechuzo» (III, 1, iv) a quien se da este nombre de burlas, músico ambulante, con su hija Solita, a la que acompaña con «un piano sin luces, un piano lechuzo que se pasaba los días enfundado de bayeta negra» (III, 1, iv) —hay que entender que se trata bien de un acordeón, bien de un piano de manubrio de los que se apoyan en una sola pata y cuelgan del cuello del músico— que le embarga el empeñista Quintín Pereda, a quien no puede pagar los plazos, y que recupera en el momento de la revuelta, cayendo con las ropas en llamas de un tejado a la calle (VII, 3, vi).

VIGURI, Capitán: Preso en el fuerte de Santa Mónica que asiste al juego de cartas de Nachito Veguillas con Chucho el Roto (V, 3, i).

WEST THE LYMITED COMPAGNY: «Una indemnización de veinte millones …» (VI, 2, i). Compañía inglesa para la que el embajador Sir Jonnes H. Scott pretende conseguir esta indemnización.

Podría ser una de varias —muchas— compañías británicas en México en estas circunstancias, sin duda una ferrocarrilera o minera, los dos tipos de inversión más frecuente de los ingleses durante el gobierno de Porfirio Díaz. La compañía inglesa de más larga historia en esa época era la del ferrocarril de Veracruz a México, D.F., la *Imperial Mexican Railway, Limited,* que, efectivamente, hizo en varias ocasiones importantes reclamaciones, en gran parte fraudulentas, al gobierno mexicano y fue uno de los acreedores principales de la polémica Deuda Inglesa.

ZAMALPOA: Este lugar se cita en relación con varios hechos novelescos: primero, cierta «insurrección» contra el tirano sofocada por éste mediante unas «ejecuciones» por «fusilamiento», lo cual le vale el nombre —según sea el hablante adicto o no— de «tigre» o de «pacificador» o «héroe de Zamalpoa»; segundo, y en relación con este suceso, los rebeldes publican un revolucionario «Plan de Zamalpoa», y tercero, en los llanos de este nombre tenía «un judas gachupín» una mina de la que escapa el indio Indalecio Santana, uniéndose a las tropas de Doroteo.

Por todo ello, el nombre recuerda los del noroeste de México, regién que durante el Porfiriato fue la más maltratada de toda la república. Es una de las zonas mineras más ricas del país y la cuna tanto del general Obregón, del estado de Sonora, como de la rebelión de ?ancho Villa (Doroteo Arango), que comenzó en el vecino estado de

Chihuahua, y de la Revolución Mexicana misma, iniciada con la toma de varias plazas en este mismo estado.

Mantanzas de rebeldes hubo muchas durante el gobierno de Porfirio Díaz, unas más sonadas que otras. Una de las más famosas, aunque no la más cruenta, fue la de *Veracruz* el 26 de junio de 1879, en la que fueron fusilados siete partidarios del depuesto presidente Lerdo de Tejada. Al enterarse Porfirio Díaz de los preparativos de la rebelión, mandó al gobernador de la plaza una muy famosa orden: «¡Mátalos en caliente!» La orden y las ejecuciones causaron gran escándalo y no fueron nunca olvidadas por sus enemigos, quienes a partir de entonces llamaron a don Porfirio, don Pérfido.

Pero las matanzas más cruentas llevadas a cabo por Porfirio Díaz fueron las de los indios yaquis sublevados en *Navojoa,* en el estado de Sonora, en mayo de 1892, y sobre todo la del pueblo de *Tomóchic,* en la Sierra Madre Occidental, estado de Chihuahua, en octubre de 1892, unos y otros seguidores de Teresita Urrea, la Santa de Cabora. Varios historiadores consideran esta última rebelión precursora de la revolución de 1910 y a todos los habitantes masacrados como protomártires de la misma.

La fecha, 1892, repetida una y otra vez en las alusiones históricas de la novela y coincidente con la primera estancia de Valle-Inclán en México, así como el hecho de que planeara incluir este episodio en la novela, hacen pensar que esta matanza es la que tenía en mientes al darle el nombre inexistente de Zamalpoa.

Finalmente, en lo que se refiere al «Plan de Zamalpoa» la alusión es múltiple, dada la costumbre de todo rebelde mexicano que se precie de no disparar el primer tiro sin antes proclamar el correspondiente plan o manifiesto: desde el *Plan de la Noria* del mismo Porfirio Díaz en 1871, que tuvo que envainarse, y luego el de *Tuxtepec,* de 1876, con el que triunfó, pasando por el más famoso de todos, el de Madero contra Díaz, de 1911, llamado de *San Luis Potosí* —posiblemente el aludido en la novela— y el zapatista de Ayala —más revolucionario y reivindicador que el de Madero— y continuando interminablemente con el constitucionalista de V. Carranza contra Huerta, *Plan de Gua-*

dalupe; el de P. Elías Calles contra Carranza, *Plan de Agua Prieta*; el *Plan de Hermosillo*, contra Calles, etc., etc.

Como la figura del tirano Antonio López de Santa Anna no está totalmente ausente de la novela, es de recordar también que el himno nacional mexicano, escrito durante su gobierno, menciona un nombre parecido en su estrofa IV, que reza así:

> Del guerrero inmortal de Zempoala
> Te defiende la espada terrible
> Y sostiene su brazo invencible
> Tu sagrado pendón tricolor.

El guerrero inmortal de Zempoala era, naturalmente, Santa Anna mismo —de quien, irónicamente, no se sabe si la estrofa afirma que su espada terrible defiende al ciudadano mexicano o que cierta espada terrible defiende a éste *de* él. Esta estrofa, así como la VII, relativa a Iturbide, no se cantan actualmente, aunque siguen siendo parte oficial del himno nacional mexicano.

NOTAS

(1) Ireneo Paz, *Porfirio Díaz* (México: Imprenta de Ireneo Paz, 1911), tomo II, p. 39.

(2) *Fuentes para la Historia de la Revolución Mexicana. IV. Manifiestos políticos (1892-1912)*, Prólogo, ordenación y notas de Manuel González Ramírez (México: Fondo de Cultura Económica, 1957), p. 200.

(3) *Ibídem*, p. 632.

(4) Julio César Chaves, *El Supremo Dictador* (Buenos Aires: Ayacucho, 1946), p. 181.

(5) Información cómodamente consultable en *La tiranía y la libertad. Juan Manuel de Rozas según 127 autores* (Buenos Aires: La Vanguardia, 1943).

(6) Son principalmente José Extramiana y Emma Susana Speratti-Piñeo, cuyos trabajos están reseñados en la «Guía bibliográfica» de este libro.

(7) I. Paz, *Obra citada*, pp. 141-143.

(8) En primer lugar, por R. Blanco Fombona en su reseña de la novela en 1927. Véase «Guía bibliográfica».

(9) (Anónimo), *Memorias del General Victoriano Huerta* (San Antonio, Texas: Librería de Quiroga, 1915), p. 4.

(10) *Ibídem;* p. 5.

(11) *Ibídem*, pp. 26-27.

(12) *Ibídem*, p. 40.

(13) *Ibídem*, p. 58.

(14) Citado por Antonio Luna Arroyo, *El Dr. Atl. Sinopsis de su Vida y su Pintura* (México: Cultura, 1952), p. 35, nota 1.

(15) Los de J. Extramiana, J. I. Murcia y E. S. Speratti-Piñero. Véase la «Guía bibliográfica».

(16) Emma Susana Speratti-Piñeiro, *De «Sonata de otoño» al esperpento. Aspectos del arte de Valle-Inclán* (London: Támesis Books Limited, 1968), p. 92.

(17) Véase «Guía bibliográfica».

(18) Manuel Márquez Sterling, *Los últimos días del presidente Madero (Mi gestión diplomática en México)* (México: Porrúa, 3.ª edición, 1975), p. 96.

(19) Reproducido en *Posada's México*, Edited by Ron Tyler (Washington: Library of Congress, 1979), p. 26.

(20) Armando de María y Campos, *La Revolución Mexicana a través de los corridos populares* (México: Publicaciones de la Biblioteca del Instituto Nacional de Estudios Históricos de la Revolución Mexicana, 1962), pp. 35-36.

(21) C. General Alvaro Obregón, *Ocho mil kilómetros en campaña* (París-México: Librería de la Vda. de C. Bouret, 1917), pp. 7-8.

(22) *Ibídem*, pp. 11-12.

(23) *Ibídem*, p. 12.

(24) *Ibídem*, p. 12.

(25) Citado por Speratti-Piñero, *Obra citada*, p. 177, nota 23.

(25 bis) Constancio Bernaldo de Quirós, *El bandolerismo en España y en México* (México: Editorial Jurídica Mexicana, 1959), página 347.

(26) Speratti-Piñero, *Obra citada*, p. 95, nota 32.

(27) Citado por Luna Arroyo, *Obra citada*, pp. 179-180.

(28) *Ibídem*, p. 177.

(29) Citado por Leda Schiavo, *Historia y novela en Valle-Inclán. Para leer «El ruedo ibérico»* (Madrid: Castalia, 1980), página 341.

(30) Moisés González Navarro, *Historia moderna de México. El Porfiriato. La vida social* (México: Hermes, 1957), p. 156.

(31) Citado por José F. Vérgez, *Recuerdos de Méjico* (Barcelona: Imprenta de Henrich y Cía., 1902), pp. 241-242.

(32) I. Paz, *Obra citada*, p. 36.

(33) Respecto del primer personaje aludido se ha de consultar el artículo de E. C. Rehder reseñado en la «Guía bibliográfica», del que tomo esta información. En cuanto al segundo, se puede consultar *Publicaciones periodísticas de don Ramón del Valle-Inclán anteriores a 1895*. Edición, estudio preliminar y notas de William L. Fichter (México: El Colegio de México, 1952), pp. 30-32, nota 20.

(34) *Apuntes para la Historia de la Revolución Mexicana* (México: Publicaciones de la B.I.N.E.H.R.M., 1961), p. 101.

(35) Bernaldo de Quirós, *Obra citada*, pp. 235-236.

(36) Alberto María Carreño, *Los españoles en el México independiente (Un siglo de beneficencia)* (México: Impr. Manuel León Sánchez, 1942), p. 213.

(37) Reproducido en Salvador Pruneda, *La caricatura como arma política* (México: Publicaciones de la B.I.N.E.H.R.M., 1958), páginas 197-198.

(38) John Kenneth Turner, *Barbarous Mexico* (Austin & London: University of Texas Press, 1969). La edición original es de 1910. La referencia a Juan Pereda se encuentra en las pp. 74-75.

(39) Estas son esencialmente las razones y conclusiones de David Bary en el artículo reseñado en la «Guía bibliográfica».

(40) Alberto y Arturo García Caraffa, *Enciclopedia Heráldica y Genealógica Hispano-Americana* (Madrid, 1958), tomo 79, p. 45. En este mismo sentido, véase el ya citado trabajo de E. C. Rehder.

(41) Dr. Alt, *Las artes populares en México* (México: Cultura, 2.ª edición, 1922), vol. I, pp. 141 y 176.

(42) Gerardo Murillo, *Cuentos bárbaros* (México: Libros Mexicanos, 1930), pp. 29-32.

(43) Dr. Atl, *Obra citada*, vol. II, pp. 120-121.

(44) Reproducido en *Posada's Mexico*, p. 33.

(45) Márquez Sterling, *Obra citada*, pp. 194-196.

(46) Isidro Fabela, *Historia diplomática de la Revolución Mexicana*, citado por Jesús Silva Herzog, *Breve historia de la Revolución Mexicana* (México: Fondo de Cultura Económica, 1960), vol. I, pp. 299-300.

GUIA BIBLIOGRAFICA DE *TIRANO BANDERAS*

No se incluyen aquí más que las publicaciones que directa y principalmente tratan de esta novela, con sólo unas pocas excepciones que se justifican en su lugar. Naturalmente, son numerosísimos los trabajos que dedican una atención parcial a esta novela en el curso del estudio de la producción total de Valle-Inclán, de su obra esperpéntica, novelesca, etc. Igualmente numerosos son los casos de trabajos sobre Valle-Inclán que, aunque no hacen mención de Tirano Banderas, *resultan tener interés para esta novela. Todos ellos están excluidos de esta lista por mor de la brevedad y de la clara definición de su criterio inclusivo. De acuerdo con éste, la presente compilación es exhaustiva hasta finales del año 1981.*

Los comentarios intentan orientar al lector acerca del contenido y del valor, a mi juicio, de algunos de los trabajos reseñados.

I. LIBROS

Salgues Cargill, Maruxa. *Tirano Banderas (Estudio crítico-analítico)* (Jaén: Gráficas Nova, 1973).
Estudio simplista e ingenuo de mínima utilidad.

Smith, Verity. *Tirano Banderas* (London: Grant & Cutler Ltd., in association with Támesis Books Ltd., 1971).
Breve manual a modo de guía crítica de la novela que compendia inteligentemente, aunque de modo tradicional, lo más notable de lo ya conocido sobre la novela.

Speratti-Piñero, Emma Susana. *La elaboración artística de Tirano Banderas* (México, D. F.: El Colegio de México, 1957). Publicado también, en su totalidad, en el libro de la misma autora *De «Sonata de otoño» al esperpento (Aspectos del arte de Valle-Inclán)* (London: Támesis Books Ltd., 1968).

Primer libro dedicado a Tirano Banderas, *cuyos capítulos fueron primero publicados en la* Nueva Revista de Filología Hispánica *(México, D.F.). Indispensable en lo relativo a «Las fuentes y su aprovechamiento», «La evolución» del texto de la novela según sus distintas publicaciones y revisiones, y el extenso «Glosario» de americanismos y neologismos.*

II.   RESEÑAS CRITICAS CONTEMPORANEAS

(No se incluyen aquí las reseñas de las traducciones de la novela, especialmente al inglés.)

Baeza, Ricardo. «La resurrección de Valle-Inclán», *La Gaceta Literaria* (Madrid), 15 de junio de 1927, p. 4.

Barja, César. «Algunas novelas españolas recientes», *Bulletin of Hispanic Studies* (Liverpool), vol. V, núm. 18 (April 1928): 67-74.

Blanco-Fombona, Rufino. «En torno a *Tirano Banderas*», *La Gaceta Literaria* (Madrid), 15 de enero de 1927. También publicado en la colección de artículos del autor *Motivos y letras de España* (Madrid: Renacimiento, 1930): 149-157.

Primera reseña de la época y una de las más originales. Introductora del término «americanada» para designar esta novela, por analogía con las «españoladas», pero, contrariamente a lo que pudiera parecer, elogiosa y hasta entusiasta.

Bóveda, Xavier (X. B.). «*Tirano Banderas*», *Síntesis* (Buenos Aires), vol. I, núm. 2 (1927): 120-121.

Díez-Canedo, Enrique. «Revista de libros: *Tirano Banderas*», *El Sol* (Madrid), 3 de febrero de 1927.

Drake, William. «*Tirano Banderas*», *The New York Herald-Tribune* (New York), June 5, 1927.

Espina, Antonio. «*Tirano Banderas*», *Revista de Occidente* (Madrid), vol. XV (1927): 274-279.

Gómez de Baquero, Eduardo («Andrenio»). «Literatura española: La novela de Tierra Caliente», *El Sol* (Madrid), 20 de enero de 1927, p. 1.

Guzmán, Martín Luis. «*Tirano Banderas*», *El Universal* México, D.F., 1927, y también en *Repertorio Americano* (San José, Costa Rica), vol. XIV, núm. 13 (2 de abril de 1927): 196-197.

Latorre, Mariano. «Méjico: Dos novelas sobre la Revolución: R. del Valle-Inclán, *Tirano Banderas*, y M. Azuela, *Los de abajo*», *La Información* (Santiago de Chile), vol. V, núm. 5 (1928).

Miró, Gabriel. «Valle-Inclán», *Heraldo de Madrid* (Madrid), 18 de enero de 1927.

Owen, Arthur L. «Valle-Inclán's Recent Manner», *Books Abroad* (Norman, Oklahoma), vol. I, núm. 4 (1927): páginas 9-12.

Paredes, Félix. «Notas hispanoamericanas. Valle-Inclán y Sarmiento», *Caras y Caretas* (Buenos Aires), núm. 1.530 (28 de enero de 1928).

Río, Angel del. «La vida literaria en España», *Revista de Estudios Hispánicos* (New York), vol. I, núm. 1 (enero-marzo de 1928): 61-63.

Sáinz Rodríguez, Pedro. «*Tirano Banderas*, una novela de Valle-Inclán», *El Liberal* (Madrid), 20 de febrero de 1927.

Wishnieff, Harriet V. «A Synthesis of South America: *Tirano Banderas*», *The Nation* (New York), vol. CCXXVI (May 16, 1928): 569-570.

III. ARTICULOS

Anónimo. «Prólogo», Ramón del Valle-Inclán, *Tirano Banderas. Novela de Tierra Caliente* (Madrid: Aguilar, 1969): 11-12.

Ayala, Juan A. «De *Tirano Banderas* a *El señor Presidente*», *El Diario de Hoy* (El Salvador), 6 de septiembre de 1953.

Bary, David. «Un personaje de Valle-Inclán. ¿Quién es el barón de Benicarlés?», *Insula*, núm. 266, año XXIV (enero de 1969): 1 y 12.
Limita el modelo del personaje novelesco a Isabel II.

Belic, Oldrich. *La estructura narrativa de «Tirano Banderas»* (Madrid: Editora Nacional, 1968), Colección Ateneo, núm. 43.
Aunque publicado por separado, no es propiamente un libro, sino el texto de una conferencia pronunciada el 22 de noviembre de 1967 en el Ateneo Científico, Artístico y Literario de Madrid.
Es uno de los primeros trabajos que advirtieron e intentaron sacar conclusiones acerca de la disposición simétrica de la novela, la utilización de los números 3, 7 y 9, y los contrastes temáticos.

Campos, Jorge: «Tierra Caliente (La huella americana en Valle-Inclán)», *Cuadernos Hispanoamericanos* (Madrid), vol. LXVII, núm. 199-200 (julio-agosto de 1966): 407-438).
Sólo las páginas 433 a 436 tratan directamente de Tirano Banderas, y el resto, como su título indica, de la huella que lo americano dejó en el resto de la obra de Valle-Inclán. Pero dada la omnicomprensión de esta novela son útiles para su lectura las observaciones generales sobre toda su experiencia hispanoamericana.

Castilla, Alberto. «*Tirano Banderas*. Versión teatral de [Enrique] Buenaventura», *Latin American Theatre Review* (Spring 1977): 65-71.
Esta versión teatral no ha sido objeto de publicación impresa.

Chavarri, Raúl. «Las cinco fronteras de la novela hispano-americana», *Cuadernos Hispanoamericanos* (Madrid), vol. LXVII, núm. 199-200 (julio-agosto de 1966): páginas 439-444.
Sobre la influencia de Valle-Inclán y, particularmente, de Tirano Banderas en la narrativa hispanoamericana.

Díaz-Migoyo, Gonzalo. «La transparente mentira de la literatura: El ejemplo de *Tirano Banderas*», *Quimera. Revista de Literatura*, núm. 12 (octubre de 1981): 36-38.

— «La traducción del lenguaje ficticio», «Jornada Literaria», año II, Suplemento núm. 50, *Jornada* (Santa Cruz de Tenerife), 14 de noviembre de 1981, p. 11.

Díez-Canedo, Enrique. «Valle-Inclán: *Tirano Banderas*», en Ramón del Valle-Inclán, *Tirano Banderas. Novela de Tierra Caliente* (Madrid-Barcelona: Ed. Nuestro Pueblo, 1938): 7-10.

Dougherty, Dru. «The Question of Revolution in *Tirano Banderas*», *Bulletin of Hispanic Studies* (Liverpool), vol. LIII, núm. 3 (July 1976): 207-213.
Interpretación de la novela en el sentido de la futilidad, y fatalidad, de la revolución contra la tiranía, por repetirse ésta indefinidamente en la Historia.

Durán, Manuel. «Actualidad de *Tirano Banderas*», *Mundo Nuevo* (París), núm. 10 (abril de 1967): 49-55.

Espinoza, Herbert O. «Lope de Aguirre y Santos Banderas: La manipulación del mito», *Maize. Notebooks of Xicano Art and Literature*, vol. 4, núms. 3-4 (Spring-Summer 1981): 32-43.

Extramiana, José: «A propósito de algunas fuentes de *Tirano Banderas* en un intento de interpretación de la novela», *Bulletin Hispanique* (Bordeaux), vol. LXIX, núms. 3-4 (Juillet-Décembre 1967): 465-486.
Utilizando los datos ofrecidos por J. I. Murcia y S. E. Speratti-Piñero, que corrobora con algunos más, propone una lectura «crítico-realista» del México de Porfirio Díaz.

Falconieri, John V. «*Tirano Banderas*: Su estructura esperpéntica», *Quaderni Ibero-Americani* (Turín), vol. I,
núm. i (1972): 43-63.
Dedicado en su mayor parte a Tirano Banderas y, secun-
dariamente, a El ruedo ibérico.

Fuente, Francisca de la. «Expresión de América y de los
personajes americanos en la obra de don Ramón del
Valle-Inclán», *Humanidades* (La Plata), vol. XXIX
(1944): 103-116.
Dedica a Tirano Banderas, sin especial novedad, las
páginas 113 a 115.

Garlitz, Virginia Milner. «Teosofismo en *Tirano Bande-*
ras», *Jornal of Spanish Studies: Twentieth Century,*
2 (1974): 21-29.

Gullón, Ricardo. «Técnicas de Valle-Inclán», *Papeles de*
Son Armadans, núm. CXXVII (octubre de 1966): 21-
86. Reproducido en forma abreviada en A. Zahareas,
ed., *Ramón del Valle-Inclán. An Appraisal of His Life*
and Works (New York: Las Américas, 1968): 723-757.
Uno de los estudios sobre la novela de lectura obligada,
aunque su pretensión de examen total y las categorías
de análisis utilizadas, así como su rigor crítico, deban
aceptarse con un grano de sal.

Ilie, Paul. «Esperpentismo (Valle-Inclán)», en *Los surrea-*
listas españoles (Madrid: Taurus, 1972): 193-219.
Capítulo IX de este libro, dedicado exclusivamente a
Tirano Banderas, *en el que señala la significación*
surrealista de algunos procedimientos deformantes utili-
zados por Valle-Inclán.

Kattan, Olga. «Notas sobre Tirano Banderas», *Cuadernos*
Hispanoamericanos (Madrid), vol. LXXIX, núm. 325
(julio de 1969): 179-189.
Siguiendo a R. Gullón, examina algunas de las imáge-
nes de la novela como indicios del «realismo» especial
de Valle-Inclán.

Kirkpatrick, Susan. «*Tirano Banderas* y la estructura de la historia», *Nueva Revista de Filología Hispánica* (México, D.F.), vol. 24 (1975): 449-468.
El mejor trabajo hasta la fecha sobre la organización de la trama y su significación para el sentido general de la novela.

— «*Tirano Banderas* and *El señor Presidente*: Two Tyrants and Two Visions», *Actes du VII Congrés de l'A.I.L.C./Proceedings of the 7th Congress of the I.C.L.A.,* eds. Dimic, Milan y J. Ferraté (Stuggart: Bieber, 1979): 229-233.

Lagmanovich, David. «La visión de América en *Tirano Banderas*», *Humanitas* (Tucumán, Argentina), vol. II, núm. 6 (1955): 267-278.
Recenso, bajo los epígrafes «La naturaleza», «El hombre», «Lo social» y «La lengua», de alusiones o particularidades de la novela sobre estos mismos temas.

Mañach, Jorge. «Valle-Inclán y la elegía de América», *Revista Hispánica Moderna* (New York), vol. II, núm. 4 (1936): 302-306.

Menton, Seymour. «La novela experimental y la república comprensiva de Hispanoamérica: estudio analítico y comparativo de *Nostromo, Le dictateur, Tirano Banderas* y *El señor Presidente*», *Humanitas* (Monterrey, México), vol. I, núm. 1 (1960): 409-464.
Descripción comparativa de estas cuatro novelas, sin otro interés que el informativo.

Murcia, J. I. «Fuentes del último capítulo de *Tirano Banderas de Valle-Inclán*», *Bulletin Hispanique* (Bordeaux), vol. LII, núms. 1-2 (1950): 118-122.
Modernamente, el estudio que inició la comparación detallada de dos crónicas sobre Lope de Aguirre, recogidas por Serrano y Sanz en su Historiadores de Indias, *y su aprovechamiento en la parte indicada de la novela.*

Nallim, Carlos Orlando. «Valle-Inclán: *Tirano Banderas*», *Revista de Literaturas Modernas* (Mendoza, Argentina), núm. 1 (1956): 159-180.

Repetición de tópicos interpretativos sin especial distinción.

— «El estilo de *Tirano Banderas*», *Revista de Educación* (La Plata), vol. V, núm. 7-8 (julio-agosto de 1960): 452-455.

Navas Ruiz, Ricardo. «*Tirano Banderas*: América como espectáculo», *Literatura y Compromiso* (São Paulo: Instituto de Cultura Hispánica de São Paulo, 1963): 53-69.
Curiosa lectura, ingenuamente literal y apasionada, en contra de la novela y de su autor, a los que acusa de desconocimiento y caricaturización frívola de la realidad hispanoamericana.

Pego, A. «Un solo de lamentación», *La Gaceta Literaria* (Madrid) ,15 de febrero de 1930.
La lamentación es por la poca publicidad que se dio a la traducción norteamericana de la novela en 1929.

Rehder, Ernest C. «Historical Antecedentes for the Vate Larrañaga and the Barón de Benicarlés in Valle-Inclán's *Tirano Banderas*», *Romance Notes,* vol. XXII, núm. 1 Fall 1981): 37-41.

Scari, Robert M. «*Tirano Banderas*: aspectos de su estructura», *Revista de Estudios Hispánicos* (University, Alabama), vol. 14, núm. ii (1980): 47-57.
Recenso de detalles de la novela bajo los epígrafes «Geográfico», «Histórico» y «Lingüístico».

Silverman, Joseph H. «Valle-Inclán y Ciro Bayo: Sobre una fuente desconocida de *Tirano Banderas*», *Nueva Revista de Filología Hispánica,* vol. XIV (196?): 73-88. También, abreviado, en A. N. Zahareas, ed., *Ramón del Valle-Inclán. An Appraisal of His Life and Works* (New York: Las Américas, 1968): 711-722.
Fundamental estudio que señala, inapelablemente, la importancia del libro de Ciro Bayo Los Marañones *para la redacción de la última parte de* Tirano Banderas.

Souto Alabarce, Arturo. «Introducción», Ramón del Valle-

Inclán, *Tirano Banderas. Novela de Tierra Caliente* (México: Porrúa, S. A., 1975): VII-XXXVI.
La mejor de las introducciones generales a una edición de la novela y, dentro de su brevedad y su carácter, uno de los mejores estudios sumarios de ella.

Speratti-Piñero, Emma Susana. «Valle-Inclán y México: Parte II, *Tirano Banderas*», en A. N. Zahareas, ed., *Ramón del Valle-Inclán. An Appraisal of His Life and Works* (New York: Las Américas, 1968): 699-710.
Fragmento de «Valle-Inclán y México», Historia Mexicana (México), julio septiembre de 1958, pp. 60-80, reproducido en su totalidad en E. S. Speratti-Piñero, De «Sonata de otoño» al esperpento (Aspectos del arte de Valle-Inclán) (London: Támesis Books Ltd., 1968): 53-72.

Sol T., Manuel. «Valle-Inclán y Baroja, dos imágenes de México y de Hispanoamérica», *Cuadernos Hispanoamericanos*, núm. 291 (1974): 631-640.

Subercaseaux, Bernardo. «*Tirano Banderas* en la narrativa hispanoamericana: La novela del dictador, 1926-1976», *Hispamérica*, 14 (1976): 45-62. Reproducido con ligeras variantes en *Cuadernos Hispanoamericanos*, número 359 (mayo de 1980): 323-340.
Trabajo informativo, especialmente acerca del gran número de «novelas del dictador», que, en la comparación de Tirano Banderas con El señor Presidente y de ambas con El recurso del método y El otoño del patriarca, destaca cuidadosamente varias categorías literarias bastante ingenuas y trasnochadas.

Tucker, Peggy Lynne. *Time and History in Valle-Inclán's Historical Novels and «Tirano Banderas»* (Albatros ediciones Hispanofila, 1980): *passim*.

Uribe Echevarría, Juan. «*Tirano Banderas,* novela hispanoamericana sin fronteras», *Atenea* (Concepción, Chile), vol. XXXIII, núm. 127 (1936): 13-19.

Valencia, Antonio. «Introducción», Ramón del Valle-Inclán, *Tirano Banderas. Novela de Tierra Caliente* (Madrid: Espasa-Calpe, 1975): 9-30.

Villegas, Juan. «La disposición temporal de *Tirano Banderas*», *Revista Hispánica Moderna* (New York), volumen XXXIII, núm. 3-4 (July-October, 1967): 299-308. *Importante trabajo sobre este aspecto de la novela, cuya descripción, sin embargo, adolece de algunos errores de hecho.*

— «Nota sobre el verde en *Tirano Banderas*», *Atenea* (Concepción, Chile), vol. CLXVI, núm. 147 (julio-septiembre de 1967): 199-207.

Xirau, Ramón. «*Tirano Banderas* y algunos asuntos más», *Revista de la Universidad de México* (Nueva época), núm. 5 (septiembre de 1981): 12-17.

Yamaguchi, Tieko. «En torno de *Tirano Banderas*», *Estado de São Paulo. Suplemento Literario* (São Paulo), vol. XI, núm. 501, 29 de octubre de 1966, p. 6.

Zamora Vicente, Alonso. «Variedad y unidad de la lengua en *Tirano Banderas*», *La Nación* (Buenos Aires), 29 de julio de 1951.
Como en la mayoría de los comentarios sobre el lenguaje de la novela, insiste en su carácter sintético.

— «Introducción», Ramón del Valle-Inclán, *Tirano Banderas*. Edición, introducción y notas de Alonso Zamora Vicente (Madrid: Espasa Calpe, 1978): vii-xxxii.
La más útil y recomendable de las ediciones de la novela a causa de las extensas notas aclaratorias de su léxico, que resultan indispensables.

Addenda:

Abad, Francisco. «Sobre la lengua y el estilo: Valle-Inclán». *El Crotalón. Anuario de Filología Española* (Madrid), 1984, núm. 1, págs. 739-48.

Kirschner, Teresa J. «La descripción subversiva del jardín de la virreina en *Tirano Banderas*». Boletín de la Biblioteca Menéndez Pelayo, 57 (1981): 361-72.

Senabre, Ricardo. «Valle-Inclán: *Tirano Banderas*», en *El comentario de textos, 2. De Galdós a García Márquez* (Madrid: Castalia, 1984): 137-154.

INDICE

DATE DUE			

Diaz   230265